Elizabeth Hoyt

Née à La Nouvelle-Orléans d'où est originaire la famille de sa mère, elle a passé son enfance à Saint Paul dans le Minnesota. Avec ses parents, elle fait de fréquents voyages en Angleterre et en Écosse. Elle étudie l'anthropologie à l'Université du Wisconsin et rencontre son mari, archéologue. Ils vivent dans l'Illinois avec leurs deux enfants et leurs trois chiens. Elle est l'auteur de la série *Les trois princes*, qui a été très remarquée, et de *La légende des quatre soldats*. Elle écrit également des romances contemporaines sous le nom de Julia Harper. Pour en savoir plus, vous pouvez visiter son site : elizabethhoyt.com

Les vertiges de la passion

Elizabeth
HOYT

LA LÉGENDE DES QUATRE SOLDATS - 1

Les vertiges
de la passion

ROMAN

Traduit de l'américain
par Dany Osborne

Titre original
TO TASTE TEMPTATION

Éditeur original
Forever, a trademark of Hachette Book Group USA, Inc.,
New York

© Nancy M. Finney, 2008

Pour la traduction française
© Éditions J'ai lu, 2009

Prologue

Il était une fois, il y a très, très longtemps, quatre soldats qui revenaient chez eux après de nombreuses années de guerre. Les talons de leurs cuissardes résonnaient alors qu'ils marchaient de front, tête haute, regardant droit devant eux car on leur avait appris à marcher ainsi et il leur était difficile d'oublier le rituel respecté pendant tant d'années. La guerre était terminée mais j'ignore si nos quatre soldats étaient vainqueurs ou vaincus. Peut-être cela n'a-t-il aucune importance. Leurs vêtements étaient des loques, leurs bottes avaient plus de trous que de cuir, et aucun de ces hommes n'était semblable à celui qui était parti.

Au bout d'un moment, ils arrivèrent à une intersection et, là, s'arrêtèrent pour réfléchir à la direction à prendre. Une route s'étirait vers l'ouest, droite et bien pavée. Une autre vers l'est, dans une forêt sombre et mystérieuse. La dernière, vers le nord à l'horizon barré de montagnes aux contours indistincts.

— Eh bien, mes amis, dit le plus grand des soldats après avoir ôté son chapeau pour se gratter le crâne, lançons-nous une pièce pour tirer à pile ou face ?

— Non, répondit le soldat à sa droite. Mon chemin, c'est celui-là.

Il dit adieu à ses compagnons et partit vers l'est. Pas une fois, il ne se retourna. Il disparut dans la forêt ténébreuse.

— J'opte pour ce chemin-là, déclara un autre soldat, montrant les lointaines montagnes de la main.

Le grand éclata de rire.

— Moi, je choisis la voie la plus facile, selon mon habitude. Et toi, ami ?

Le dernier soldat soupira.

— Je crois avoir un caillou dans ma botte. Je vais m'asseoir et la retirer, parce que cela fait des lieues que j'ai mal.

Il s'assit et s'adossa à un rocher. Le grand soldat remit son chapeau.

— La décision est donc prise.

Ils se serrèrent la main et partirent chacun de leur côté. Quelles aventures leur arrivèrent en route ? Réussirent-ils à rentrer chez eux ? Je ne saurais le dire, car là n'est pas leur histoire. Celle que je vais vous raconter concerne le premier soldat, celui qui s'est enfoncé dans la forêt sombre.

Il s'appelait Cœur de Fer.

Cœur de Fer tenait son nom d'une très curieuse particularité. Ses membres, son visage, en fait son corps entier, étaient absolument pareils à ceux de tout homme créé par Dieu, mais pas son cœur, qui était de fer. Il battait sous sa poitrine, fort, courageux et obstiné.

1

Londres, Angleterre, septembre 1764

— Ils disent qu'il s'est enfui comme un lâche, expliqua Mme Conrad en se rapprochant pour distiller son commérage.

Lady Emeline Gordon but une gorgée de thé et regarda par-dessus le bord de sa tasse le gentilhomme en question. Il était aussi déplacé ici qu'un jaguar dans une pièce emplie de chats de race: sauvage, vigoureux, pas tout à fait civilisé. Vraiment pas un homme auquel elle aurait associé l'adjectif «lâche». Emeline se demanda quel était son nom et remercia le Ciel d'avoir envoyé l'inconnu: le salon de Mme Conrad était ennuyeux à périr jusqu'à ce qu'il apparaisse.

— Il a fui le massacre du 28e régiment des colonies, continua Mme Conrad, le souffle court. En 1758. C'est honteux, n'est-ce pas?

Emeline se tourna vers son hôtesse, un sourcil levé. Elle soutint le regard de la dame et capta le moment exact où cette sotte se souvint. Le teint déjà rose de Mme Conrad vira au rouge betterave, une couleur qui ne lui seyait vraiment pas.

— C'est que je… je…

Voilà ce qui arrivait lorsque l'on acceptait l'invitation d'une personne qui ambitionnait d'intégrer la haute société sans être dotée des qualités requises. Mais Emeline ne pouvait faire de reproches qu'à elle-même. Elle soupira. Elle avait pitié de Mme Conrad.

— Ainsi, il est dans l'armée ? s'enquit-elle.

Mme Conrad mordit à l'hameçon avec reconnaissance.

— Oh, non, non ! C'est fini. Enfin, je crois.

— Ah, fit Emeline en cherchant un autre sujet de conversation.

La pièce était vaste et richement décorée. Au plafond, le dieu Hadès poursuivait Perséphone. La déesse paraissait particulièrement stupide, avec ce sourire niais qu'elle semblait adresser à l'assemblée au-dessous d'elle. Elle n'avait pas la moindre chance face au dieu des Enfers, même si celui-ci arborait de belles joues rubicondes.

La protégée d'Emeline, Jane Greenglove, était assise sur un canapé voisin et conversait avec le jeune lord Simmons, un excellent choix. Lord Simmons disposait d'un revenu de plus de huit mille livres par an et d'une ravissante maison à proximité d'Oxford. Cette union serait parfaite. Dans la mesure où la sœur aînée de Jane, Eliza, avait déjà accordé sa main à M. Hampton, les choses se mettaient en place dans un ordre tout à fait satisfaisant. Mais c'était toujours le cas lorsque Emeline se chargeait de guider une jeune fille dans la bonne société. Elle retirait un grand plaisir de ses réussites.

Du moins l'aurait-elle dû.

Elle tortilla un ruban de dentelle noué sur sa taille, puis se ressaisit et le lissa soigneusement. Pourquoi se sentait-elle morose ? C'était ridicule. Son univers était parfait. Absolument parfait.

Elle leva les yeux vers l'homme et s'aperçut qu'il la fixait d'un air vaguement amusé. Elle se détourna en hâte. Vilain personnage. Il se savait le point de mire de toutes les femmes de l'assemblée.

À côté d'elle, Mme Conrad babillait, manifestement désireuse de faire oublier sa bévue.

— Il possède une grosse entreprise commerciale aux colonies. Je crois qu'il est venu à Londres pour affaires. C'est ce que dit M. Conrad. Et aussi qu'il est riche comme Crésus, même si on ne s'en douterait pas à son allure.

Impossible de ne pas ramener les yeux sur l'homme après ces remarques. Emeline entreprit de détailler sa mise. Redingote noire et gilet taillé dans un imprimé marron et noir tout à fait corrects. En revanche, en deçà de la taille, les choses se gâtaient. Il portait un genre de jambières rustiques de cuir fauve ornées au genou d'attaches rayées rouge, blanc et noir qui retombaient sur le dessus des chaussures, lesquelles avaient des rabats aux broderies multicolores de part et d'autre du pied. Quant aux chaussures elles-mêmes, elles étaient fort bizarres car dépourvues de talon. On eût dit des pantoufles, du même cuir que les jambières, ornées de broderies de la cheville aux orteils. Mais, même sans talons, l'homme était fort grand. Il avait les cheveux bruns et, du moins le semblait-il à Emeline, vu la distance qui les séparait, des yeux foncés. Certainement pas gris ou bleus. Les paupières étaient lourdes et le regard intelligent. Une découverte qui lui arracha un frisson : les hommes intelligents étaient les plus difficiles à gérer.

Une épaule appuyée au mur, il croisait les bras et paraissait intéressé par les membres de l'assistance. Comme s'ils avaient été des spécimens exotiques, et non lui. Il avait le nez long, marqué d'une bosse en son milieu, le teint mat de celui qui arrive de contrées lointaines. Ses traits étaient durs, marqués, proéminents : pommettes, nez, menton faisaient saillie de manière très virile, ce qui n'était pas le moindre de ses charmes pervers. Par contraste, sa bouche était grande et au dessin presque doux. Une fossette creusait sa lèvre inférieure. La bouche d'un homme qui aime goûter, savourer. Une bouche dangereuse.

Emeline détourna de nouveau le regard et demanda à Mme Conrad :

— Qui est-ce ?

— Ne le savez-vous vraiment pas ?

— Non.

L'hôtesse parut ravie.

— Eh bien, très chère, il s'agit de M. Samuel Hartley ! Il n'est à Londres que depuis une quinzaine de jours et on ne parle que de lui. Il n'est pas tout à fait convenable à cause du… Enfin, il ne l'est pas. En dépit de sa fortune, faire sa connaissance n'enchante pas tout le monde.

Emeline sentit la chair de poule hérisser sa nuque. Mme Conrad continua imperturbablement :

— Je n'aurais vraiment pas dû l'inviter, mais je n'ai pas pu m'en empêcher. Cette allure, ma chère ! Tout simplement exquise. Si je ne le lui avais pas demandé, je n'aurais jamais…

Le débit de mots s'interrompit abruptement lorsqu'un homme s'éclaircit la gorge derrière les deux femmes. Emeline, qui avait détourné son regard de M. Hartley, ne l'avait pas vu se déplacer. Dans la seconde, elle sut pourtant instinctivement qu'il s'agissait de lui. Il se tenait tout près d'elle. Lentement, elle fit pivoter sa tête et rencontra des yeux bruns moqueurs.

— Madame Conrad, je vous serais très reconnaissant de faire les présentations.

Il avait l'accent américain, constata Emeline.

Leur hôtesse resta un instant le souffle suspendu, choquée par tant d'outrecuidance, mais sa curiosité de voir ce qui allait suivre l'emporta.

— Lady Emeline, voici M. Hartley. Monsieur Hartley, lady Emeline Gordon.

Emeline esquissa une courbette et faillit heurter une grande main bronzée tendue. Elle demeura interdite. Cet homme était vraiment dépourvu de toute élégance. Elle s'apprêtait à toucher du bout des doigts la main offerte quand il serra la sienne entre ses paumes, dont la chaleur troubla la jeune femme. Elle nota le frémissement de ses narines lorsqu'il accentua la pression. La humait-il ? se demanda-t-elle.

— Comment allez-vous, madame ?

— Bien, lâcha Emeline en tentant de se libérer, en vain.

Pourtant, l'homme ne serrait pas fort…

— Puis-je récupérer ma main à présent, monsieur ?

Il sourit ironiquement.

— Bien sûr, madame.

Emeline cherchait fébrilement un prétexte pour planter là ce fâcheux, mais il fut plus prompt qu'elle.

— Me permettez-vous de vous accompagner dans le jardin ?

Question posée pour la forme dans la mesure où il offrait déjà son bras, ne doutant à l'évidence pas d'obtenir le consentement d'Emeline. Qui, mon Dieu, le lui accorda. Sans mot dire, elle posa les doigts sur la manche de la redingote. Hartley fit un petit signe de tête à Mme Conrad puis, en un clin d'œil, guida sa compagne jusqu'à l'extérieur. Pour un homme à l'allure si gauche, il se comportait vraiment habilement, songea Emeline en examinant son profil avec suspicion. Il s'aperçut qu'elle l'observait et ses yeux se firent encore plus narquois.

— Nous sommes voisins, savez-vous, madame.

— Que voulez-vous dire ?

— J'ai loué la maison mitoyenne de la vôtre.

Emeline perdit de nouveau pied – une sensation très rare chez elle, et qu'elle trouvait fort désagréable. Elle connaissait les occupants de l'hôtel particulier à la droite du sien, mais ils avaient déménagé récemment. Durant une journée entière, au cours de la semaine dernière, des hommes avaient fait des allées et venues par les portes grandes ouvertes, en sueur, vociférant et jurant. Et ils avaient charrié…

— Le canapé vert petit pois ! s'exclama-t-elle.

— Pardon ?

— Vous êtes le propriétaire de cet affreux canapé vert petit pois, n'est-ce pas ?

— Je l'avoue.

— Sans honte, à ce que je constate, dit Emeline en pinçant les lèvres en une mimique de désapprobation. Y a-t-il vraiment des chouettes dorées sculptées sur les pieds ?

— Je ne l'ai pas remarqué.

— Moi, si.

— Dans ce cas, je ne discuterai pas.

— Mmm.

— J'ai une faveur à vous demander, madame.

Il l'avait conduite sur l'une des allées gravillonnées du jardin de la demeure des Conrad. Ce jardin avait été conçu sans imagination. Des rosiers et de petites haies taillées au cordeau. Les roses étaient déjà fanées. L'ensemble était donc triste et uniforme.

— J'aimerais que vous m'offriez vos services.

— Mes… services ?

Emeline inspira profondément et s'immobilisa, ce qui obligea son compagnon à l'imiter. Cet homme la prenait-il pour une sorte de courtisane ? Quelle insulte ! Elle bouillait tout à coup de colère… mais ne pouvait s'empêcher de détailler l'imposante carrure de l'offenseur. Larges épaules, taille fine, ventre plat et, ainsi que put le constater Emeline en baissant les yeux, une partie bien spécifique de son anatomie qui saillait joliment, soulignée par la culotte de laine noire qu'il portait sous ses jambières. Elle releva les yeux en hâte, le souffle court. Apparemment, l'homme n'avait pas remarqué son indiscrétion, ou bien était plus policé que son apparence et ses manières ne le laissaient supposer.

— J'ai besoin d'un mentor pour ma sœur Rebecca, poursuivit-il. Quelqu'un qui la chaperonnerait dans les soirées, les bals.

Ainsi, il ne voulait qu'un chaperon, songea Emeline, soulagée. Mais pourquoi ne l'avait-il pas dit d'emblée, afin de lui épargner tant d'embarras ?

— Je crains que ce ne soit pas possible, monsieur.

— Pourquoi donc ? demanda-t-il d'une voix douce qui cependant recelait une note d'autorité.

Emeline se raidit.

— Eh bien, je ne m'occupe que de jeunes filles de la haute société. Je ne crois pas que votre sœur entre dans cette catégorie, et vous m'en voyez désolée.

Il la regarda gravement pendant un long moment, puis riva les yeux sur le bout de l'allée, mais Emeline eut l'impression qu'il le fixait sans le voir.

— Peut-être, dit-il enfin, pourrais-je avancer un autre argument susceptible de vous convaincre.

— Oh ? Qu'est-ce à dire ?

— Je connaissais Reynaud, déclara-t-il.

Cette fois, il n'y avait plus trace d'amusement dans les prunelles sombres. Emeline entendait soudain les pulsations violentes de son cœur dans ses tympans.

Reynaud. Son frère, qui avait été tué lors du massacre du 28e régiment.

Elle embaumait la citronnelle. Un parfum familier qu'il inhalait avec délices, tout en attendant la réponse de lady Emeline. Un parfum qui lui mettait les idées sens dessus dessous. Se laisser distraire lors d'une négociation était une mauvaise chose, surtout face à un opposant intelligent. Mais qu'il était étrange de sentir ce parfum simple et accueillant sur une femme sophistiquée… Sa mère, se rappela Sam, faisait pousser de la citronnelle dans leur jardin, au milieu de la forêt de Pennsylvanie, et cette odeur le ramenait très loin en arrière. Il se revoyait petit garçon, assis à une table de bois grossièrement taillé, fasciné par les gestes de sa mère qui versait de l'eau bouillante sur les feuilles vertes. Le parfum montait à ses narines quand elle versait le breuvage dans une épaisse tasse de terre cuite. La citronnelle. Le baume de l'âme, disait-elle.

— Reynaud est mort, énonça sèchement Emeline. Pourquoi pensez-vous que je devrais vous faire une faveur, simplement parce que vous l'avez connu ?

Pendant qu'elle parlait, il détaillait son visage. C'était vraiment une très belle femme, aux yeux et aux cheveux de jais, aux lèvres pleines couleur rubis. Mais cette beauté ne présentait pas que des avantages : nombre d'hommes seraient dissuadés de la courtiser à cause de son regard trop intelligent et de sa bouche à l'expression méfiante.

— Vous l'aimiez, madame, tenta-t-il.

Avec quelque succès : une lueur venait de passer dans les prunelles sombres. Il avait touché un point sensible. Elle était très attachée à son frère. La gentillesse eût impliqué qu'il ne se serve pas de ce talon d'Achille, mais la gentillesse n'avait jamais été son fort, ni en affaires ni dans sa vie personnelle.

— Je pense que vous ferez cela pour sa mémoire.

Elle n'eut pas l'air convaincue. Mais il la sentait flancher. L'un des premiers atouts pour réussir dans les affaires, c'est d'être capable de déceler l'instant où les certitudes de l'adversaire commencent à vaciller et en tirer aussitôt avantage. Ensuite, il faut assurer sa position, ce que Sam savait très bien faire.

Il lui offrit de nouveau son bras et, après une hésitation, elle posa le bout de ses doigts sur sa manche. C'était fait, il l'avait sous sa coupe. Mais il ne lui montra pas qu'il s'en était rendu compte. Il se remit à marcher, et elle accorda son pas au sien.

— Ma sœur et moi ne resterons à Londres que trois mois. Je n'attends donc pas que vous réalisiez des miracles.

Il leva son visage vers le soleil déclinant de la fin d'après-midi. Il savourait le fait d'être dehors, loin de tous ces gens.

— Rebecca n'a que dix-neuf ans, continua-t-il, et je suis souvent pris par mes affaires. J'aimerais qu'on la distraie, qu'elle rencontre peut-être quelques demoiselles de son âge.

C'était la vérité, même si elle était un peu tronquée.

— Vous n'avez pas de parente susceptible de s'en charger ?

La question manquait tellement de subtilité qu'il se retint de rire. Lady Emeline était une femme de petite taille, menue et gracieuse. Elle aurait dû sembler vulnérable, mais il pressentait qu'elle n'avait rien d'une fragile porcelaine. Il l'avait observée une bonne vingtaine de minutes durant, dans cet exécrable salon, et il avait constaté que son regard se déplaçait en permanence. Rien de ce qui se passait autour d'elle n'échappait à son œil d'aigle. Il aurait parié une jolie somme qu'elle ne perdait rien des conversations échangées dans la pièce, qui parlait à qui, et de quoi. Elle était aussi performante dans son domaine professionnel que lui dans le sien. Ce qui ne rendait que plus important le fait qu'elle accepte son offre. Elle était à même de l'introduire dans la bonne société londonienne.

— Non, ma sœur et moi n'avons aucune parente en vie. Notre mère est morte en couches, lors de la naissance de Rebecca, et mon père quelques mois plus tard. Par chance, le frère de mon père était un homme d'affaires de Boston. Sa femme et lui ont accueilli ma sœur chez eux et l'ont élevée. Mais ils sont décédés.

— Et vous?

— Quoi, moi?

— Eh bien, fit-elle avec impatience, que vous est-il arrivé lorsque vos parents sont morts?

— On m'a envoyé dans un internat.

Quel choc cela avait été de quitter le chalet dans la forêt pour se retrouver cloîtré dans un univers de grisaille, entouré non plus d'arbres mais de livres, et de découvrir la discipline la plus stricte!

Leurs pas les avaient menés devant un mur de brique qui marquait la limite du jardin. Emeline s'arrêta et regarda Sam.

— Avant de prendre une décision, il faut que je rencontre votre sœur.

— Bien sûr, dit-il, savourant sa victoire.

L'image du visage du frère défunt s'imposa soudain à l'esprit de Sam et se superposa à celui de la sœur. Mêmes yeux qui s'étrécissaient quand il enfilait son uniforme de soldat, mêmes sourcils noirs qui se rejoignaient sur le front altier pour exprimer le reproche ou le désaccord.

Il frissonna et chassa le fantôme, pour se concentrer sur la femme qui lui parlait.

— Venez me rendre visite avec votre sœur demain. Je vous informerai de ma décision ensuite. Pour le thé. Vous buvez du thé, n'est-ce pas?

— Oui.

— Parfait. Deux heures, cela vous convient-il?

Elle lui donnait un ordre, songea-t-il en réprimant un sourire.

— Ce sera parfait, madame. C'est très aimable à vous.

Une nouvelle fois, elle eut ce regard méfiant, puis pivota sur ses talons et repartit vers la maison. Il la suivit, sans hâte, observa son dos au maintien élégant et le balancement de ses jupes tout en tapotant sa poche, écoutant le crissement familier du papier et s'interrogeant : comment pourrait-il mieux employer Emeline ?

— Je ne comprends pas, dit ce soir-là tante Cristelle au dîner. Si ce gentilhomme souhaite vraiment que tu lui fasses l'honneur de le cornaquer, pourquoi n'est-il pas passé par les canaux habituels pour sa proposition ? Il aurait pu prier un ami de faire les présentations.

Tante Cristelle était la plus jeune sœur de la mère d'Emeline. Une grande femme aux cheveux de neige qui se tenait toujours très droite et dont les yeux bleus auraient pu être candides, mais ne l'étaient pas du tout. La vieille dame ne s'était jamais mariée, et Emeline se disait que les prétendants éventuels avaient dû être terrifiés. Tante Cristelle vivait avec Emeline et son fils Daniel depuis cinq ans, depuis la mort du père de celui-ci.

— Peut-être ne connaissait-il pas la manière convenable ? Ou ne voulait-il pas perdre de temps ? Il m'a dit qu'ils ne devaient rester à Londres que trois mois.

Elle se servit une tranche de viande sur le plat que lui présentait le valet et remercia d'un signe de tête.

— Mon Dieu, mais s'il est aussi vulgaire que cela, il n'a aucune chance de se frayer un chemin dans le labyrinthe des bons usages !

Cela dit, tante Cristelle but une gorgée de vin et fit la grimace comme s'il s'agissait de vinaigre. Emeline ne releva pas la remarque. L'analyse de sa tante était correcte : M. Hartley lui avait effectivement de prime abord paru vulgaire. Mais ensuite, elle avait décelé dans ses yeux de la finesse, lu une autre histoire. Il lui avait presque ri au nez, comme si c'était elle l'innocente.

— Que feras-tu, Emeline, si la jeune fille est aussi rustre que le frère ? Imagine qu'elle porte ses cheveux nattés dans le dos ? Si elle rit trop fort ? Si elle va pieds nus ?

Tante Cristelle semblait épouvantée. Mais il était vrai que le tableau qu'elle peignait était horrible. Au point de la pousser à demander au valet un autre verre de vin pour se remettre. Emeline s'empêcha de sourire.

— Il est très riche, tante Cristelle. Je me suis discrètement renseignée auprès des autres dames. Toutes m'ont confirmé que M. Hartley est l'un des hommes les plus fortunés de Boston. Je suppose que, là-bas, il gravite dans les meilleurs cercles.

— Pff…

Pour tante Cristelle, la haute société bostonienne ne valait pas tripette. Emeline coupa tranquillement sa tranche de viande.

— Même si ce sont des rustres, tante, ne devrions-nous pas, surtout, prodiguer une éducation appropriée pour combler les lacunes ?

— Non ! s'exclama si fort tante Cristelle que le valet sursauta et faillit lâcher la carafe de vin. Je dis non ! Ce serait aller à l'encontre des fondements de notre société ! Comment discerner les gens bien nés du vulgum pecus, sinon par leurs manières ?

— Peut-être as-tu raison.

— Évidemment, j'ai raison !

— Mmm.

Emeline jeta un coup d'œil à la tranche de bœuf dans son assiette. Elle ne lui faisait plus envie.

— Tante, te rappelles-tu ce petit livre que notre nurse nous lisait lorsque nous étions petits, Reynaud et moi ?

— Quel livre ? De quoi parles-tu ?

— Un recueil de contes de fées. Nous l'adorions. J'y songe aujourd'hui pour quelque bonne raison.

La nurse leur faisait la lecture l'après-midi, après avoir pique-niqué. Reynaud et elle étaient assis sur une couverture pendant que la nurse tournait les pages du volume. Au fur et à mesure que progressait l'histoire, Reynaud s'avançait lentement en rampant, attiré par le récit, jusqu'à arriver aux genoux de la nurse, suspendu à ses lèvres, buvant chaque mot, des étincelles dans ses grands yeux noirs. Il avait été un petit garçon si vivant…

— Je me demandais où était ce livre, tante Cristelle. Dans une boîte au grenier ?

— Qui sait ? fit la vieille dame avec un haussement d'épaules qui montrait qu'elle se souciait comme d'une guigne du vieux livre de contes de fées et des souvenirs que sa nièce gardait de son frère. Emeline, je pose de nouveau la question : pourquoi envisagerais-tu d'aider à entrer dans le monde cet homme et sa sœur sans souliers ?

Emeline ne s'attarda pas sur le fait que Rebecca Hartley fût pieds nus relevait de la pure spéculation. Le seul Hartley qu'elle connût était le frère, et elle se rappelait vivement ses yeux café et son teint mat. Elle secoua lentement la tête.

— Je ne sais pas exactement, tante Cristelle. Tout ce que je sais, c'est qu'il a besoin de mon aide.

— Mais si tu accordais cette aide à tous ceux qui te la demandent, nous succomberions sous les assauts des huissiers !

— Il a dit… qu'il connaissait Reynaud.

— Pourquoi le crois-tu ?

— Je ne sais pas. Mais le fait est que je le crois. Tante, tu dois me prendre pour une sotte.

Cristelle soupira lourdement. Les commissures de ses lèvres s'affaissèrent, accusant les marques de l'âge.

— Non, mon petit. Je pense simplement que tu es une sœur qui aimait profondément son frère.

Les doigts pianotant sur le pied de son verre, Emeline hocha la tête sans regarder sa tante. Oui, elle avait aimé Reynaud, et l'aimait encore. L'amour ne mourait pas en même temps que la personne à laquelle on le vouait. Mais une autre raison l'incitait à s'occuper de la petite Hartley : elle était persuadée que Samuel Hartley ne lui avait pas dit toute la vérité quant aux motifs qui le poussaient à demander son concours. Il voulait autre chose. Quelque chose qui avait un rapport avec Reynaud.

2

Cœur de Fer marcha pendant des jours dans la forêt ténébreuse et ne rencontra âme qui vive, ni homme ni animal. Le septième jour, le mur d'arbres s'ouvrit et il sortit de la forêt. Devant lui s'étendait une riante cité. Il resta pétrifié. De sa vie, jamais il n'avait vu plus belle ville. Son ventre qui gargouillait le ramena à la réalité. Il fallait qu'il s'achète à manger, et donc trouve en priorité du travail. Il se rendit dans la ville. Mais il s'avéra que personne n'avait de travail pour un soldat revenant de la guerre. Il semblait que les gens soient contents d'avoir des soldats qui partaient au combat, mais une fois le danger éliminé, ils regardaient le soldat démobilisé de haut et avec suspicion. Cœur de Fer fut donc obligé d'accepter de basses tâches de balayeur des rues. Ce qu'il fit avec gratitude.

— Je t'ai entendu rentrer tard, la nuit dernière, remarqua Rebecca en posant des œufs cocotte dans son assiette, le lendemain matin. Il était plus de minuit.

— Vraiment ? Je suis désolé de t'avoir réveillée.

— Oh, mais tu ne m'as pas du tout dérangée. Ce n'était pas ce que je voulais dire.

Rebecca soupira et s'assit à la table, face à son frère. Elle brûlait de lui demander où il avait passé la nuit, et celle de la veille, mais la timidité la retint. Tout en se servant du thé, elle chercha un sujet de conversation.

— Quels sont tes projets pour aujourd'hui, Sam ? T'occuper de tes affaires avec M. Kitcher ? Je m'étais dit que… que si ce n'était pas le cas, nous pourrions aller nous promener dans Londres. Il paraît que la cathédrale Saint Paul est…

— Bon sang ! coupa Sam en plaquant bruyamment son couteau sur son assiette. J'avais oublié de te dire !

La déception submergea Rebecca. Elle savait son frère très occupé, mais avait quand même conçu quelque espoir qu'il ait un peu de temps libre pour elle.

— De me dire quoi ? s'enquit-elle tristement.

— Nous sommes invités à prendre le thé chez notre voisine, lady Emeline Gordon.

— Quoi ? s'exclama Rebecca en regardant par la fenêtre l'imposant hôtel particulier mitoyen du leur.

Elle avait entrevu la dame à une ou deux reprises, et sa sophistication l'avait laissée ébahie.

— Mais… quand cela s'est-il passé ? Je n'ai vu aucune invitation dans le courrier.

— Je l'ai rencontrée hier dans un salon.

— Mon Dieu… s'émerveilla la jeune fille. Elle doit être une charmante personne, pour nous convier alors qu'elle nous connaît si peu.

Qu'allait-elle porter pour faire honneur à cette si élégante dame ?

— En fait, je lui ai demandé d'être ton chaperon lors de quelques réunions mondaines.

— Vraiment ? Je pensais que tu n'aimais ni les bals ni les réunions mondaines.

Elle était ravie qu'il ait pensé à elle, mais son intérêt soudain pour ses activités lui semblait curieux.

— Je ne les aime pas, mais nous sommes à Londres. Je me suis dit que tu aimerais sortir un peu. Voir la ville. Rencontrer des gens. Tu n'as que dix-neuf ans. Tu dois t'ennuyer à périr dans cette maison, avec moi pour seule compagnie.

Ce n'était pas tout à fait exact, songea Rebecca tout en cherchant une réponse appropriée. Elle était entourée de serviteurs. Ils étaient légion dans cette maison londonienne qu'avait louée Sam. Chaque fois qu'elle croyait les avoir tous vus, il en surgissait un nouveau. D'ailleurs, en ce moment même, deux d'entre eux étaient debout contre le mur, prêts à les servir au moindre signe de leur part. L'un, lui semblait-il, s'appelait Travers, et l'autre… Zut, elle avait oublié son nom. Mais elle était sûre de ne l'avoir jamais aperçu auparavant. Il avait des cheveux d'un noir de jais et de magnifiques yeux verts. Elle les avait remarqués, ce qui était inconvenant. On ne prêtait pas attention aux yeux d'un valet, voyons !

À Boston, il n'y avait que la cuisinière et Elsie. Enfant et adolescente, elle avait pris quasiment tous ses repas avec la cuisinière, mais devenue demoiselle, elle avait été invitée à la table de son oncle Thomas. Un homme délicieux, qu'elle aimait beaucoup, mais dîner avec lui était d'un ennui mortel. Elle avait regretté ses conversations animées avec Elsie et la cuisinière, qui cancanaient à bâtons rompus. Néanmoins, les discussions autour de la table s'étaient améliorées lorsque Samuel était venu vivre à la maison, après la mort d'oncle Thomas. Un peu. Samuel pouvait se révéler très spirituel quand il le voulait, mais la plupart du temps, il était préoccupé par ses affaires.

— Cela t'ennuie, Rebecca ?

— Pardon ?

La question l'avait arrachée à ses réflexions.

— Je te demande si cela t'ennuie que j'aie sollicité l'aide de lady Emeline.

— Oh, non ! Pas du tout ! assura-t-elle dans un sourire radieux.

Évidemment, elle aurait préféré que Sam lui consacre son temps, mais ils étaient venus à Londres pour ses affaires, après tout.

— Je suis très flattée que tu aies pensé à moi.

Il eut l'air navré.

— Rebecca, tu dis cela comme si tu te considérais comme une charge pour moi.

Rebecca baissa les yeux : c'était exactement cela. Elle se considérait comme une charge. Il n'aurait pu en aller autrement : elle était beaucoup plus jeune que lui et citadine depuis toujours. Samuel, en revanche, avait été élevé en pleine nature jusqu'à l'âge de quatorze ans.

— Je sais que tu ne tenais pas à m'emmener avec toi lors de ce voyage, Sam.

— Nous en avons déjà parlé. Dès que j'ai su que tu avais envie de venir, j'ai été ravi que tu m'accompagnes.

— Oui, et je t'en suis très reconnaissante.

Rebecca se crispa, consciente que sa réponse n'était pas tout à fait exacte. Elle regarda son frère à la dérobée. Il fronçait les sourcils.

— Rebecca, je…

L'entrée du majordome l'interrompit.

— M. Kitcher est arrivé, monsieur.

Le partenaire en affaires de Sam. Celui-ci remercia avant de se lever et de poser un baiser sur le front de Rebecca.

— Kitcher et moi devons aller visiter un entrepôt de porcelaines. Je serai de retour après le déjeuner. Nous sommes attendus à deux heures chez notre voisine.

— Très bien, répondit Rebecca, alors que son frère était déjà à la porte.

Il sortit sans ajouter un mot et la jeune fille resta seule devant son assiette. Enfin, « seule »… les valets étaient toujours là.

Le gentilhomme des colonies était encore plus imposant dans son petit salon qu'à l'extérieur, songea Emeline cet après-midi-là en accueillant ses invités. Le contraste entre la pièce de modestes dimensions, coquette, raffinée, et l'homme grand et immobile, était impressionnant. La profusion de satin, de brocart de la décoration aurait dû le rapetisser, lui donner l'air d'un rustre dans ses vêtements de laine, mais il n'en était rien. Il paraissait occuper tout l'espace.

— Bonjour, monsieur Hartley.

Elle tendit la main, se rappelant qu'il la lui avait serrée la veille. Allait-il renouveler ce geste inapproprié ? Non. Il lui fit un baisemain très classique, un simple effleurement du bout des lèvres. Mais il ne releva pas immédiatement la tête et elle le soupçonna de humer sa peau. Lorsqu'il se redressa, elle décela une lueur d'amusement dans ses yeux. Le scélérat! Il savait fort bien qu'hier, il aurait dû se livrer à ce cérémonial et non lui donner une virile poignée de main!

— Puis-je vous présenter ma sœur, Rebecca Hartley?

Emeline n'eut d'autre choix que de détourner son attention de lui. La jeune fille qui avait fait un pas vers elle était charmante. Dotée des mêmes cheveux sombres que son frère, les yeux d'un brun plus chaud que les siens, marqué de paillettes vertes et dorées. Une teinte inhabituelle mais néanmoins ravissante. Elle portait une robe toute simple à l'encolure carrée, ornée d'un soupçon de dentelle aux manches et au corsage. Emeline nota mentalement que sa garde-robe méritait certainement quelques améliorations.

— Comment allez-vous, mademoiselle?

— Je suis si heureuse de faire votre connaissance, madame, dit Rebecca en lui faisant une petite révérence.

Eh bien, elle avait de bonnes manières. Pas parfaites, mais au moins, elle en possédait les rudiments.

— Ma tante, Mlle Molyneux, reprit Emeline en s'effaçant devant tante Cristelle.

Celle-ci était assise à sa gauche, bien droite sur son siège, loin du dossier. Elle inclina la tête. Ses lèvres étaient pincées, ses yeux rivés sur la toilette de Mlle Hartley.

M. Hartley sourit et se pencha sur la main tendue de tante Cristelle.

— Comment allez-vous, madame?

— Très bien, merci, répliqua la vieille dame d'un ton revêche.

Rebecca se posa sur le canapé tendu de damassé blanc et jaune, Sam sur la chaise à oreillettes orange. Emeline s'installa dans un fauteuil et fit signe à Crabs, le majordome, qui partit chercher le thé.

— Vous m'avez dit hier être à Londres pour affaires, monsieur Hartley. Quel genre d'affaires?

— Achat et vente de marchandises.

— Vraiment? murmura Emeline.

M. Hartley ne semblait pas du tout conscient qu'il reconnaissait n'être qu'un commerçant. Mais qu'attendre d'autre d'un colon qui portait des jambières de cuir ? Elle baissa les yeux sur ses jambes croisées. Le cuir doux s'adaptait parfaitement à ses mollets et en soulignait le charmant galbe viril.

— J'espère rencontrer M. Josiah Wedgwood, poursuivit Sam. Peut-être avez-vous entendu parler de lui ? Il a une merveilleuse nouvelle fabrique de céramique.

— De céramique ? releva tante Cristelle en regardant Sam derrière son face-à-main, une affectation dont elle usait quand elle souhaitait intimider ses interlocuteurs.

Elle examina d'abord le visiteur, puis passa au fascinant bas de jupe de sa sœur. M. Hartley resta imperturbable. Il lui sourit, puis adressa son sourire à Emeline.

— De la céramique, oui. C'est fou comme nous nous servons de céramique dans les colonies. J'importe déjà des terres cuites, mais je pense qu'il y a un marché pour des produits plus raffinés. Des choses que les dames qui donnent le ton aimeraient mettre sur leur table. M. Wedgwood a perfectionné un procédé qui permet de réaliser les plus fines porcelaines jamais vues. J'entends bien le persuader que Hartley Importers est la compagnie la mieux placée pour transporter ses marchandises vers les colonies.

Intriguée malgré elle, Emeline haussa les sourcils.

— Vous feriez commerce de sa porcelaine là-bas pour son compte ?

— Non. Il s'agira de l'habituel contrat. Je lui achèterai ses produits et les revendrai de l'autre côté de l'Atlantique. À cette différence près que j'espère obtenir l'exclusivité des ventes.

— Vous êtes ambitieux, monsieur Hartley, remarqua tante Cristelle d'un ton désapprobateur.

Sam hocha la tête. Il ne paraissait pas le moins du monde perturbé par cette désapprobation et Emeline, à regret, dut convenir qu'elle admirait son sang-froid. Il était un étranger, d'une manière qui n'avait rien à voir avec le fait qu'il soit américain. Les gentilshommes de sa connaissance n'étaient pas des commerçants, et surtout ne parlaient pas commerce avec les dames. Il était intéressant d'avoir face à elle un homme qui la traitait d'égal à égal sur le plan intellectuel. Mais jamais M. Hartley ne s'intégrerait à son monde.

— Mon frère m'a dit que vous aviez fort aimablement accepté de me chaperonner, madame, risqua Rebecca après s'être éclairci la gorge.

L'entrée de trois bonnes chargées de plateaux empêcha Emeline de formuler une réponse appropriée, qui eût visé le frère et non la sœur: il considérait donc d'ores et déjà sa requête acceptée! Et il la fixait sans vergogne. Elle soutint son regard avec défi. Il ne cilla pas. Flirtait-il avec elle? Ignorait-il qu'elle n'était vraiment pas à son niveau?

Le thé était prêt à être servi, ce dont elle se chargea, le dos tellement droit que même tante Cristelle ne pouvait rivaliser avec elle.

— J'envisage effectivement de vous chaperonner, mademoiselle Hartley. Mais peut-être me direz-vous pourquoi vous avez besoin de…

Une violente bouffée d'air la fit taire quand la porte du salon s'ouvrit à la volée et frappa la cloison avec fracas. Le bois du chambranle se fendilla et une nouvelle craquelure apparut sur la peinture. Dans la foulée, des bras et de longues jambes s'abattirent sur Emeline qui, avec l'aisance d'une grande habitude, mit en une fraction de seconde la théière en sûreté.

— Maman! Maman! cria le petit démon aux boucles blondes angéliques. La cuisinière dit qu'elle a fait des petits pains au lait! Puis-je en avoir un?

Emeline posa la théière en soupirant. Elle allait gronder ce… Mais Cristelle fut plus rapide:

— Bien sûr, mon chou! Tiens, prends une assiette et tante Cristelle te la remplira des plus jolis pains.

Emeline se racla la gorge. Vieille dame et galopin lui jetèrent un coup d'œil coupable.

— Daniel, aurais-tu l'obligeance de poser ce pain que tu serres dans ton poing et de saluer nos invités?

Daniel renonça en rechignant à sa prise de guerre, puis s'essuya les mains sur sa culotte. Emeline se retint de lever les yeux au ciel.

— Monsieur Hartley, je vous présente mon fils, Daniel Gordon, baron Eddings.

Le garçon fit une très correcte courbette qui remplit Emeline de fierté maternelle, sans toutefois qu'elle le montre. Inutile de rendre vaniteux ce petit. M. Hartley tendit la main à l'enfant de huit ans comme il l'avait fait pour elle la veille, insoucieux de leurs rangs respectifs. Gravement, Daniel prit la main tendue et la serra.

— Je suis heureux de faire votre connaissance, monsieur, dit Sam.

Daniel se détourna, s'inclina courtoisement devant la jeune fille, puis Emeline lui donna un petit pain enveloppé dans une serviette.

— Maintenant, file, mon chéri. J'ai…

— Votre fils peut rester avec nous, madame, la coupa Sam.

Emeline se raidit. Comment cet homme osait-il interférer entre elle et Daniel ? Elle s'apprêtait à le rembarrer quand elle remarqua les petites rides aux coins de ses yeux. Des rides de tristesse, et non d'amusement. M. Hartley ne connaissait même pas son fils ! Pourquoi semblait-il éprouver de la pitié à son endroit ?

— S'il te plaît, maman…

Que l'enfant profite de la situation aurait dû amplifier son mécontentement : Daniel savait fort bien que mieux valait ne pas insister lorsqu'elle avait pris une décision. Mais ce qu'elle ressentit alors fut étrange. Elle s'émut.

— Oh, très bien, maugréa-t-elle, consciente de se comporter comme une vieille dame grincheuse.

Daniel sourit largement et s'assit à côté de M. Hartley, lequel lui retourna son sourire. Emeline se sentit fondre à la vue de ce sourire – une réaction ridicule chez une dame de la bonne société, voyons !

— Je pense que, maintenant, nous devrions discuter de la mise de Mlle Hartley, remarqua tante Cristelle.

La jeune fille, qui avalait une gorgée de thé, faillit s'étouffer.

— Madame ? souffla-t-elle, éberluée.

— Votre mise est épouvantable.

— Mademoiselle Molyneux, je crois que… commença Sam.

— Vous ne voudriez tout de même pas que l'on se gausse de votre sœur, monsieur Hartley ? Vous n'aimeriez pas que les autres jeunes demoiselles rient d'elle derrière son dos ? Que les jeunes messieurs refusent de danser avec elle ? Est-ce cela que vous souhaitez ?

— Non, évidemment. Mais qu'est-ce qui ne va pas avec la robe de Rebecca ?

— Rien du tout, s'empressa de déclarer Emeline. Tout sera parfait si Mlle Hartley se borne à vouloir visiter les parcs et les monuments de Londres. Je suis sûre que ce qu'elle porte convient à Boston. Tout à fait à la mode dans les colonies. Mais… pour ce qui est de Londres…

— Elle doit avoir des toilettes très élégantes ! s'exclama tante Cristelle. Et aussi des gants, des châles, des chapeaux et des escarpins. Les escarpins sont très importants.

Inquiète, Rebecca regarda ses souliers.

— Je comprends, dit M. Hartley en souriant.

— Toutes ces choses vont coûter fort cher, précisa tante Cristelle.

Sans ajouter que Sam serait obligé d'habiller également Emeline de pied en cap. Il était entendu que lady Emeline serait récompensée de la sorte pour avoir été le mentor de Rebecca.

Emeline attendait les protestations de Sam. À l'évidence, il n'avait pas pris la mesure des dépenses qu'impliquerait l'entrée de sa sœur dans le monde. La plupart des familles économisaient en prévision de cet événement. Certains s'endettaient même. M. Hartley était peut-être un riche Bostonien, mais était-il capable de convertir en livres anglaises son projet ? Pouvait-il assumer une telle dépense ? Tout à coup, elle s'aperçut que s'il renonçait, elle serait très déçue.

Il mâcha une bouchée de petit pain sans mot dire. Ce fut sa sœur qui intervint.

— Oh, Samuel, c'est excessif ! Je n'ai pas besoin d'une nouvelle garde-robe ! Vraiment pas.

Quelle jolie échappatoire. Mlle Hartley venait de montrer à son frère l'issue de secours. Une issue honorable. Emeline observait les réactions de l'homme des colonies, sans que pour autant lui échappe ce que faisait son fils : s'emparer d'un petit pain comme un voleur, profitant du moment de flottement.

— Il apparaît que tu as besoin d'une nouvelle garde-robe, Rebecca, énonça tranquillement Sam. C'est l'avis de lady Emeline et nous devons le suivre.

— Mais la dépense…

— Ne t'inquiète pas. Je peux y faire face. Lady Emeline, quand irons-nous faire nos achats ?

— Vous n'avez nul besoin de nous accompagner, monsieur. Une lettre de crédit suffira et…

— Mais j'adorerai vous accompagner, mesdames. Vous ne songez tout de même pas à me priver de ce petit plaisir ?

Emeline ne trouva aucun argument susceptible de le dissuader.

— Bien sûr, dit-elle avec un sourire contraint. Nous serons heureuses que vous nous escortiez.

Quel homme extraordinaire ! Il réussissait à paraître heureux sans qu'un seul trait de son visage ne bouge.

— Quand ferons-nous cette expédition dans les boutiques, madame ?

— Demain, répondit sèchement Emeline.

— Parfait.

Cette fois, ses lèvres sensuelles s'étaient légèrement relevées. Emeline demeura perplexe. Soit cet homme était un idiot, soit il était plus riche que Crésus.

Sam se réveilla au milieu de la nuit, baigné de transpiration à cause du cauchemar. Il resta immobile, le regard errant dans la pénombre, attendant que le gong affolé qui frappait dans sa poitrine s'apaise. Le feu s'était éteint et la chambre était glaciale. Il avait demandé aux bonnes qu'elles le garnissent généreusement pour la nuit, mais évidemment elles n'en avaient rien fait. Tous les matins, il ne subsistait que des braises. Aujourd'hui, même pas. Le feu était mort.

Il pivota sur son séant, posa les pieds par terre, se mit debout et alla tirer les rideaux. La lune brillait haut sur les toits de la ville. Il s'habilla dans sa clarté blafarde, puis sortit de la pièce. Ses mocassins rendaient ses pas presque silencieux. Mais d'autres pas, qui venaient dans sa direction, résonnaient. La lueur d'une chandelle tremblota dans le noir. Son majordome en chemise de nuit, une bouteille dans une main, le bougeoir dans l'autre, approchait. Sam se cacha dans un recoin sombre et l'homme passa devant lui sans le voir. Sam huma une odeur de whisky et sourit. Il fut tenté de se manifester, juste pour voir sursauter l'homme pris sur le fait, mais il s'en abstint.

Il attendit que le majordome ait disparu pour bouger. Il traversa alors la maison, les cuisines et se dirigea vers l'entrée de service. La clé en était posée sur le manteau de l'immense cheminée, mais il en possédait un double. Il sortit avant de refermer la porte derrière lui. Il faisait froid, dehors. Il réprima un frisson et pendant un moment demeura dans l'ombre, écoutant, scrutant la nuit, humant les odeurs. Tout ce qu'il entendit fut la course précipitée d'un rongeur dans la haie et le miaulement d'un chat. Pas d'humain à proximité. Bien. Il se glissa dans le jardin, frôlant les herbes aromatiques qui dégagèrent aussitôt leur parfum. Persil, menthe et autres dont il ignorait le nom.

Il gagna les écuries, où il attendit une bonne minute pour s'assurer que personne ne le voyait, puis se mit à courir le long de leurs hauts murs, dans l'ombre, aussi silencieux qu'un chat. Il détestait être pris sur le fait lors de ses sorties nocturnes. Il franchit une porte et une odeur d'urine lui monta aussitôt aux narines. Il n'avait pas vu de ville avant l'âge de dix ans. Et encore, elle était minuscule. Cela s'était passé vingt-trois ans plus tôt et il conservait le souvenir du choc des odeurs. Celle, terrible, de centaines de gens vivant dans une trop grande promiscuité, sans endroit où se débarrasser de leurs excréments. Il avait failli vomir en se rendant compte que la tranchée qui fendait le pavage des voies était en fait un égout à ciel ouvert. L'un des premiers enseignements prodigués par son père avait été de lui apprendre à dissimuler ses propres déjections. Les animaux étaient prudents. S'ils percevaient l'odeur des humains, ils passaient au large. Or sans animaux à chasser, pas de nourriture. L'existence était aussi simple que cela, dans les forêts de Pennsylvanie.

Mais ici, les gens vivaient les uns sur les autres et se soulageaient dans les angles de rues. La vie était bien plus compliquée que dans la forêt. Il y avait aussi des proies et des prédateurs, mais leurs silhouettes étaient tellement indistinctes qu'il était difficile de déterminer qui était proie et qui prédateur. La ville était infiniment plus dangereuse que les bois avec les Indiens et les bêtes sauvages.

Il longea les bâtiments des écuries et arriva à une intersection. S'engageant dans la rue, il la descendit. Un jeune homme franchissait la grille d'un hôtel particulier. Un valet de retour d'un rendez-vous secret ? Il passa à côté de lui. Le jeune homme ne se retourna pas. Sam sentit le remugle qui émanait de sa personne : bière et fumée de pipe.

Lady Emeline, elle, embaumait la citronnelle. Il avait de nouveau pu s'en gorger en se penchant sur sa main cet après-midi. Ce n'était pas normal, cette fragrance. Une femme aussi sophistiquée aurait dû porter du musc ou du patchouli. Souvent, la tête lui avait tourné à cause des parfums – non, des odeurs des dames de la haute société, qui flottaient autour d'elles comme une invisible fumée, et il avait eu envie de se boucher le nez, nauséeux. Mais lady Emeline mettait de la citronnelle, le parfum du jardin de sa mère. Ce choix l'intriguait.

Il dut sauter par-dessus une grande flaque nauséabonde à l'entrée d'une allée. Quelqu'un était tapi là, en embuscade, mais Sam passa si vite que l'autre n'eut pas le temps de réagir. En s'éloignant, il regarda derrière lui. Le malandrin le suivait des yeux mais ne bougeait pas. Sam sourit et accéléra le pas. Ses mocassins ne faisaient aucun bruit sur le pavé. C'était le seul moment où il aimait presque la ville, lorsque les rues étaient désertes et qu'il pouvait marcher sans crainte de bousculer quelqu'un.

Il n'avait pas loué par hasard la maison voisine de celle de lady Emeline. Il avait besoin de savoir comment allait la sœur de Reynaud. C'était le moins qu'il pût faire pour l'officier vis-à-vis duquel il avait failli. Quand il avait découvert que la dame prenait du plaisir à faire débuter les jeunes filles dans la haute société, lui demander son aide pour Rebecca lui avait paru couler de source. Bien sûr, il ne lui avait pas révélé la véritable raison qui le poussait à s'intéresser à la société londonienne. Mais c'était sans importance. L'essentiel, c'était qu'il eût fait la connaissance de la dame.

Lady Emeline se révélait différente de ce qu'il imaginait. Il l'avait imaginée aussi grande que son frère, d'allure aussi aristocratique. Une allure qui était là, et pourtant il avait du mal à ne pas sourire lorsqu'elle s'efforçait de le regarder de haut. Elle mesurait à peine un mètre soixante. Sa silhouette était joliment galbée, tout en rondeurs parfaites pour la main d'un homme. Ses cheveux étaient couleur de nuit, ses yeux aussi. Avec ses pommettes roses et sa voix sèche, elle aurait pu être une coquine petite bonne irlandaise à point pour un flirt.

Sauf qu'elle n'en était pas une.

Sam jura entre ses dents et s'arrêta. Il se pencha et, les mains posées sur les genoux, s'efforça de reprendre sa respiration. Lady Emeline évoquait peut-être une bonne irlandaise, mais avec ses élégants vêtements et ses intonations coupantes, personne ne se serait mépris.

L'aube approchait. Il était temps de rentrer à la maison.

Il regarda autour de lui. De petites boutiques bordaient la rue, leur façade protégée par l'étage supérieur en encorbellement. Il n'était encore jamais venu dans cette partie de Londres, mais cela était sans importance : il retrouverait son chemin.

Il repartit à petites foulées. Le retour était toujours le plus difficile. L'énergie et la fraîcheur initiales s'étaient dissipées et ses muscles l'élançaient. Les endroits où il avait été blessé se rappelaient à son souvenir. Souviens-toi, lui disaient les cicatrices, rappelle-toi où le toma-hawk a sectionné ta chair, où la balle a creusé jusqu'à l'os. Souviens-toi que tu es marqué à jamais, que tu es le rescapé, le survivant, celui qui a été laissé pour témoigner.

En dépit des douleurs et des souvenirs, Sam courait. Il avait atteint le point de rupture, là où se séparent ceux qui vont de l'avant et ceux qui restent sur le bord de la route. Le secret, c'était d'apprivoiser la douleur, de la nourrir. La douleur garde vigilant. Elle signifie que vous êtes toujours en vie.

Il ne savait plus depuis combien de temps il courait, mais lorsqu'il arriva derrière les écuries, la lune avait disparu. Il était tellement épuisé qu'il faillit ne pas voir l'homme embusqué à temps. Un gaillard grand et solide, dissimulé à l'angle des bâtiments. Sam se blo-qua à l'ultime seconde et se glissa dans l'ombre de l'écurie de la maison voisine. Puis il observa l'homme. Il était bâti comme une barrique, portait une redingote rouge et un tricorne ruiné aux bords élimés. Sam l'avait déjà remarqué auparavant. Une fois aujourd'hui quand, avec Rebecca, il traversait la rue en sortant de chez lady Emeline, et la veille, alors qu'il montait dans sa voiture de louage. Oui, c'était bien le même homme. Et cet homme le suivait.

Il attendit quelques instants, stabilisant son souffle, puis sortit deux billes de plomb de sa poche de gilet. De petites choses, pas plus grosses que son pouce, mais très utiles pour qui aimait arpenter seul les rues de Londres la nuit. Il serra le poing autour des billes.

En silence, il fondit sur le gros homme et lui empoi-gna les cheveux par-derrière, avant de le cogner sur la tempe droite.

— Qui t'a envoyé ?

L'homme pivota sur ses talons et essaya de frapper Sam au ventre, mais celui-ci lui donna un nouveau coup sur la tempe, puis un troisième.

— Merde alors ! hoqueta l'homme.

Son accent était si prononcé que Sam eut du mal à comprendre les deux mots. L'homme tenta de lui expédier un horion en pleine figure, mais Sam esquiva et dans la foulée lui bourra l'épaule de coups. L'homme grogna et s'inclina. Lorsqu'il se redressa, il serrait un couteau dans sa main. Sam recula et entreprit de lui tourner autour, poings serrés, cherchant une nouvelle ouverture. L'homme se fendit, bras tendu, lame brandie. Sam repoussa le bras si violemment que le couteau tomba par terre. Le manche d'os blanc luisait sur le pavé. Sam réussit à passer derrière son adversaire. Il lui agrippa le bras et lui fit une clé dans le dos, l'immobilisant.

— Qui t'emploie ?

L'homme se débattit et parvint à frapper Sam au menton. Il chancela, et c'était tout ce dont avait besoin l'agresseur. Libre de toute emprise, il fila à toutes jambes le long des écuries. Au passage, il avait ramassé son couteau. Il disparut à l'angle du bâtiment.

Instinctivement, Sam s'élança à ses trousses : le prédateur poursuit toujours la proie qui s'enfuit. Mais il s'arrêta là où les écuries rejoignaient la rue. Il avait couru des heures durant. Il n'était plus au zénith de sa forme.

Il soupira, rempocha les billes de plomb et revint vers la maison.

L'aube se levait.

3

Un jour, alors que Cœur de Fer balayait une rue, un
défilé vint à passer. Il y avait les fantassins en uniforme
brodé d'or, quelques cavaliers sur des chevaux blancs, et
enfin un carrosse doré avec deux valets à l'arrière. Cœur
de Fer resta bouche bée quand le carrosse fut à sa hau-
teur. Le rideau de la fenêtre se souleva et il vit le visage
de la passagère. Quel visage! Une perfection à la carna-
tion opalescente. Cœur de Fer la fixait lorsqu'une voix
s'éleva dans son dos.

— Ne penses-tu pas que la princesse Solace est belle?
Cœur de Fer se retourna et découvrit un vieillard à
l'air sage. Il ne put qu'admettre que, oui, la princesse
était ravissante.

— Dans ce cas, dit le vieil homme en se rapprochant
au point que Cœur de Fer put sentir son haleine char-
gée, aimerais-tu l'épouser?

Le soleil d'après-midi brillait. Emeline soupira de
plaisir.

— Voilà une fort satisfaisante escapade dans les
boutiques.

— Mais, madame, geignit Rebecca Hartley, ai-je
vraiment besoin de toutes ces toilettes? Une ou deux
robes de bal ne suffiraient-elles pas?

— Mademoiselle Hartley...

— Oh, je vous en prie, appelez-moi Rebecca!

Cette jeune fille était vraiment adorable, songea
Emeline.

— Oui, bien sûr. Rebecca. Il est très important que vous soyez bien habillée et...

— Couverte de feuilles d'or si possible, coupa une voix masculine.

— Samuel! s'exclama Rebecca. Ton menton est encore en plus piteux état que ce matin!

Emeline se retourna lentement. Elle ne voulait pas que Sam voie à quel point elle avait été vexée qu'il l'interrompe, ni qu'il s'aperçoive combien le seul fait de l'entendre la troublait. Ce tumulte qui agitait son ventre était indécent chez une femme de son âge!

Le menton de M. Hartley présentait indéniablement une pointe plus foncée que la veille. Apparemment, il était rentré dans une porte cette nuit. Un accident inattendu chez un homme qui se mouvait avec tant de grâce et de fluidité. En cet instant, il était appuyé à un lampadaire, un pied croisé sur la cheville, comme s'il attendait là depuis longtemps. Trois heures, en fait. Le temps passé par ces dames dans la boutique. Était-il resté là sans bouger? Incroyable.

— Monsieur Hartley, savez-vous que cela n'aurait rien d'inconvenant que vous nous laissiez?

Il haussa les sourcils en une expression sardonique.

— Je ne songerais même pas à vous abandonner, mesdames. Si ma présence vous pèse, je vous prie de m'en excuser.

Tante Cristelle produisit un petit claquement de langue.

— Vous vous exprimez comme un courtisan, monsieur. Cela ne vous ressemble pas.

— Me voilà réprimandé comme il convenait, madame, railla Sam en s'inclinant devant la vieille dame.

— Bien, intervint Emeline, le gantier est tout à côté. À un jet de pierre, il y a la plus charmante boutique de...

— Un rafraîchissement ne vous tenterait-il pas, mesdames? coupa Sam. S'il vous arrivait de défaillir à cause de la fatigue due à tous ces achats, je ne me le pardonnerais jamais.

— Un thé serait le bienvenu, admit tante Cristelle, brisant dans son élan Emeline qui s'apprêtait à répliquer vertement.

Impossible d'envoyer le monsieur aux pelotes maintenant, songea Emeline rageusement. Et il le savait pertinemment, ce maudit colon ! Il dardait sur elle un regard moqueur qui l'agaçait.

— Merci, monsieur Hartley, fit-elle, les lèvres pincées. Vous êtes très aimable.

Il s'écarta du lampadaire et lui offrit son bras. Pourquoi cet homme ne faisait-il montre de manières convenables que lorsque cela l'arrangeait ? se demanda Emeline en dissimulant son irritation. Elle plaça le bout des doigts sur sa manche et tressaillit légèrement en sentant le muscle sous l'étoffe. Il lui lança un coup d'œil entendu. À son grand dam, elle en déduisit qu'elle avait tressailli de façon plus perceptible qu'elle ne l'avait imaginé. Elle haussa le menton et commença à marcher. Tante Cristelle et la jeune fille leur emboîtèrent le pas. Tout autour d'eux, la foule dans le quartier à la mode de Mayfair se déplaçait comme la houle. Des jeunes gens s'attardaient devant des portes cochères pour bavarder tout en regardant passer les élégantes. Les demoiselles Stevens les croisèrent. Emeline les salua d'un hochement de tête. L'aîné rendit le salut comme il convenait. La cadette, une jolie petite rouquine en robe à paniers démesurés, agita cavalièrement sa main gantée. Emeline tança la fillette du regard, avant de demander à Sam :

— Alors ? Comment trouvez-vous notre capitale, monsieur Hartley ?

— Trop de monde, dit-il en inclinant la tête vers elle.

— Avez-vous l'habitude d'une plus petite ville ? questionna Emeline en soulevant ses jupes car ils approchaient d'une grande flaque putride.

Sam se rapprocha d'elle quand ils la franchirent et elle sentit la chaleur de son corps contre le sien.

— Boston est plus petit que Londres, mais il y a autant de monde dans les rues. Je ne suis pas habitué aux villes en général.

Il s'écarta et elle se prit à regretter sa chaleur.

— Avez-vous grandi à la campagne ?

— Plutôt dans des contrées sauvages.

Étonnée, elle leva la tête, à la seconde où de nouveau il se penchait vers elle. Leurs visages ne furent plus séparés que par quelques centimètres. Elle eut le temps de noter que les fines rides qui marquaient les coins de ses yeux couleur café s'accentuaient car il souriait. Elle vit aussi une petite cicatrice sous son œil gauche.

Elle se détourna.

— Avez-vous été élevé par des loups, monsieur Hartley ?

— Pas tout à fait, dit-il, amusé. Mon père était trappeur, sur la frontière de Pennsylvanie. Nous habitions dans un chalet de rondins encore couverts de leur écorce. Il l'avait construit lui-même.

Voilà qui était primitif, songea Emeline. Elle ne parvenait pas à concevoir l'aspect de cette maison, qui appartenait à un monde totalement étranger au sien.

— Comment avez-vous été éduqué, avant d'entrer au pensionnat ?

— Ma mère m'a appris à lire et à écrire. Mon père, à pister et chasser dans la forêt. Il était un formidable homme des bois.

Ils passèrent devant une librairie dont l'enseigne rouge pendait si bas que le tricorne de Sam la frôla.

— Je vois, fit Emeline, qui ne voyait rien.

— Vraiment ? Le monde d'où je viens n'a rien en commun avec celui-ci. Pouvez-vous imaginer une forêt si tranquille que l'on entend tomber les feuilles des arbres ? Où ces arbres sont si gros qu'un homme ne peut ceindre leur tronc à deux bras ?

— Il m'est effectivement difficile de l'imaginer. Pour moi, vos forêts appartiennent à un univers inconnu. Mais vous les avez quittées, ces forêts, n'est-ce pas ?

Au lieu de répondre, il porta son attention sur la foule qui les cernait.

— Cela a dû être un grand changement, d'abandonner la liberté des bois pour un pensionnat, insista Emeline.

— Oui. Mais les jeunes garçons s'adaptent facilement. J'ai appris à me plier aux règles et à rester loin des mauvais compagnons. Déjà, à l'époque, j'étais grand et fort. Cela m'a beaucoup aidé.

— Ils sont tellement sauvages, dans les pensionnats ! dit Emeline en frissonnant.

— Les garçons sont de petites bêtes sauvages.

— Et les professeurs ?

— Oh, la plupart sont compétents. Quelques-uns sont des hommes malheureux qui détestent les enfants. Mais d'autres aiment profondément leur métier.

— Mon Dieu, quelles enfances différentes vous avez vécues, votre sœur et vous ! Elle a grandi à Boston, m'avez-vous dit.

— Oui. Et parfois je me prends à penser que nos enfances ont, précisément, été trop différentes.

Emeline avait perçu un certain trouble dans son intonation. Intriguée, elle le regarda mais il affichait une expression insondable.

— Je regrette de ne pas lui donner tout ce dont elle a besoin, reprit-il en réponse à son interrogation muette.

Voilà qui était déconcertant. Parmi les hommes qu'elle connaissait, y en avait-il qui se souciaient des femmes comme le faisait M. Hartley ? Son propre frère s'était-il inquiété de ses besoins, de ses désirs ? Non.

— Votre fils est un enfant plein de fougue, remarqua-t-il soudain.

— Trop fougueux, diraient certains.

— Quel âge a-t-il ?

— Il aura huit ans cet été.

— Avez-vous engagé un tuteur pour lui ?

— Oui. M. Smythe-Jones vient tous les jours. Mais… tante Cristelle estime que je devrais envoyer Daniel dans un pensionnat comme celui que vous avez fréquenté.

— Il me paraît trop jeune pour quitter la maison.

— Oh, beaucoup de familles à la mode envoient des enfants bien plus jeunes que Daniel en pension. Ma tante se désole. D'après elle, Daniel est trop dans mes jupons et ne s'en libérera pas. Elle croit que mon fils n'apprendra pas à devenir un homme, s'il reste dans une maison où il n'y a que des femmes.

Mais pourquoi lui faisait-elle ces confidences ? Il était un parfait étranger. Il allait la prendre pour une sotte.

Il n'eut pourtant pas l'air de se moquer. Il hocha pensivement la tête.

— Votre mari est mort.

— Oui. Daniel… nous avons donné son prénom à notre fils… Daniel est parti il y a cinq ans.

Il se pencha derechef vers elle, et elle identifia le parfum de son haleine. Persil. Comme c'était étrange que cette odeur si ordinaire devienne exotique sur lui.

— Je ne comprends pas pourquoi une dame aussi séduisante que vous s'est condamnée à se languir seule pendant tant d'années.

Éberluée par tant d'audace, Emeline bredouilla :

— En fait…

— Voilà un salon de thé ! clama tante Cristelle. Tout cet exercice m'a harassée. Pourrions-nous nous reposer un moment ?

— Je suis navré de n'avoir pas renouvelé ma proposition, s'excusa Sam. Oui, nous allons faire une pause ici.

— Parfait, approuva tante Cristelle.

M. Hartley tint ouverte la jolie porte de bois et de verre pour les dames. Elles entrèrent dans le salon de thé. De petites tables rondes étaient dispersées dans la salle. Les trois femmes s'assirent à l'une d'elles pendant que Sam allait passer la commande. Tante Cristelle se pencha vers Rebecca et lui tapota le genou.

— Votre frère est plein de sollicitude envers vous, ma chère. Soyez-en reconnaissante : peu d'hommes sont ainsi. Et ceux qui le sont partent hélas toujours les premiers.

La dernière remarque de la vieille dame fit froncer les sourcils à Rebecca, qui choisit de ne répondre qu'à la première.

— Je suis très reconnaissante. Sam a toujours été extrêmement gentil avec moi.

— M. Hartley m'a expliqué que vous aviez été élevée par votre oncle, dit Emeline.

— Oui. Je ne voyais Sam qu'une ou deux fois par an, lorsqu'il venait nous rendre visite. Il me paraissait toujours si grand, si fort ! Et pourtant, il devait être plus jeune que je le suis maintenant. Plus tard, il s'est engagé et il a porté un magnifique uniforme. J'éprouvais un respect mêlé de crainte. Il ne marche comme aucun autre homme de ma connaissance. Il a de si longues et régulières foulées qu'on a l'impression qu'il pourrait marcher sans s'arrêter pendant des jours.

Rebecca eut un petit sourire gêné.

— Je le décris mal.

Cependant, Emeline comprenait parfaitement ce que voulait dire la jeune fille. M. Hartley bougeait avec une grâce pleine d'assurance qui donnait l'impression qu'il savait tout de son corps et comment l'utiliser au mieux.

Elle le regarda. Il attendait son tour pour commander le thé. Devant lui, un autre gentilhomme perdait patience, piétinant le carrelage. D'autres clients se balançaient d'un pied sur l'autre. Seul Sam restait absolument immobile. Il ne semblait ni irrité ni pressé, comme s'il était prêt à rester là, bras croisés, des heures durant. Il se rendit compte qu'elle le fixait. Il haussa les sourcils, interrogateur. Ou provoquant, elle ne savait. Le rouge aux joues, elle détourna le regard.

— En dépit de votre enfance chacun de votre côté, votre frère et vous semblez très proches, dit-elle à Rebecca.

La jeune fille sourit, mais il y avait de l'incertitude dans ses yeux.

— J'espère que nous sommes proches. J'admire infiniment mon frère.

Emeline analysa la formulation. La phrase de Rebecca sonnait comme une interrogation.

— Madame.

Sam était là. Emeline sursauta. Elle ne l'avait pas vu revenir vers la table. S'était-il glissé en tapinois derrière son dos pour le seul plaisir de la surprendre ? Il lui décocha ce sourire énigmatique dont il était coutumier, tout en posant sur la table une assiette de sucreries roses. Une serveuse l'accompagnait, chargée d'un plateau avec le thé.

— Eh bien, merci, monsieur Hartley, dit Emeline après avoir pris une profonde inspiration.

— Tout le plaisir est pour moi, madame.

Emeline goûta une friandise. Acide et doux en même temps. Un mélange parfait. Elle attendit la réaction de tante Cristelle, mais la vieille dame parlait avec animation à l'oreille de Rebecca.

— J'espère que ma tante n'est pas en train de faire un cours à votre sœur, commenta-t-elle en servant le thé.

— Ne vous inquiétez pas, Rebecca est d'une autre trempe qu'il n'y paraît. Elle survivra.

Toutes les chaises étant occupées, il s'était nonchalamment appuyé au mur à cinquante centimètres d'Emeline, laquelle baissa les yeux vers ses drôles de souliers. Sans réfléchir, elle s'enquit :

— Où diable avez-vous trouvé ces… chaussons ?

Sam étendit une jambe.

— Ce sont des mocassins en peau de daim, fabriqués aux Amériques par les femmes de la tribu des Indiens mohicans.

Les dames de la table voisine se levèrent, prêtes à partir, mais Sam ne fit aucun effort pour prendre une chaise. Emeline regarda d'un air contrarié les mocassins de Sam et les jambières. Il avait noué au-dessous du genou des rubans brodés.

— Tous les hommes s'habillent-ils ainsi dans les colonies ?

— Non, pas du tout. La plupart portent les mêmes souliers qu'ici.

— Alors pourquoi avoir choisi ces étranges mocassins ?

Emeline était consciente de la sécheresse de son intonation, mais l'obstination de M. Hartley à se vêtir avec autant d'excentricité l'agaçait. Pourquoi ce parti pris ? S'il avait porté des bas et des chaussures à boucle comme tous les messieurs de Londres, il n'aurait pas attiré l'attention sur lui. Vu sa fortune, il aurait pu devenir un respectable gentilhomme et être accepté dans les meilleurs cercles.

Il haussa les épaules.

— Les chasseurs portent ces mocassins dans les forêts d'Amérique. Ils sont très confortables et beaucoup plus pratiques que les souliers anglais. Quant aux jambières, elles protègent des épines et des branchages. J'y suis habitué.

Emeline lut dans ses yeux qu'il comprenait qu'elle aurait aimé qu'il soit plus conventionnel, qu'il ressemble davantage au gentilhomme anglais classique. Oui, il le comprenait et cela visiblement l'attristait.

— Caporal Hartley ! tonna soudain une voix derrière eux. Que faites-vous à Londres ?

Sam se raidit. L'homme qui le hélait était quasiment de sa taille et de sa corpulence. Il portait une redingote verte et un gilet marron. Il était tout à fait semblable aux autres gentilshommes de Londres, mis à part, peut-être, ses cheveux d'un orange éclatant attachés en catogan.

Il essaya de situer l'homme, sans résultat. Le régiment avait compté plusieurs rouquins.

— Thornton, dit l'homme en tendant la main. Dick Thornton. Cela fait combien de temps que je ne vous ai vu ? Six ans au moins. Qu'est-ce qui vous amène à Londres ?

Sam prit la main et la serra. Voilà. Il avait remis l'homme. L'un des soldats du 28ᵉ régiment.

— Je suis ici pour affaires, monsieur Thornton.

— Vraiment ? Londres est bien loin des forêts des colonies !

— Mon oncle est mort en 1760. J'ai quitté l'armée et ai repris son commerce à Boston.

— Ah.

Thornton pivota sur ses hauts talons pour poser sur Emeline un regard intrigué. Sam éprouva de la répugnance à l'idée de la lui présenter, mais il n'avait pas le choix.

— Madame, voici M. Richard Thornton, un vieux camarade. Thornton, lady Emeline Gordon, la sœur du capitaine Saint Aubyn. Et voici ma sœur, Rebecca Hartley, et la tante de lady Emeline, Mlle Molyneux.

Thornton salua avec emphase.

— Mesdames…

Emeline lui offrit sa main.

— Comment allez-vous, monsieur Thornton ?

— C'est un honneur de faire votre connaissance, madame. Nous avons tous été très affectés quand nous avons appris la mort de votre frère.

L'expression d'Emeline resta de marbre, mais Sam la sentit se crisper. Pourtant, un bon mètre les séparait. Par quel prodige pouvait-il percevoir ses émotions à une telle distance ? C'était incroyable et néanmoins indubitable. Comme s'il y avait brusquement une modification dans l'air.

— Merci, monsieur. Vous connaissiez donc Reynaud ?

— Bien sûr. Nous connaissions et aimions le capitaine Saint Aubyn. Un élégant gentilhomme et un grand meneur d'hommes, n'est-ce pas, Hartley ? Toujours un mot gentil aux lèvres, toujours des paroles d'encouragement pendant que nous marchions dans l'enfer de ces forêts… Et lorsque les sauvages nous attaquaient, madame, si vous aviez vu comment il faisait face ! Certains avaient peur, d'autres brisaient les rangs et fuyaient et…

Thornton s'interrompit abruptement, affecta de tousser pour cacher son embarras tout en regardant Sam d'un air coupable.

Il lui rendit son regard sans ciller. Nombreux étaient ceux qui avaient cru qu'il avait déserté à Spinner's Falls. Sam ne s'était pas donné la peine de s'expliquer à ce moment-là, et il n'allait pas davantage le faire maintenant. Il savait que lady Emeline l'observait. Qu'elle le voue donc au diable comme les autres, si cela lui chantait.

— Vos souvenirs de mon neveu sont les bienvenus, monsieur, dit tante Cristelle, brisant le pénible silence.

— Eh bien, fit Thornton en rajustant son gilet, tout cela s'est passé il y a longtemps. Le capitaine Saint Aubyn est mort en héros, et c'est cela que vous devez vous rappeler.

— Savez-vous s'il y a d'autres vétérans du 28ᵉ régiment à Londres ? demanda Sam.

— Pas tant que cela, déclara Thornton après réflexion. Bien sûr, il y a eu quelques survivants. Le lieutenant Horn, le capitaine Renshaw, qui est devenu lord Vale, mais je ne fréquente pas les mêmes cercles qu'eux.

Il sourit à Emeline, comme pour lui signifier qu'il était conscient de son rang social, puis il reprit :

— Il y a aussi Wembley et Ford, le sergent Allen également, le pauvre gars. Il ne s'est jamais remis de la perte de sa jambe.

Sam avait déjà interrogé Wembley et Ford. Le sergent Allen était plus difficile à localiser. Mentalement, il hissa son nom en haut de la liste de ceux auxquels il devait parler.

— Et vos camarades de régiment, Thornton ? Je me rappelle que vous vous réunissiez toujours autour du feu le soir avec cinq ou six hommes. Il me semble que vous aviez un chef, un autre rouquin...

— McDonald. Andy McDonald. C'est vrai qu'il était difficile de nous distinguer l'un de l'autre. À cause de la couleur des cheveux. Le pauvre McDonald a pris une balle dans la tête à Spinner's Falls. Il est tombé raide mort juste à côté de moi.

Sam sentit la sueur couler le long de son dos. Il détestait se remémorer cet abominable jour.

— Et les autres, Thornton ?

— Morts. Tous morts, je crois. Tombés à Spinner's Falls. Ridley a survécu quelques mois, mais la gangrène a fini par l'emporter.

— Savez-vous si...

— Monsieur Hartley, coupa tante Cristelle, nous devons encore aller chez le bottier.

Sam se détourna de Thornton et regarda les trois femmes. Les yeux de Rebecca trahissaient la confusion, le visage d'Emeline était impavide et la vieille dame ne contenait plus son impatience.

— Je vous présente mes excuses, mesdames. Je n'avais pas l'intention de vous ennuyer avec l'évocation de vieux souvenirs.

— Moi aussi, je vous prie de m'excuser, dit Thornton en s'inclinant. Mesdames, ce fut un plaisir de vous rencontrer.

— Thornton, puis-je avoir votre adresse ? demanda précipitamment Sam. J'aimerais vous parler de nouveau.

— Oui, naturellement. Vous pourrez me trouver sur mon lieu de travail. Ce n'est pas loin d'ici. Vous descendez jusqu'à Piccadilly, continuez sur Dover Street et là vous verrez l'enseigne. *Georges Thornton & Son, bottiers.* Une entreprise fondée par mon père.

Sam le remercia, puis Thornton salua encore les trois femmes et s'en alla. Ses cheveux carotte demeurèrent visibles dans la foule un long moment. Quand il eut disparu, Sam offrit son bras à Emeline. Et commit l'erreur de la regarder dans les yeux.

Elle avait écouté la conversation. Elle était une femme intelligente. Elle avait tout compris.

Ainsi, M. Hartley était à Londres à cause du massacre de Spinner's Falls. Ses questions à M. Thornton étaient trop précises, son attention aux réponses trop intense pour que ce ne fût pas cela. Quelque chose le perturbait.

Reynaud était mort à Spinner's Falls.

Emeline posa les doigts sur la manche de Sam, mais fut incapable de les laisser à plat, immobiles. Elle les crispa.

— Pourquoi ne m'avoir rien dit, monsieur Hartley ?

Ils avaient repris leur marche et elle ne distinguait que le profil de Sam. Un petit muscle tressautait sur sa joue.

— Je ne vois vraiment pas, madame…

— Ne me prenez pas pour une sotte, coupa Emeline à voix basse afin que ni sa tante ni Rebecca l'entendent.

— Jamais je ne vous prendrai pour une sotte.

— Dans ce cas, ne me traitez pas comme telle. Vous avez servi dans le même régiment que Reynaud. Vous connaissiez mon frère. Que cherchez-vous ?

— Je…

Il hésitait. Que lui cachait-il ?

— Je ne voudrais pas ranimer de déplaisants souvenirs, vous obliger à vous rappeler…

— Me *rappeler* ! Mon Dieu, imaginez-vous que j'aie pu oublier la mort de mon unique frère ? Que j'aie besoin que vous me parliez de lui pour y penser ? Mais sa mémoire m'accompagne chaque jour ! Chaque jour, entendez-vous ?

Elle s'interrompit, consciente que sa voix devenait rauque.

— Je suis désolé. Je vous en prie, créditez-moi de quelque sensibilité. Je ne savais comment vous parler de votre frère, de ce jour terrible. Si j'ai commis un péché, c'est de stupidité, non de malice. Pardonnez-moi.

Quel beau discours… songea Emeline en se mordant la lèvre, tout en suivant des yeux deux jeunes aristocrates qui passaient, habillées à la dernière mode. Des flots de dentelle s'échappaient de leurs manches, leurs manteaux étaient de velours et leur perruque frisée avec extravagance. Elles n'avaient manifestement même pas vingt ans, mais marchaient avec l'arrogance que donnent l'argent et les privilèges, conscientes d'occuper une haute position dans la société. Autrefois, Reynaud avait la même démarche.

— Il m'a parlé de vous dans ses lettres, monsieur Hartley.

Elle le vit se raidir, sa pomme d'Adam monter et descendre nerveusement.

— Que disait-il ?

Elle haussa les épaules et affecta de s'intéresser à la vitrine d'un marchand de dentelles. Cela faisait des années qu'elle n'avait pas relu les lettres de son frère, mais elle connaissait par cœur chaque mot qu'elles contenaient.

— Il m'a dit qu'un caporal américain avait été affecté à son régiment, qu'il admirait ses talents de pisteur. Qu'il lui faisait confiance comme à nul autre. Cet homme, c'était vous. Reynaud m'a rapporté que vous lui aviez appris à discerner les différences entre les tribus d'Indiens. Par exemple, que les Mohicans portaient les cheveux hérissés en crête sur le sommet de la tête et que les Wy... Wy...

— Wyandots.

— C'est cela, les Wyandots adoraient le rouge et le noir et se couvraient d'un vieux morceau de tissu devant et derrière... Et il me disait qu'il vous appréciait beaucoup.

— Merci.

— Combien de temps avez-vous côtoyé mon frère ?

— Pas longtemps. Après la bataille de Québec, j'ai été rattaché au 28e régiment à titre non officiel. J'étais simplement censé l'accompagner jusqu'à Fort Edward, à servir d'éclaireur. Je connaissais votre frère depuis environ deux mois.

Un temps, puis :

— Nous sommes arrivés à Spinner's Falls.

Inutile d'en dire davantage. Spinner's Falls était l'endroit où ils avaient pratiquement tous été tués, pris en tenaille entre deux groupes d'Indiens wyandots. Emeline avait lu les rapports dans les journaux. Peu de survivants du massacre souhaitaient en parler. Encore moins à une femme.

— L'avez-vous vu mourir, monsieur Hartley ?

Il se tourna vers elle.

— Madame...

Elle tortilla l'un des rubans de sa ceinture jusqu'à ce qu'elle sente la soie se déchirer.

— L'avez-vous vu mourir ? répéta-t-elle.

Il inspira profondément, relâcha lentement son souffle puis énonça :

— Non.

Elle abandonna le ruban. Était-ce du soulagement qu'elle ressentait soudain ?

— Pourquoi me demandez-vous cela, madame ? Ce ne sont pas des choses plaisantes à entendre.

— Parce que je veux… non, j'ai *besoin* de savoir comment cela s'est passé pour lui au dernier instant.

Elle regarda Sam. Son expression était claire : il était très ému.

— Si je parviens à comprendre, monsieur Hartley, à ressentir ne fût-ce qu'un peu ce qu'il a éprouvé, je serai plus proche de lui.

Le froncement de sourcils de Sam s'était accentué.

— Il est mort, madame. Et je doute qu'il aimerait que vous sombriez dans la mélancolie à force de penser à lui.

— Mais ainsi que vous le dites, monsieur Hartley, il est mort et donc ce qu'il aimerait ou n'aimerait pas n'a plus d'importance.

Elle l'avait choqué, elle s'en rendit compte. Les hommes étaient tous convaincus que les dames devaient être protégées des cruautés de la vie. Les hommes, pauvres chers hommes… Ils étaient si naïfs. S'imaginaient-ils que mettre un enfant au monde était une partie de plaisir ?

— Expliquez-moi, je vous prie, madame.

Ah, l'étrange colon se ravisait vite.

— Je fais cela pour moi, non pour Reynaud.

Pourquoi se donnait-elle la peine de se justifier ? De toute façon, il ne comprendrait pas.

— Mon frère était tellement jeune quand il est mort. Vingt-huit ans seulement. Il a laissé tant de choses inachevées dans sa vie. J'ai si peu de souvenirs de lui. Et il n'y en aura plus d'autres.

Elle marqua une pause. Sam garda le silence. Ce qu'elle exposait lui était très personnel, et elle n'aurait pas dû le faire. M. Hartley était pratiquement un inconnu. Mais il avait été présent dans ce lieu lointain et sauvage où Reynaud avait trouvé la mort. D'une certaine manière, M. Hartley était relié à lui.

— Il y avait un recueil de contes de fées que nous lisions ensemble étant petits. Reynaud adorait ces histoires. J'ai oublié ce qu'elles racontaient, mais je me dis que si je pouvais les relire… Hélas, je ne parviens pas à mettre la main dessus. Pas plus que je n'arrive à me figurer ce qu'ont été les derniers instants de Reynaud. Si j'y parvenais, il vivrait un peu plus longtemps dans ma mémoire. Peu importe que ce soient de terribles instants, comprenez-vous ? Ce sont ceux de mon frère, et donc ils sont extrêmement précieux.

— Oui, je crois que je comprends.

— Vraiment ?

Si c'était vrai, alors il serait le premier. Pas même tante Cristelle ne comprenait pourquoi elle avait tant besoin de découvrir ce qui était arrivé à Reynaud.

Elle regarda Sam avec émerveillement. Peut-être, en définitive, était-il différent des autres hommes. C'était étonnant.

Il chercha son regard. Ses lèvres sensuelles dessinèrent un sourire.

— Vous êtes une femme terrifiante.

Emeline prit alors conscience avec horreur qu'elle pouvait aimer M. Hartley. L'aimer beaucoup trop.

— Dites-moi, lui souffla-t-elle.

— Je m'efforce de découvrir ce qui s'est passé à Spinner's Falls, madame. Les Wyandots ne sont pas tombés sur notre régiment par hasard.

Il détacha son regard du sien et Emeline vit une lueur de détermination, de force, de férocité même, dans ses yeux.

— Je pense que nous avons été trahis, madame.

4

Le vieil homme était vêtu de loques. Cœur de Fer songea qu'il n'avait pas l'allure de quelqu'un susceptible de détenir la clé du mariage d'une princesse. Il se détournait lorsque l'homme le retint par le bras.

— Écoute-moi ! Tu vivras dans un château de marbre avec la princesse Solace, devenue ton épouse. Tu porteras des habits de soie et des serviteurs seront à ta disposition, prêts à satisfaire le moindre de tes désirs. Tout ce qu'il te suffit de faire, c'est de suivre mes instructions.

— Et quelles sont ces instructions ? demanda Cœur de Fer.

Le vieux sorcier – car pour en savoir autant il était évidemment un sorcier – répliqua :

— Tu ne devras pas parler pendant sept ans.

Cœur de Fer resta interdit.

— Qu'adviendra-t-il si je ne puis le faire ?

— Si tu prononces un seul mot, même un simple son, tu seras renvoyé à la misère et la princesse Solace mourra.

Ce marché peut vous sembler, comme à moi, tout à fait aberrant, mais rappelez-vous que Cœur de Fer était balayeur des rues. Il regarda ses pieds chaussés de cuir déchiré, puis le caniveau où il devrait dormir la nuit prochaine. Et il finit par accepter le marché proposé par le sorcier.

Ce soir, des nuages voilaient la lune. Sam s'immobilisa sur le perron et leva les yeux vers le ciel. Ces nuages lui convenaient. Ils rendaient la nuit parfaite pour la chasse.

Il se glissa dans une ruelle, se déplaçant à pas de loup, passa devant une silhouette indistincte appuyée contre un mur. La silhouette ne bougea pas, mais un chat occupé à sa toilette darda sur l'intrus des prunelles étincelantes. Un peu plus loin se dressaient de belles écuries d'à peu près deux fois les dimensions de celles derrière son hôtel particulier. Comment pouvait-on avoir besoin d'autant de chevaux? se demanda Sam.

Une lumière apparut à la porte et un homme courtaud tenant une lanterne émergea. Sam se réfugia dans l'ombre. L'homme posa sa lanterne sur le pavé et fouilla dans sa poche, d'où il sortit une longue pipe de terre cuite, qu'il alluma à la flamme de la lanterne. Puis il tira dessus avec satisfaction, ramassa sa lanterne et disparut à l'angle du bâtiment.

Sam patienta quelques instants puis suivit l'homme. Il arriva devant un mur percé d'une grille. Celui-ci séparait les écuries du jardin à l'arrière de la maison. Son but. Il continua son chemin dans l'ombre d'un arbre qui surplombait le mur. Puis il recula et calcula que la hauteur des briques atteignait bien les trois mètres. Il prit son élan, bondit et réussit à s'accrocher au faîte du mur. De là, il se hissa par-dessus et se laissa retomber à quatre pattes de l'autre côté. Immédiatement il repartit, courbé en deux, courant le long du mur jusqu'à des buissons. Là, il s'allongea à plat ventre et scruta le jardin sombre.

Il était vaste, rectangulaire, planté d'arbustes ornementaux et de buissons, le tout selon un schéma géométrique. Une allée de gravier reliait les écuries et la maison. Nul doute qu'il y avait deux entrées: une pour les maîtres et une pour les serviteurs. Pour l'instant, le calme régnait dans le jardin.

Sam se remit debout et se dirigea vers la maison, en évitant de marcher sur le gravillon qui aurait crissé. Il approchait de la bâtisse quand il constata que l'entrée de service était partiellement en sous-sol. Une volée de marches descendait vers la porte, surmontée d'une sorte de balcon ou de terrasse bordée d'un garde-fou ornementé. Une porte-fenêtre s'ouvrait sur ce balcon. Une lumière tremblotait derrière les vitres. Sam se rapprocha. L'homme à l'intérieur ne s'était pas donné la peine de tirer les rideaux.

Jasper Renshaw, vicomte Vale, installé dans un fauteuil à oreillettes tendu de velours rouge. Une jambe par-dessus l'accoudoir, il feuilletait d'un air absent un grand livre posé sur ses genoux. Un soulier à boucle gisait sur le tapis à côté du siège. Vale s'était déchaussé.

Sam s'accroupit devant la fenêtre, savourant le plaisir d'espionner l'homme qui ne se doutait de rien. Vale avait commandé la brigade légère du 28e régiment. Alors que les vétérans auxquels avait parlé Sam avaient beaucoup changé en six ans, Renshaw, maintenant vicomte Vale, était le même. Visage long et maigre, profondes rides autour d'une grande bouche, et trop grand nez. Ses yeux tombants comme ceux d'un chien de chasse semblaient constamment tristes, même quand il était gai. Quant à sa silhouette, elle était celle d'un adolescent qui n'aurait jamais grandi. Bras et jambes démesurément longs et osseux, pieds et mains surdimensionnés. Vale avait le même âge que Sam. Pendant que celui-ci l'observait, Vale se lécha le pouce et tourna une page, puis attrapa un verre qui contenait un liquide rubis.

Sam se souvenait de Vale comme d'un bon officier, néanmoins pas aussi autoritaire que Reynaud. Il était trop décontracté pour se soucier de vouloir inspirer le respect à ses hommes. Mais c'était à lui que les hommes allaient rapporter leurs problèmes, à lui qu'ils demandaient de régler leurs querelles. Vale était aussi à l'aise avec les simples soldats qu'avec les officiers, et prenait indifféremment ses repas avec les uns ou les autres. Il était toujours de bonne humeur, toujours prêt à plaisanter ou faire des farces. Tout cela avait fait de lui le préféré des troupes. Il n'avait rien d'un traître.

Mais si les renseignements de Sam étaient exacts, quelqu'un avait trahi. Il tapota sa poche. Le morceau de papier était là. On y lisait que quelqu'un avait prévenu les Français et leurs alliés, les Indiens wyandots. Et leur avait dit où se trouvait exactement le 28ᵉ régiment. Oui, quelqu'un avait conspiré pour faire massacrer un régiment entier. Une hypothèse, encore, mais qui paraissait si avérée que Sam était venu à Londres. Il fallait qu'il découvre la vérité. Qu'il apprenne pourquoi tant d'hommes étaient morts six ans auparavant. Lorsqu'il aurait démasqué le responsable, peut-être retrouverait-il la paix de l'âme et le goût de vivre qu'il avait perdus à Spinner's Falls.

Vale était-il celui qu'il cherchait ? Le vicomte avait été le débiteur de Clemmons, et Clemmons était mort lors du massacre. Mais Vale s'était battu bravement à Spinner's Falls. Un si courageux officier aurait-il pu faire anéantir un régiment entier pour se débarrasser d'un seul homme ? N'aurait-il pas été marqué à jamais par une telle ignominie ? Son visage n'aurait-il pas porté les stigmates de la dépravation ? Aurait-il pu être tranquillement assis six ans plus tard dans sa bibliothèque, à lire un livre ?

Sam secoua la tête. L'officier qu'il avait connu à l'époque n'aurait jamais commis ce crime. Mais il n'était avec le 28ᵉ que depuis un mois. Peut-être pas assez longtemps pour bien cerner la personnalité de Vale. Son instinct lui dictait d'organiser une confrontation, mais il doutait qu'elle lui apporte des réponses. Mieux valait aborder Vale par la tangente, c'est-à-dire par le biais des relations sociales. C'était dans ce but qu'il avait demandé ses services à lady Emeline. L'ennui, c'est que maintenant qu'il connaissait la jeune femme, il avait scrupule à l'utiliser de cette façon. Comment réagirait-elle si elle apprenait la véritable raison de sa démarche ? Elle souffrait toujours de la perte de son frère, oui, mais était-elle prête à mettre en péril son rang dans la haute société en accusant un pair ?

Il fit la grimace et repartit vers les écuries. Il pressentait que lady Emeline serait très mécontente du rôle qu'il lui faisait jouer à son insu.

— Non, non, non ! s'écria Emeline.

Rebecca se crispa, un pied à moitié levé. Elle se trouvait dans la salle de bal d'Emeline, laquelle essayait d'inculquer à l'Américaine quelques rudiments des nouvelles danses de salon. Tante Cristelle tenait la harpe qui avait été spécialement apportée dans la salle par deux solides valets. Le sol de la vaste pièce était de parquet ciré et un mur entièrement couvert de miroirs renvoyait le reflet de Rebecca, avec son pied en l'air et son expression terrorisée. Emeline prit une profonde inspiration et s'efforça d'afficher un sourire. Mais Rebecca ne parut pas rassurée pour autant.

— Vous devez bouger avec fluidité, grâce. Pas comme un… un…

Elle chercha un autre mot que celui qui lui était venu à l'esprit, à savoir « éléphant ».

— … marin ivre ! lança Sam depuis le seuil d'un ton amusé.

Rebecca abaissa son pied et pivota vers son frère.

— Merci beaucoup !

Sam haussa les épaules et entra dans la pièce. Il était élégamment habillé de noir et marron, mais l'hématome sur son menton était jaunâtre et il avait des cernes sombres sous les yeux. Intriguée, Emeline se demanda quelles activités lui faisaient passer des nuits blanches.

— Avez-vous besoin de quelque chose, monsieur Hartley ?

— Oui. Superviser les leçons de danse de ma sœur.

Rebecca manifesta son mécontentement en soufflant, mais ne put retenir un petit sourire. Sam en déduisit qu'elle était heureuse que son frère s'intéresse à elle.

Ce qui n'était pas le cas d'Emeline. La présence d'un homme dans la salle de bal la déconcentrait.

— Nous sommes très occupées, monsieur Hartley. Il ne reste que deux jours avant le premier bal de Rebecca.

— Je comprends la gravité de la situation, fit-il ironiquement avec une courbette.

— Vraiment ?

Tante Cristelle s'éclaircit bruyamment la gorge. Emeline et Sam se retournèrent pour la regarder. La vieille dame se leva et tendit la main à Rebecca.

— Cette enfant et moi avons besoin de souffler un peu après tous ces exercices. Une promenade dans le jardin, peut-être ? Venez, mon petit, je vais vous enseigner l'art de la conversation élégante tout en marchant.

— Oh, merci, madame ! lança Rebecca avec reconnaissance en suivant tante Cristelle.

Emeline attendit que sa tante et la jeune fille soient sorties, puis fit face à Sam.

— Vous avez interrompu la leçon de ce matin ! Que faites-vous ici ?

Il haussa les sourcils et se rapprocha d'elle, si près que son souffle effleura sa joue.

— Pourquoi vous en inquiétez-vous ?

Emeline était ébahie.

— Pourquoi je m'en inquiète ? Mais ce n'est pas que je m'inquiète ! C'est simplement que…

— Vous êtes de mauvaise humeur, coupa Sam.

Il pinça les lèvres et inclina la tête, comme pour examiner un fruit suspect.

— Vous êtes souvent de mauvaise humeur, répéta-t-il.

— C'est faux.

— Vous l'étiez hier.

— Mais…

— Vous l'étiez également lors de notre première rencontre dans le salon de Mme Conrad.

— Je n'étais pas…

— Votre humeur n'était pas particulièrement mauvaise lorsque nous sommes allés au salon de thé, mais ne pouvait certainement pas être qualifiée de « bonne », continua Sam en lui souriant gentiment. Mais peut-être fais-je une mauvaise analyse. Peut-être êtes-vous d'ordinaire une femme rayonnante et est-ce mon irruption dans votre existence qui vous a rendue amère.

Emeline demeura bouche bée, aussi décontenancée qu'une gamine. Comment osait-il ? Personne ne lui parlait de cette manière ! Il s'était détourné pour s'approcher de la harpe, dont il tirait des sons discordants en pinçant les cordes au petit bonheur. Sans pour autant cesser de l'observer, avec sur les lèvres ce sourire ironique qui semblait ne jamais le quitter.

Emeline prit une profonde inspiration et lissa ses jupes.

— Je ne m'étais pas rendu compte que ma voix était si sèche, monsieur Hartley. Si j'avais su que ma sévérité vous gênait, j'aurais préféré mourir mille morts plutôt que de me comporter ainsi. Veuillez accepter mes excuses.

Elle se tut, baissa les yeux et attendit. À lui, maintenant. Il allait être honteux et bourrelé de remords d'avoir incité une dame à s'excuser. Peut-être même se mettrait-il à bégayer, songea-t-elle en se retenant d'afficher un sourire supérieur.

Mais non. Il ne lui opposait que le silence, tout en continuant à arracher d'horribles grincements à la harpe. S'il poursuivait ce manège, elle allait devenir folle.

Elle se résigna à lever les yeux.

M. Hartley ne regardait pas ce que faisaient ses doigts sur les cordes. C'était elle qui retenait son attention. Et qui l'amusait, manifestement.

— À quand remonte la dernière fois où vous avez présenté des excuses à un homme, madame ?

Oh, quel goujat ! Il la provoquait !

— Je ne sais pas, répondit-elle tristement. Des années, sans doute.

Elle se rapprocha et posa la main sur les cordes pour les bloquer.

— Mais ce que je sais, monsieur Hartley, c'est que celui à qui j'en ai fait a été fort satisfait.

Il immobilisa ses doigts et un subit silence tomba sur la salle. Il riva ses yeux à ceux de la jeune femme. Leur intensité était telle qu'elle avait quelque chose d'effrayant. Emeline se découvrit incapable de détacher son regard du sien. Ce fut lui qui rompit là, pour se focaliser sur sa bouche. Sans réfléchir, Emeline sourit. Il étrécit les yeux et fit un pas vers elle, leva les bras...

La porte de la salle de bal s'ouvrit.

— Nous sommes prêtes, annonça tante Cristelle. Une autre heure d'entraînement, je pense, mais pas davantage. Mes doigts seront en lambeaux si je joue plus longtemps de cet instrument.

Emeline était sûre que ses joues étaient écarlates. Du coin de l'œil, elle constata que Sam s'était réfugié derrière la harpe. Désormais, une distance de bon aloi les séparait. Mais quand avait-il fait ce mouvement de retrait ? Elle ne l'avait pas vu bouger.

— Allez-vous bien, lady Emeline ? s'enquit Rebecca. Vous avez l'air d'avoir chaud.

Oh, ces colons et leurs manières directes ! D'ailleurs, ce terrible M. Hartley riait sous cape, mais apparemment, elle était la seule à s'en être aperçue.

— Je vais très bien, Rebecca. Pouvons-nous revenir à ce pas de danse ? Monsieur Hartley, cela va vous ennuyer mortellement. Nous vous autorisons à aller vous occuper de vos affaires.

— Je le ferais volontiers, lady Emeline, si j'avais des affaires en cours. Mais j'ai bien peur d'être libre comme l'air, dit Sam en s'asseyant.

Il s'installa confortablement, croisa les jambes, comme s'il était prêt à rester là toute la nuit.

— Ah, fit Emeline désappointée. Dans ce cas, nous apprécierons votre compagnie.

Tante Cristelle la considéra d'un air de reproche. Emeline carra les épaules, puis attendit que sa tante recommence à jouer. Les notes s'élevèrent et Rebecca se mit à répéter ses pas. Emeline l'observa quelques instants puis ses pensées, son attention dérivèrent vers M. Hartley et leur embarrassant échange. Mon Dieu, quelle mouche l'avait donc piquée pour qu'elle lui parle comme elle l'avait fait ? Tout le monde savait que les messieurs attendaient des dames qu'elles s'expriment avec douceur, mesure et gentillesse. C'était la première leçon enseignée aux fillettes dès le berceau, avec l'antienne selon laquelle il fallait qu'elles restent vierges jusqu'au mariage. Ce dernier point ne la concernant d'ailleurs plus. Quel prétexte pouvait-elle invoquer pour justifier son écart? Certainement pas le vin bu au déjeuner.

Mais la réflexion qu'elle lui avait décochée en dernier lieu... Ce souvenir lui faisait monter le rouge aux joues. Peut-être n'avait-il pas perçu le double sens? se demanda-t-elle avec espoir. Elle le regarda. Il la fixait, paupières mi-closes, sourire ironique flottant sur les lèvres. Quand il se rendit compte qu'elle l'observait, il haussa un sourcil interrogateur. Elle se hâta de regarder ailleurs. Manifestement, il avait parfaitement perçu le double sens.

— Oh, je n'y arrive pas! s'écria Rebecca en s'immobilisant au beau milieu d'une figure. Ces pas sont si lents. J'ai l'impression que je perds l'équilibre et que je vais tomber.

— Peut-être as-tu besoin d'un partenaire, suggéra Sam.

Il se leva et vint vers sa sœur.

— Puis-je?

— C'est vrai? Cela ne t'ennuie pas?

— Non, dans la mesure où tu ne m'écrases pas les orteils.

Emeline battit des paupières. Comment avait-elle pu ne pas se rendre compte jusqu'à maintenant combien M. Hartley était séduisant lorsqu'il souriait?

— Le seul problème, enchaîna-t-il, c'est que j'ai autant besoin de leçons que toi, ma chérie.

Cela dit à l'intention d'Emeline.

Le sournois... Elle n'avait pas le choix. Elle se plaça donc en ligne, Sam entre Rebecca et elle, et lui tendit la main. Il lui prit le bout des doigts, comme il convenait, mais elle sentit aussi vivement la chaleur de sa main que s'il avait enveloppé la sienne de toute sa paume. Elle leva leurs mains à hauteur des épaules et lui fit face avant de pointer son pied droit.

— Bien. Nous commençons à trois. Un, deux et... trois!

Au cours du quart d'heure suivant, ils s'entraînèrent à plusieurs danses. Sam était selon les figures le partenaire de Rebecca ou celui d'Emeline, laquelle, même si elle ne l'aurait pas avoué la tête sur le billot, prenait beaucoup de plaisir à l'exercice. Qu'un homme aussi grand et imposant pût être aussi gracieux et léger l'émerveillait.

Puis Rebecca fit un faux pas, qui mit Sam en décalage. Ils chancelèrent. Sam rattrapa sa sœur par la taille et Emeline recula vivement.

— Fais attention, Becca, sinon tu ficheras ton partenaire par terre, dit Sam.

— Je suis vraiment nulle, geignit la jeune fille. Ce n'est pas juste ! Tu n'as jamais dansé comme cela quand tu étais jeune, et pourtant tu parviens à suivre sans te tromper !

— Et comment M. Hartley a-t-il dansé étant jeune ? s'enquit Emeline.

— Mal, lâcha Sam.

— Il dansait la gigue, expliqua Rebecca.

— La gigue ? répéta Emeline, incrédule : elle ne parvenait pas à imaginer ce colosse sautillant au rythme d'une gigue campagnarde.

— Les manants qui vivaient près du château où j'ai grandi dansaient la gigue, remarqua tante Cristelle.

— Monsieur Hartley, j'aimerais vraiment vous voir danser la gigue, dit Emeline.

Il lui décocha un coup d'œil railleur. Elle le lui rendit.

— Il était merveilleusement rapide, précisa Rebecca, et puis il est devenu vieux et tout raide et il ne danse plus la gigue.

— Sœurette, je sais reconnaître un défi lorsqu'on m'en lance un !

Il ôta sa redingote et, en gilet et manches de chemise, les mains sur la taille, il se mit en position.

— Vas-tu vraiment le faire ? demanda Rebecca, médusée.

Il hocha solennellement la tête.

— Si tu bats la mesure.

Rebecca se mit à taper dans ses mains et Sam à sautiller. Emeline avait déjà vu des gens danser la gigue, des paysans lors de fêtes, des marins... D'ordinaire, cette danse était caractérisée par des mouvements maladroits, jambes battant l'air n'importe comment, talons frappant le sol au hasard, cheveux et vêtements qui se soulevaient comme des marionnettes au bout d'une ficelle. Mais quand M. Hartley dansait la gigue, c'était différent. D'abord il se maîtrisait, ensuite ses mouvements étaient précis et calculés. Et il était gracieux. Il faisait de petits bonds, ses mocassins déclenchant des sons assourdis sur le parquet, et il faisait néanmoins montre d'une extrême vivacité empreinte d'élégance. Il lui souriait, un sourire vraiment joyeux, sans arrière-pensée, et l'éclat de ses dents blanches contrastait joliment avec son teint mat.

Emeline et tante Cristelle tapaient maintenant de concert dans leurs mains en cadence. Sam attrapa Rebecca et l'entraîna dans une danse échevelée jusqu'à ce qu'elle crie grâce, hors d'haleine, riant aux éclats. Alors Sam happa Emeline, qui se retrouva en train de virevolter entre des mains puissantes et sûres. Leurs reflets sur les miroirs défilaient à toute vitesse, ainsi que les visages de Rebecca et de tante Cristelle debout au milieu de la salle. Elle avait la sensation que son cœur était au bord de l'explosion, tant il battait vite.

Lorsque Sam lui ceignit la taille à deux mains et la souleva au-dessus de son visage, elle se rendit compte qu'elle riait aussi fort que lui.

Cette nuit-là, Sam portait du noir, une couleur idéale pour se fondre dans l'ombre entre les maisons. Il était plus de minuit et la lune baignait la terre de sa clarté argentée. Il rentrait chez lui après avoir vu Ned Allen, du moins ce qui restait de l'homme. L'ex-sergent, pris de boisson, avait été incohérent et Sam n'avait pu lui soutirer le moindre renseignement. Il ferait une nouvelle tentative. Peut-être en pleine journée. Essayer d'interroger Allen s'était révélé une perte de temps, mais de toute façon, sortir dans la nuit était revigorant.

Il examina la rue. Une voiture approchait. En dehors de ce véhicule, aucun signe de vie. L'homme à la redingote rouge avait-il renoncé à le suivre ? Il ne l'avait pas revu, et trouvait cela étrange.

— Monsieur Hartley !

Sam ferma les yeux et soupira. Il connaissait cette voix.

— Monsieur Hartley ? Que faites-vous ?

Il avait été le meilleur éclaireur des colonies durant la guerre. Ce n'était pas une assertion de pure vanité, mais un fait indiscutable. Ses supérieurs le lui avaient dit. Un jour, il s'était glissé dans un camp de guerriers wyandots endormis et aucun d'eux n'avait décelé sa présence. Et voilà qu'une petite femme l'avait repéré ! Était-elle nyctalope ?

— Monsieur Hartley, je...

— Oui, oui, souffla-t-il en émergeant de la porte cochère sous laquelle il se dissimulait.

Il s'approcha de la voiture arrêtée au milieu de la rue, les chevaux raclant impatiemment le pavé du bout de leurs sabots. La tête de lady Emeline semblait séparée de son corps. On ne voyait qu'elle par la fenêtre, dont elle avait écarté les rideaux sombres...

— Bonsoir, lady Emeline. Quelle étonnante rencontre !

— Montez. Je ne veux pas savoir ce que vous faites ici à cette heure ! Mais ignorez-vous combien Londres est dangereux pour un homme isolé ? Sans doute êtes-vous habitué aux rues inoffensives de Boston...

— Oui, ce doit être cela, répliqua-t-il sèchement tout en montant dans l'élégante voiture. Mais, et moi, puis-je vous demander ce que vous faites dehors si tard, madame ?

Sa tête heurta le plafond avant qu'il s'assoie sur la banquette en face d'Emeline.

— Je rentre d'une soirée, naturellement.

La voiture repartit. La seule lumière provenait d'une lanterne accrochée à hauteur du visage de la jeune femme, aussi Sam pouvait-il voir qu'elle était en grande toilette. Elle portait une robe rouge flamme rebrodée de jaune. La jupe était relevée d'un côté sur un jupon jaune et vert. Le corsage à encolure carrée était très décolleté et remontait les seins qui formaient deux globes parfaits à la carnation opalescente.

— Une soirée ennuyeuse, aussi suis-je partie tôt. Vous ne le croirez pas, monsieur Hartley, et c'est pourtant vrai : il n'y avait plus de punch à dix heures ! Quant au souper de minuit, il se réduisait à quelques tourtes à la viande et des fruits. Tout à fait scandaleux. Je n'arrive pas à imaginer ce qui a pu passer par la tête de Mme Turner, pour servir d'aussi pauvres rafraîchissements et une nourriture aussi chiche à d'importants invités. Mais cette personne a toujours été pingre. Je n'assiste à ses soirées que pour une raison : l'espoir de voir son frère, lord Downing, qui est une terrifiante commère.

Elle s'interrompit, sans doute pour reprendre son souffle, et Sam la regarda, intriguée : pourquoi se croyait-elle obligée de parler si vite ? Avait-elle bu quelque liqueur à son ennuyeuse soirée ? Ou alors… Non, c'était impossible. Et pourtant… Lady Emeline était peut-être nerveuse ! Jamais il n'aurait imaginé voir cette lady sophistiquée mal à l'aise.

— Mais, et vous ? Pourquoi étiez-vous dans la rue ?

Elle suspendit le manège de ses mains qui jouaient avec les rubans de son corsage.

— Quoique, cela ne me regarde en rien, ajouta-t-elle.

En dépit de la faiblesse de la lumière, il distinguait le rose qui lui était monté aux joues.

— Effectivement, cela ne vous regarde pas, madame. Mais pas pour les raisons que vous imaginez.

— Je ne saisis pas ce que vous insinuez, monsieur Hartley. Vous êtes…

— … allé voir une prostituée, acheva Sam en souriant. C'est cela que vous pensez.

Il étendit ses longues jambes et les croisa, puis glissa les pouces dans les poches de son gilet, l'air réjoui.

— Jamais je ne penserais une chose pareille ! s'offusqua Emeline.

— Ce rouge à vos joues affirme le contraire.

— Mais je… je…

— Tss, tss… Vos pensées sont très égrillardes, madame. Je suis choqué. Infiniment choqué.

Il se délectait du spectacle de son malaise. Mon Dieu, qu'il aimait ces échanges verbaux avec elle !

— Je me moque comme d'une guigne de la façon dont vous vous occupez après le coucher du soleil, monsieur Hartley. Vos activités me laissent de glace.

Quel mensonge ! Elle était sens dessus dessous, il le voyait bien. S'il avait été un vrai gentilhomme, il aurait fait marche arrière, changé de sujet de conversation. Le problème, c'est qu'une fois qu'il serrait une proie entre ses griffes, il avait un mal fou à la lâcher. Et puis, les sujets de conversation anodins l'ennuyaient à périr.

Il enfonça donc le clou.

— Mes activités devraient vous laisser de glace, mais ce n'est pas le cas, n'est-ce pas ?

Elle se renfrogna, ouvrit la bouche mais il la prit de vitesse.

— Ah, ah ! lança-t-il en levant un doigt, anticipant ses protestations. Il est minuit passé et nous sommes seuls dans une voiture. Ce qui sera dit entre ces quatre cloisons capitonnées n'en sortira pas. Alors s'il vous plaît, madame, soyez franche.

Elle inspira profondément et s'adossa à la banquette, dissimulant son visage dans l'ombre.

— En quoi cela vous importe-t-il que je m'intéresse à vos activités, monsieur Hartley ?

Il esquissa un sourire narquois.

— Touché, madame. Je suis sûr qu'un gentilhomme policé nierait énergiquement que votre intérêt le touche, mais moi, je suis un type simple.

— Vraiment ?

— Oui. Et l'intérêt que vous me portez m'émeut.

— Vous êtes direct.

— Seriez-vous capable de faire le même aveu ?

Elle émit un petit hoquet de surprise et il songea qu'il était allé trop loin, qu'elle allait battre en retraite, renoncer à ce périlleux jeu de la vérité. Elle était une dame de la haute société, après tout, et dans son monde il y avait des règles et des carcans.

Mais elle se pencha lentement en avant, son visage sortit de l'ombre. Elle le regarda droit dans les yeux, un sourcil en accent circonflexe.

— Que se passerait-il si je le faisais ?

Il sentit son cœur faire une embardée. Elle relevait le gant. Et il en était follement heureux.

— Eh bien, madame, cela signifierait que nous avons un intérêt commun qui implique que nous en discutions plus avant.

Elle s'adossa de nouveau à la banquette.

— C'est possible, monsieur Hartley. Alors, revenons au point de départ : quelle activité vous a conduit dans les rues à cette heure tardive ?

Il secoua la tête en souriant.

— Ainsi, vous n'allez pas me le dire, monsieur ?

La voiture ralentissait. Du trot, les chevaux étaient passés au pas. Sam jeta un coup d'œil par la fenêtre. Ils longeaient l'hôtel particulier de lady Emeline. Le perron était éclairé par deux lanternes. La voiture s'arrêta.

— Non, je ne vous le dirai pas, madame, mais je puis vous jurer que je n'étais pas en galante compagnie.

— Cela devrait m'indifférer.

— Mais ce n'est pas le cas.

— Je crois que vous extrapolez un peu trop, monsieur Hartley.

— Je ne crois pas, non.

Un valet ouvrit la portière. Sam descendit et tendit la main à Emeline qui hésita quelques instants, comme si elle n'était pas certaine de vouloir de son aide. L'ombre de la cabine l'environnait mais son visage et son décolleté en jaillissaient, d'une blancheur lumineuse. On l'eût dite éclairée de l'intérieur par un feu ardent. Finalement, elle posa sa petite main gantée dans celle de Sam et se laissa escorter jusqu'aux marches du perron.

— Merci, dit-elle en tentant de retirer sa main.

Il la retint. Il n'avait pas envie de la laisser partir. Toutefois, faute d'autre choix possible, il se résigna à desserrer les doigts.

— Bonne nuit, madame, dit-il en s'inclinant.

Et il s'éloigna dans la nuit.

5

Le sorcier cligna des yeux et Cœur de Fer se retrouva à l'intérieur du château. Il était vêtu comme les gardes du roi, lequel était assis à quelques pas de lui sur un trône d'or. Vous imaginez quelle fut la surprise de Cœur de Fer ! Il ouvrait la bouche pour pousser une exclamation quand il se rappela les paroles du sorcier : il ne devait pas parler, sous peine de réendosser ses haillons, et la princesse mourrait. Il ferma donc la bouche et renouvela le serment de ne pas laisser un seul son en sortir.

Serment qui fut très vite mis à l'épreuve, car quelques instants plus tard, sept félons solidement bâtis déboulèrent par la porte et se ruèrent sur le roi pour le tuer. Cœur de Fer se jeta dans l'échauffourée, jouant frénétiquement de l'épée. Les autres gardes crièrent, mais le temps qu'ils sortent leurs armes des fourreaux, les sept assassins gisaient sur le sol, morts, abattus par Cœur de Fer.

— Samuel Hartley est le plus agaçant des hommes, déclara Emeline le lendemain matin.

Il était tard et elle se trouvait avec Melisande Fleming dans le petit salon. Cette pièce était l'une de ses préférées, avec ses murs tendus de papier rayé jaune et blanc ponctué d'un fin liséré rouge. Le mobilier n'était pas aussi neuf que dans le grand salon de réception, mais elle aimait les sofas et fauteuils tendus de damas et de velours rouge et orange. Une pièce chaleureuse et confortable où l'on avait envie de ronronner comme un chat, allongé et languide. Non qu'elle fût capable de faire quelque chose d'aussi impudique, mais l'envie était néanmoins là. Faute d'oser y céder, elle faisait les cent pas pendant que Melisande buvait calmement son thé.

— Agaçant, répéta Emeline en se penchant pour lisser le coussin d'un siège.

— Tu l'as déjà dit. Quatre fois depuis que je suis arrivée.

— Vraiment? Mais c'est la vérité. Il ne semble pas avoir la moindre idée des bonnes manières. Il a dansé la gigue dans mon salon! Et il arbore constamment un petit sourire narquois… Et ses souliers n'ont pas de talons!

— Quelle horreur.

Emeline décocha à Melisande, son amie depuis toujours, un coup d'œil exaspéré. La jeune femme avait adopté son immuable posture, comme si elle s'efforçait d'occuper le moins d'espace possible, dos bien droit, l'air compassé, les bras collés au corps et les mains croisées sur les genoux, lorsqu'elle ne buvait pas de thé. Ses pieds sur le tapis étaient placés côte à côte au millimètre près. Vraisemblablement, elle n'éprouvait jamais le besoin de se laisser aller sur les coussins d'un canapé. De surcroît, et c'était la pierre d'achoppement entre les deux amies, Melisande ne s'habillait qu'en marron. Rarement en gris, mais il était difficile de qualifier cela d'amélioration. Aujourd'hui, par exemple, elle portait une robe d'une coupe parfaite… d'un brun sinistre.

— Pourquoi as-tu fait tailler cette robe dans ce tissu? lui demanda Emeline.

— Parce que ce n'est pas salissant.

— Mais avec tes jolis cheveux blonds…

— D'un blond terne, poussiéreux, qui va avec la robe.

— Oh, allons, Melisande, tes cheveux sont d'un blond subtil qui…

— Non. Cheveux couleur poussière, yeux également, ainsi que le teint.

— Ton teint n'est pas couleur poussière, bonté divine!

Emeline aurait aimé ne pas avoir lancé cette dénégation qui impliquait que si le teint n'était pas couleur poussière, en revanche, les cheveux et les yeux l'étaient.

Melisande lui décocha un coup d'œil ironique.

— Si seulement tu portais des teintes plus soutenues... reprit courageusement Emeline. Par exemple du prune, ou du cramoisi. Oui, j'aimerais bien te voir en cramoisi.

— Dans ce cas, tu vas devoir faire montre de patience, parce que ce n'est pas pour demain. Mais nous parlions de ton voisin.

— Qui est très agaçant.

— Il me semble avoir déjà entendu cela.

— Mmm. Et je ne sais pas ce qu'il fait la nuit.

L'expression de son amie l'alarma.

— Non, non! Je n'insinuais pas *cela*!

— Me voilà soulagée. Mais je me demande ce que lord Vale pense de ce colon.

— Lord Vale? Jasper n'entretient aucun rapport avec M. Hartley.

— En es-tu sûre? Approuverait-il tes rapports avec cet homme?

— Je ne veux pas discuter de Jasper, fit Emeline en fronçant le nez.

— Je dois dire que je suis outragée par la conduite de lord Vale, déclara froidement Melisande en ajoutant une cuillerée de sucre dans son thé.

— Je ne doute pas qu'il serait flatté s'il était au courant.

Emeline se posa au bord d'une belle chaise recouverte de velours doré. Ses pensées revinrent immédiatement au sujet antérieur.

— C'est juste que j'ai rencontré M. Hartley la nuit dernière, fort tard. Je rentrais d'une soirée chez Emily Turner. À ce propos, tu avais raison, je n'aurais pas dû y aller, et...

— Je t'avais prévenue.

— C'est ce que je viens de dire! Bref, M. Hartley était là, il rôdait de façon plutôt suspecte dans une allée sombre.

— Peut-être gagne-t-il sa vie en détroussant les passants, suggéra Melisande qui examinait le plateau de friandises déposé par la bonne.

Emeline fronça les sourcils, contrariée. Il était parfois difficile de déterminer si son amie plaisantait ou si elle était sérieuse.

— Je ne crois pas, non.

— Voilà qui est rassurant, approuva Melisande en prenant un petit-four jaune.

— Il faut dire qu'il se déplace d'une manière silencieuse qui serait fort utile à un détrousseur. Mais non, non, il n'en est pas un. Ce qui laisse sans réponse la question : que faisait-il dehors si tard ?

— La réponse la plus logique est : il avait un rendez-vous galant.

— Non.

— Non ?

— Non !

Emeline s'étonnait de sa propre irritation.

— Je le lui ai demandé, précisa-t-elle, et il m'a assuré ne pas rentrer d'une soirée avec une femme.

— Quoi ? Tu as *demandé* à un homme s'il revenait d'un rendez-vous avec une femme ?

— Melisande, tu as l'art de donner aux mots une connotation affreuse.

— Je me suis bornée à répéter ce que tu as dit.

— Je ne l'ai pas dit du tout comme cela. J'ai posé une question, et il m'a répondu simplement.

— Mais, ma chérie, ne te rends-tu pas compte que de toute façon, il ne t'aurait pas avoué avoir eu un rendez-vous ?

— Il ne m'a pas menti, répliqua Emeline, consciente d'être trop véhémente. Non, il ne m'a pas menti.

Melisande posa sur elle un regard soudain las. Le sujet abordé lui faisait mal. Elle allait avoir vingt-huit ans et ne s'était jamais mariée, en dépit de sa dot plus qu'intéressante. Dix ans auparavant, elle avait été fiancée à un jeune aristocrate qu'Emeline n'appréciait pas. Et ses raisons de ne pas l'aimer s'étaient révélées fondées. Cette canaille avait quitté Melisande pour une fringante petite veuve titrée. Avec pour conséquence de rendre la jeune fille extrêmement cynique dans les jugements qu'elle portait sur les hommes.

Toutefois, malgré l'opinion qu'elle avait de la gent masculine, Melisande concéda d'un signe de tête que, oui, elle admettait qu'un homme qu'Emeline connaissait à peine ait pu lui répondre sincèrement sur un point relevant de la vie très privée. Emeline la remercia d'un sourire. Tout en marron ou pas, Melisande était décidément la meilleure des amies.

— S'il ne revenait pas d'un rendez-vous galant, fit Melisande pensivement, alors peut-être était-il allé dans un cercle de jeu. Lui as-tu demandé où il était ?

— Il ne me le dirait pas, mais je ne crois pas qu'il ait passé sa soirée aussi prosaïquement.

Melisande se tourna vers la fenêtre. Le petit salon se trouvait à l'arrière de la maison et donnait sur le jardin.

— Qu'est-ce que ta tante pense de lui ?

— Oh, tu connais tante Cristelle. Elle se désole que la sœur de M. Hartley ne porte pas de chaussures.

— Elle ne porte vraiment pas de chaussures ?

— Mais bien sûr que si.

— Quel soulagement ! Dis-moi, ton M. Hartley est-il grand, avec de beaux cheveux châtains, non poudrés et attachés en catogan ?

— Oui. Comment le sais-tu ?

Melisande montra la fenêtre.

— Parce que je crois qu'il se livre à quelque occupation dans son jardin.

Emeline sursauta quand elle vit la silhouette de M. Hartley par-dessus le mur qui séparait son jardin du sien. Il tenait une très longue arme. Dans la seconde qui suivit, une autre silhouette, de petite taille, déboula dans l'allée. Daniel était sorti prendre l'air.

— À ton avis, que fait-il avec cette arme ? s'enquit Melisande.

M. Hartley avait posé le canon par terre et en scrutait l'intérieur, ce qui semblait particulièrement dangereux.

— Dieu seul le sait, répondit Emeline qui brûlait d'envie de planter là son amie et d'aller dans le jardin. Quelque chose qui ne concerne que les messieurs, je suppose.

— Mmm. Et Daniel le rejoint. Il me semble qu'une mère vigilante devrait sortir pour voir ce que fait son voisin avec son fils.

Sam perçut la présence du petit garçon bien avant qu'il soit devant lui. Le mur de séparation mesurait presque deux mètres, mais cela ne suffisait pas pour étouffer le son des pas d'un enfant. Il y eut d'abord le craquement des feuilles mortes sous ses semelles, puis le grattement des mêmes semelles sur le tronc d'arbre auquel Daniel grimpait, et enfin un silence, lorsqu'il fut installé sur une grosse branche qui passait par-dessus le mur.

Sam s'assit sur un banc de marbre, son fusil du Kentucky sur les genoux. Il sortit un long câble de sa poche, le fit passer dans la mire et glisser dans les deux sens pour nettoyer d'éventuelles traces de corrosion. Puis il souffla dans le trou et abaissa le canon.

— Que faites-vous ? demanda l'enfant.

Sam ne leva pas les yeux.

— Je nettoie mon fusil.

— J'ai une arme !

— Ah bon ?

— Elle appartenait à mon oncle Reynaud. Mais maman dit que je ne dois pas la toucher.

— Ah.

— Puis-je vous aider à nettoyer la vôtre ?

Sam regarda le petit garçon. Daniel était à cheval sur la branche, bras et jambes dans le vide. Il avait une joue égratignée et une traînée de saleté sur sa chemise blanche. Ses cheveux blonds pendaient sur son front, ses yeux bleus scintillaient d'excitation.

— Cela n'ennuierait-il pas ta maman que tu m'aides ?

— Oh, non, assura Daniel en faisant ployer la branche, se rapprochant ainsi de Sam.

Sam se plaça sous l'enfant, prêt à le recevoir s'il tombait.

— Très bien. Mais, et ton précepteur ?

— Il est assis sur le banc, sous la tonnelle. Il s'endort toujours quand nous sortons pour la promenade.

Il pesa sur la branche, en accentuant l'inclinaison.

— Ne bouge plus, lui dit Sam.

Les yeux écarquillés d'inquiétude, Daniel se pétrifia.

— Si tu avances encore, la branche va céder. Fais passer tes jambes par-dessus et je t'aiderai.

Daniel sourit, soulagé, fit ce que lui disait Sam et atterrit dans ses bras. Un instant plus tard, Sam le posait par terre. Immédiatement, Daniel se précipita sur le fusil, sous l'œil vigilant de Sam, mais il ne toucha pas l'arme. Il se contenta de l'examiner attentivement.

— Bon sang, souffla-t-il enfin, c'est le fusil le plus long que j'aie jamais vu !

Sam sourit et s'agenouilla à côté de l'enfant.

— C'est un fusil du Kentucky. Les colons aux frontières de la Pennsylvanie s'en servent.

— Mais pourquoi est-il si long ? Cela ne le rend-il pas difficile à porter ?

— Pas vraiment. Il n'est pas si lourd que cela. Et sa forme permet de mieux viser, de mieux assurer son tir. Regarde.

Prudemment, Daniel se plaça derrière Sam qui épaula l'arme.

— Pourrais-je essayer, monsieur Hartley ?

— Pas ici, répondit Sam en abaissant le fusil. Monte sur le banc et donne-moi un coup de main.

L'enfant obéit. Sam lui tendit un épais chiffon.

— Bien. Maintenant, tiens bien le fusil. L'eau est chaude. Prêt ?

Daniel saisit le canon à deux mains, lesquelles étaient protégées de la chaleur par le chiffon. Il était tellement concentré que ses sourcils se rejoignaient au ras de son nez.

— Prêt, monsieur Hartley.

Sam ramassa par terre une bouilloire fumante et fit couler avec soin de l'eau bouillante dans le canon. De l'eau noire d'huile sortit par l'embouchure. Ensuite, il enfonça un écouvillon entouré d'un chiffon et le fit glisser jusqu'à mi-longueur.

— Veux-tu le faire, Daniel ?

— Oh, oui !

Un grand sourire sur les lèvres, le petit garçon hocha vigoureusement la tête. Sam songea qu'il devait tenir ses cheveux blonds de son père, mais son sourire lui venait indéniablement de sa mère.

— Alors vas-y.

Sam tint le fusil pendant que Daniel faisait aller et venir l'écouvillon.

— Pousse bien fort. Il faut enlever tout reliquat de poudre.

— Pourquoi ?

— Parce qu'un fusil sale est dangereux, expliqua Sam qui constata que le garçon exécutait scrupuleusement sa tâche. Il risque de ne pas partir, ou d'exploser et arracher le nez du tireur. Un homme doit toujours garder son arme propre.

— D'accord. Que chassez-vous avec ça ? Des aigles ?

— Non. Il est d'un trop gros calibre pour les oiseaux, même de la taille d'un aigle. On s'en sert pour le daim, mais il se révèle très performant quand on se retrouve face à un ours ou un puma.

— Vous avez déjà rencontré un puma ?

— Une seule fois. Je suivais une piste et soudain il est apparu, en plein milieu du chemin.

Daniel écarquilla les yeux.

— Qu'avez-vous fait ? L'avez-vous tiré ?

— Il ne m'en a pas laissé le temps. Cet énorme chat m'a regardé puis a filé sans demander son reste.

Daniel parut déçu par la réponse.

— C'est bon, maintenant, pour le fusil. On va le rincer.

Daniel hocha de nouveau la tête, l'air très sérieux et concentré. Sam retira l'écouvillon. Le chiffon était tout noir. Puis il reprit la bouilloire.

— Prêt, Daniel ?

— Prêt.

Cette fois, l'eau ressortit grise.

— Combien de fois faut-il faire passer de l'eau, monsieur Hartley ?

— Jusqu'à ce qu'elle sorte propre, dit Sam en tendant au petit garçon l'écouvillon muni d'un nouveau chiffon. N'oublie jamais qu'il faut de l'eau bouillante : ainsi, le canon sèche, il n'y a pas de risque de rouille.

Daniel se remit au travail et Sam l'observa en souriant. Ce qui pour lui était si facile devenait un dur labeur pour un enfant, mais Daniel ne se plaignait pas. Il s'activait méthodiquement lorsque Sam entendit un froissement de l'autre côté du mur. Un parfum de citronnelle flottait soudain dans l'air. Il ne leva pas les yeux mais son corps tout entier se mit en alerte, anticipant le moment où Emeline se manifesterait.

— Combien de fois encore ? s'enquit Daniel.

— Cela devrait suffire, dit Sam en l'aidant à retirer l'écouvillon.

— Vous êtes-vous battu à la guerre, monsieur Hartley ?

Sam hésita.

— Oui. J'ai combattu les Français dans les colonies.

Il se prépara à verser un peu plus d'eau bouillante. Daniel maintenait toujours le fusil vertical. Sam fit couler l'eau dans le canon.

— Avez-vous tué quelqu'un, monsieur ?

Sam regarda l'enfant qui fixait la vapeur s'échappant du canon. Il avait vraisemblablement posé cette question en toute innocence.

— Oui.

— Ah. Avez-vous tué avec cette arme ?

Le bruissement de l'autre côté du mur avait cessé. Emeline était peut-être repartie chez elle, mais Sam en doutait. Retenant son souffle, elle écoutait.

— Oui, concéda Sam en soupirant. Lors de la bataille de Québec. Un soldat français s'est rué sur moi. Sa baïonnette était fixée au canon de son fusil. Elle était déjà rouge de sang.

Daniel se figea.

— Alors j'ai tiré et je l'ai tué net, acheva Sam, les yeux rivés dans ceux de l'enfant.

— Oh...

— Enlève pour de bon l'écouvillon. On va graisser le canon.

La voix d'Emeline s'éleva.

— Daniel ?

Sam veilla à ne pas faire rejaillir l'huile qu'il versait sur un chiffon propre. Que pensait Emeline de son histoire ? Celle-ci ne recelait rien des accents de fierté ou de triomphe que la plupart des gens s'attendaient à entendre dans les récits de guerre. Mais les bruits qui couraient sur Samuel Hartley avaient dû déjà lui parvenir aux oreilles. Le prenait-elle pour un lâche à cause de ce qui était arrivé à Spinner's Falls ?

— Maman, viens voir ! cria Daniel en se retournant. M. Hartley a le plus long fusil du monde et je l'aide à le nettoyer !

— C'est ce que je constate, fit Emeline dont la tête dépassait maintenant du mur.

Elle devait avoir grimpé sur un banc. Elle ne regarda pas Sam, qui s'essuya les doigts sur le chiffon.

— Madame, je vous salue, dit-il, tout en songeant que la tâche salissante qu'il accomplissait devait la dégoûter.

Mais sa repartie l'étonna.

— Je ne vois pas comment je pourrais admirer ce magnifique fusil, dans la mesure où il n'y a pas de porte dans le mur.

— Escalade, maman. Je t'aiderai.

— Que je... Mmm, non, je ne crois pas...

— Daniel, me permets-tu ? demanda gravement Sam à l'enfant, qui acquiesça d'un hochement de tête.

Sam pivota vers Emeline, qui maintenant dardait sur lui un regard indéchiffrable.

— Pouvez-vous monter plus haut, madame ?

— Oui.

Et elle apparut jusqu'à la taille. Elle avait dû trouver une encoche dans le mur où glisser son pied. Sam sauta sur le banc situé de son côté et chercha des yeux sur quoi elle se tenait. Une branche ! Elle était en équilibre instable sur une branche d'arbre ! Il réprima un sourire et tendit les bras. À l'instant où il refermait les mains autour de sa taille, elle écarquilla les yeux.

— Puis-je, madame?

Elle lui signifia son accord d'un mouvement nerveux de la tête.

Il la hissa au-dessus du mur. La vieille blessure sur son flanc se rappela aussitôt à son souvenir, mais il n'en montra rien. Il amena doucement Emeline jusqu'au sol, la faisant glisser contre son torse. Il tirait avantage de la situation, il le savait, mais il prenait tant de plaisir à sentir la chaleur de cette femme, à humer le parfum de citronnelle, qu'il fit taire ses scrupules. Son regard croisa celui d'Emeline une fraction de seconde, au cours du bref instant où leurs visages furent à la même hauteur. Il nota une légère brillance dans les prunelles sombres, comme si la jeune femme était tout à coup fébrile. Il remarqua aussi son souffle court.

Il la posa par terre. Elle se pencha pour remettre de l'ordre dans ses jupes.

— Merci, monsieur Hartley, dit-elle d'une voix enrouée.

— Je vous en prie, madame.

Il l'observait à la dérobée. Elle s'était empourprée et se mordillait la lèvre. Il ressentit un frisson en imaginant ces petites dents sur sa peau nue. C'était une femme de caractère. Elle devait aimer mordre.

— Viens voir, maman, lança Daniel impatiemment.

Emeline s'approcha du fusil et l'examina.

— Très beau, vraiment.

— Aimeriez-vous nous aider, pour l'huile? demanda Sam, l'air faussement naïf.

— Je crois que je vais me contenter de regarder.

Sam entortilla le chiffon huilé autour de l'écouvillon.

— Enfonce-le dans le canon, Danny. Pas un seul millimètre ne doit être laissé de côté.

— Oui, monsieur.

Tandis que Daniel s'activait, Sam imbiba un autre chiffon d'huile et entreprit d'oindre le canon.

— Ma sœur m'a dit que vous nous accompagneriez à un bal demain, madame.

— Oui. La soirée des Westerton. En principe, un grand événement. Cela m'a été assez difficile d'obtenir une invitation pour Mlle Rebecca et vous, mais vous avez de la chance, monsieur Hartley : vous êtes une nouveauté, ici. Plusieurs hôtesses m'ont fait savoir leur intérêt, basé sur ce seul fait.

Sam ne releva pas.

— D'après vous, Rebecca est-elle prête pour ce bal ?

— Bien sûr, répliqua Emeline en affectant de détailler la crosse du fusil. Mais un événement de moindre importance eût été préférable pour ses premiers pas dans la haute société londonienne.

Sam garda le silence, simulant une intense concentration sur ce qu'il faisait.

— Rebecca a mentionné votre insistance quant à ce bal chez les Westerton. Je me demande pourquoi vous y teniez tellement...

Emeline vit le dos de Sam se raidir. Il était agenouillé devant elle et passait délicatement un chiffon sur son extraordinaire fusil. L'arme était incroyablement longue mais semblait légère. Le canon en était étroit. Le beau bois clair de la crosse paraissait très dur. Seul un homme était capable de rendre une arme mortelle aussi jolie. Sur la base de la crosse était encastrée une plaque de cuivre ornementée et polie comme un miroir. Les grandes et brunes mains de M. Hartley contrastaient sur le blanc du chiffon. Elles bougeaient avec délicatesse, à une cadence presque amoureuse.

Emeline détourna le regard. Elle éprouvait une déroutante sensation, comme si quelque chose lui irritait la peau. Le phénomène avait commencé à l'instant où elle avait entendu la voix de Sam, et s'était amplifié lorsqu'elle l'avait vu par-dessus le mur. Il avait enlevé manteau et gilet, ce qui était tout à fait inconvenant, même dans son propre jardin : un gentilhomme ne retirait *jamais* l'un de ses vêtements, sauf en des circonstances très particulières. Le savoir-vivre était-il différent dans les colonies ?

Le linon blanc de sa chemise tranchait avec le brun de sa peau. Il avait roulé les manches, révélant des avant-bras musclés. Emeline se jugeait ridicule d'être aussi émue à la vue de ces avant-bras nus. Elle brûlait d'envie d'en toucher la peau du bout des doigts. Elle devait être délicieusement satinée…

— Une raison particulière vous a-t-elle poussé à choisir la soirée des Westerton ? insista-t-elle d'une voix aigre qui la choqua.

— Non, répondit-il sans lever les yeux.

Ses cheveux réunis en catogan ondulaient alors qu'il polissait le métal du fusil. Cela aussi était fort agaçant. Le soleil jouait sur quelques mèches claires.

Après avoir entendu sa dénégation, elle fronça les sourcils. Il lui mentait, c'était évident.

— Cela suffit, dit-il, et pendant un instant, elle crut qu'il s'adressait à elle.

— C'est propre ? demanda Daniel.

— Tout ce qu'il y a de plus propre.

Sam se remit debout, si près d'Emeline qu'elle crut qu'ils allaient se toucher. Elle refréna l'impulsion de reculer.

— Puis-je l'essayer, maintenant, monsieur Hartley ?

Emeline n'eut pas le temps de crier « non » à son fils. M. Hartley la prit de vitesse.

— L'endroit ne convient pas au tir, mon garçon. Il y a trop de choses, et de gens, que nous pourrions atteindre accidentellement.

— Mais… commença à arguer le petit garçon.

— Daniel, le coupa Emeline, tu ne dois pas importuner M. Hartley alors qu'il a été si gentil de te laisser jouer avec son beau fusil.

Sam fronça les sourcils, et Emeline se demanda ce qu'elle avait dit de mal.

— Je suis très heureux que Danny m'ait aidé, madame.

— Il s'appelle Daniel, rétorqua Emeline d'un ton sec qu'elle se reprocha aussitôt.

— Daniel a très bien travaillé aujourd'hui, reprit calmement Sam. Et il ne m'importune absolument pas.

Le visage du petit garçon s'éclaira comme s'il venait de recevoir le plus beau des compliments. Emeline songea qu'elle aurait dû être reconnaissante envers M. Hartley d'avoir été aussi gentil avec son fils. Au lieu de cela, elle ressentait une vague colère.

Sam sourit à Daniel, puis se pencha pour ramasser les chiffons et l'huile.

— Vous serez certainement très occupée demain matin à vous préparer pour le bal.

Emeline cilla, déconcertée par le changement de sujet.

— Mais non. La personne qui organise un bal est très occupée, mais pas ses invités.

— Parfait.

Il releva les yeux. Emeline vit sa mine joyeuse et comprit qu'elle était tombée dans un piège.

— Dans ce cas, madame, enchaîna-t-il, rien ne vous empêchera de m'accompagner lorsque j'irai visiter l'entrepôt de céramique de M. Wedgwood. Un point de vue féminin sur ses produits m'intéresserait beaucoup.

La voix de M. Smythe-Jones, le précepteur, sauva Emeline.

— Monsieur ? Lord Eddings ?

Daniel se replia sur lui-même et murmura :

— Ne lui dites pas que je suis là !

— Sottises. Va immédiatement retrouver M. Smythe-Jones, Daniel !

— Mais…

— Mieux vaut que tu obéisses à ta mère, dit Sam à l'enfant.

Qui renonça à discuter dans la seconde.

— Oui, monsieur ! cria-t-il. Je suis là !

— Et que faites-vous donc chez le voisin ? Revenez immédiatement, lord Eddings !

— Je…

Sam sauta sur le banc de pierre et Emeline songea une nouvelle fois que pour un homme aussi grand et aussi fort, il bougeait avec une aisance étonnante.

— Danny m'a rendu visite, lança-t-il au précepteur. J'espère que cela ne vous dérange pas.

Smythe-Jones marmonna quelques mots inintelligibles.

— Allez, Danny, je vais te donner un coup de main pour franchir le mur.

Il joignit les mains et l'enfant prit appui dessus d'un pied bien assuré. Sam le hissa jusqu'à la crête du mur et, de là, sur la branche du gros pommier. Un instant plus tard, Daniel avait disparu. On entendit le précepteur le sermonner, sa voix décroissant au fur et à mesure que l'homme et l'enfant se rapprochaient de la maison. Emeline fixait ses pieds tout en tortillant un ruban de sa ceinture. Puis elle se décida à lever les yeux.

Perché sur le banc, Sam la regardait. Il sauta par terre, atterrissant un peu trop près d'elle.

— Pourquoi ne voulez-vous pas que l'on appelle votre fils Danny ?

— Parce qu'il s'appelle Daniel.

— Et Danny est le diminutif de Daniel.

— Mon fils est un baron. Un jour, il siégera à la Chambre des lords. Il n'a nul besoin de diminutif.

— Besoin, non, mais quel mal un diminutif peut-il faire à un petit garçon ?

Emeline prit une profonde inspiration et se rendit aussitôt compte que c'était dans le but d'inhaler le parfum de Sam – un cocktail de poudre, d'amidon et d'huile d'armes. L'odeur aurait dû la faire fuir mais au lieu de cela, elle la trouvait exquise et excitante. Comme c'était bizarre…

— C'était le prénom de son père.

— Votre mari ?

— Évidemment.

— Ce prénom vous rappelle votre mari.

— Oui. Enfin, non. Je ne sais pas.

Sam se mit à marcher lentement autour d'elle.

— Votre mari vous manque.

Elle haussa les épaules, luttant contre l'envie de pivoter sur ses talons et de lui faire face.

— Il a été mon mari pendant six années. Ce ne serait pas normal qu'il ne me manque pas.

— Six ans, oui, mais cela n'implique pas pour autant qu'il vous manque.

Il était derrière elle. Il s'adressait à elle par-dessus son épaule. Elle eut l'impression de sentir son souffle sur son oreille.

— Que voulez-vous dire, monsieur Hartley ?

— L'aimiez-vous ?

— L'amour ne doit pas être pris en compte dans un mariage de convenance.

— Non ? Alors votre mari ne vous manque pas.

Emeline ferma les yeux et se remémora ceux de son époux, rieurs, bleus, taquins. Ses mains blanches à l'incomparable douceur. Sa voix de ténor quand il parlait de chiens, de chevaux, de phaétons. Puis son visage livide, sa tête qui reposait sur le satin blanc du cercueil. Elle ne voulait plus de ces souvenirs. Ils étaient trop douloureux.

— Non, murmura-t-elle en se tournant vers sa maison, de l'autre côté du mur, s'écartant de cet homme qui venait de lui faire si mal. Non, mon mari ne me manque pas.

6

Le roi fut très reconnaissant envers le garde qui, à lui tout seul, avait sauvé sa vie. Tous rendirent hommage à Cœur de Fer, le héros, qui fut immédiatement nommé capitaine de la garde du roi. Mais lorsque les gens demandèrent son nom au vaillant capitaine, il resta muet. Son obstination à garder le silence indisposa le roi, qui avait l'habitude d'être obéi. Mais ce petit problème fut oublié le jour où, alors que le roi chevauchait, un redoutable troll décida de dévorer le monarque pour son déjeuner. Cœur de Fer fondit sur le vilain troll et, d'un seul coup de lame, le décapita.

Emeline se réveilla lorsque l'on tira les rideaux de son lit et, un peu hagarde, cilla devant le visage de Harris, sa camériste. Harris était une femme d'une cinquantaine d'années au visage fermé et au nez en forme de bulbe. On ne voyait que cet appendice sur ses traits par ailleurs fins. Emeline connaissait des dames qui se plaignaient que leur bonne personnelle passe trop de temps à cancaner et flirter avec les serviteurs masculins de la maison. Ce n'était pas le cas de Harris.

— Il y a un M. Hartley qui vous attend dans le vestibule, madame.

Emeline regarda le ciel à peine teinté.

— Quoi ?

— Il dit que vous avez rendez-vous avec lui, et qu'il ne partira pas tant qu'il ne vous aura pas vue.

— Quelle heure est-il ? demanda Emeline en s'asseyant.

— Huit heures et quart, madame.

— Mon Dieu ! Mais que me veut-il ? s'écria Emeline en enfilant ses chaussons. Il doit être fou ! Personne ne vient rendre une visite à huit heures du matin !

— Non, madame, admit platement Harris en l'aidant à se chausser.

— Pas même à neuf heures, continua Emeline à laquelle Harris présentait son peignoir. Vraiment, quoi que ce soit avant onze heures est suspect et de toute façon, je ne m'occupe de rien avant deux heures. C'est tout à fait aberrant.

— Oui, madame.

Emeline prit soudain conscience d'un sifflotement en provenance du rez-de-chaussée.

— Quel est ce bruit ?

— M. Hartley siffle dans le hall, madame.

Emeline resta bouche bée. Le sifflement était monté dans les aigus, pour se figer sur une très désagréable tonalité. Elle quitta la chambre et s'avança jusqu'au palier. De là, elle se pencha par-dessus la rampe et regarda en bas. M. Hartley était là, mains croisées dans le dos, coiffé de son tricorne. Il se balançait sur ses talons tout en sifflotant.

— Monsieur Hartley !

Il leva les yeux. Il semblait au mieux de sa forme, malgré l'heure matinale.

— Bonjour, madame !

— Auriez-vous perdu la tête, monsieur ? Que faites-vous dans mon vestibule aussi tôt ?

— Je suis venu vous chercher pour vous amener chez Wedgwood afin que vous m'aidiez à choisir des porcelaines.

— Je n'ai jamais…

Il laissa errer son regard sur le décolleté d'Emeline, avant de remarquer :

— Il serait souhaitable que vous vous habilliez, même si votre toilette actuelle n'a rien de déplaisant.

Emeline plaqua la main, doigts écartés, sur sa poitrine.

— Comment osez-vous…

— Je vous attends ici, d'accord ?

Et il recommença à siffloter, cette fois plus fort. Emeline ouvrit la bouche, puis se rendit compte qu'il n'entendrait rien vu le volume sonore qu'il émettait, et donc la referma. Elle retroussa ses jupes et regagna sa chambre en toute hâte.

Harris avait déjà sorti de l'armoire une robe de soie orange. Emeline fut coiffée et habillée en un clin d'œil mais, même si elle avait fait incroyablement vite, elle trouva Sam les yeux rivés sur l'horloge du vestibule.

— Vous avez mis un certain temps, remarqua-t-il négligemment. Allons-y. Je ne veux pas être en retard à mon rendez-vous avec M. Bentley, l'associé de M. Wedgwood.

— Et à quelle heure est ce rendez-vous ?

— Neuf heures.

Emeline crut avoir mal entendu. À grands pas, Sam se dirigeait vers la porte. Elle adopta son rythme avec peine jusqu'à la voiture qui attendait dans la rue.

— Quoi ? Neuf heures ? Et vous êtes venu me chercher à huit heures, monsieur Hartley ?

Il l'aida à monter dans la voiture, puis se laissa lourdement tomber sur la banquette en face d'elle.

— Eh bien, je pensais qu'il vous faudrait davantage de temps pour vous préparer, dit-il avec un sourire narquois avant de taper sur le toit pour indiquer au cocher de démarrer.

— Vous êtes vraiment trop généreux, répliqua aigrement Emeline.

— Seulement avec vous, madame. Seulement avec vous.

Cette repartie faite sur un ton bas et doux troubla Emeline. Elle se tourna vers la fenêtre de façon à ne pas croiser le regard de Sam.

— Pourquoi ? ne put-elle s'empêcher de demander après un long silence.

Une question qu'elle n'aurait pas dû poser…

— J'ignore pourquoi vous me faites autant d'effet, madame. Je crois que vous pourriez tout aussi bien chercher à savoir pourquoi un jaguar court après un daim. Je suis le jaguar et lorsque je vous vois, mon cœur bat plus vite sous l'effet de l'excitation.

La réponse la surprit tellement qu'elle le dévisagea. Les yeux qu'il riva aux siens étaient francs, virils et interrogateurs. Elle aurait dû se sentir mal à l'aise d'être scrutée aussi intensément. Au lieu de cela, elle se découvrit frissonnante.

— Ainsi, vous le reconnaissez...

— Pourquoi ne le ferais-je pas, madame? Ma réaction est purement instinctive, je vous l'assure.

— Vous devez avoir de gros problèmes, si vos *instincts* se manifestent dès que vous êtes près d'une dame.

— Je vous l'ai déjà dit, l'auriez-vous oublié? Ce phénomène ne m'affecte qu'en votre présence.

Il se pencha, posa la main sur celle d'Emeline et noua ses doigts aux siens. Elle baissa les yeux sur leurs doigts entrelacés. Il fallait donner une tape à cet homme trop audacieux! Il allait trop loin dans la familiarité! Mais la vision des longs doigts bronzés la fascinait et elle était incapable de réagir comme il convenait. Un cahot sur la voie la sauva: la voiture fit une embardée et Sam retira sa main.

— N'avez-vous pas un fondé de pouvoir?

— Si. M. Kitcher. Mais il est vieux et sévère. J'ai pensé que vous seriez de meilleure compagnie que lui.

— Mmm. Où sont les bureaux de la compagnie Wedgwood?

— Pas très loin. Ils ont loué une section d'un entrepôt.

Elle se rendit compte que ses mains tremblaient. Elle les enfouit entre ses genoux.

— M. Wedgwood et M. Bentley n'ont donc pas de salon d'exposition?

— Non. Ils sont relativement nouveaux dans leur domaine, et c'est en partie à cause de cela que je veux faire affaire avec eux.

Les yeux de Sam pétillaient.

— Vous aimez cela! s'exclama Emeline.

— Quoi donc ?

— Faire du commerce, des affaires, chasser la bonne occasion.

— Bien sûr.

La voiture s'arrêta le long d'un entrepôt. Dès que le marchepied fut sorti, Sam descendit puis aida Emeline. Elle regarda avec méfiance le grand bâtiment de bois et brique.

— Qu'attendez-vous que je fasse, monsieur Hartley ?

— Simplement me donner votre avis, dit-il après lui avoir offert son bras.

Ils marchèrent jusqu'au portail. Un homme en perruque frisée et redingote couleur rouille apparut.

— Monsieur Hartley ? s'écria-t-il avec un accent du Nord très prononcé. C'est un honneur, monsieur, un vrai honneur que de faire votre connaissance. Je suis Thomas Bentley.

M. Bentley serra chaleureusement la main de Sam. Emeline se rendit compte que l'homme était plus jeune qu'elle ne l'avait d'abord pensé. À peine la trentaine. Il avait le teint fleuri et était de corpulence un peu replète. M. Hartley la présenta et Bentley parut très impressionné en entendant son titre.

— *Lady* Emeline. Eh bien, voilà un autre grand honneur, vraiment. Puis-je vous offrir le thé ? Je viens d'en acheter des Indes qui est excellent.

Emeline accepta en souriant et Bentley les conduisit à l'intérieur de l'entrepôt. Le bâtiment était haut de plafond, sombre et froid. Une odeur de sciure planait dans l'air. La moitié de l'espace était encombrée de caisses et de barriques. M. Bentley les fit entrer dans une petite pièce à peine assez large pour contenir un grand bureau, quelques sièges et des boîtes empilées contre un mur. Dans un coin, un minuscule foyer, une bouilloire fumante posée dessus. M. Bentley présenta une chaise à Emeline.

— M. Wedgwood va-t-il se joindre à nous ? s'enquit Sam, qui avait choisi de rester debout.

— Ah, non, répondit M. Bentley en prenant la théière. M. Wedgwood est le maître porcelainier, mois je suis le commercial. En ce moment, il contrôle la fabrication à Burslem.

Il servit le thé, puis posa plusieurs gros registres par terre pour faire de la place tout en regardant Sam avec nervosité, lequel hocha légèrement la tête sans mot dire. Emeline s'interrogeait. Il lui semblait sentir des tensions sous-jacentes et elle ne voulait pas fragiliser la position de Sam. En même temps, elle était intriguée : comment allait-il se comporter, alors qu'il était dans son monde ? Il était immobile, son expression était décontractée mais ne révélait rien. À la différence de M. Bentley, qui commençait à paraître mal à l'aise. Elle retint un sourire : elle avait l'impression que M. Hartley faisait en sorte de troubler M. Bentley.

Au cours des minutes suivantes, ils burent leur thé en échangeant quelques rares paroles. Emeline savait que Sam devait être impatient de voir les céramiques, mais il n'en montrait rien. Il paraissait être en visite chez une vieille tante. M. Bentley lui décocha plusieurs coups d'œil, puis proposa finalement :

— Aimeriez-vous voir quelques-unes de nos pièces, monsieur ?

Sam hocha la tête et posa sa tasse. Le marchand prit l'une des boîtes de bois placées contre le mur et retira le couvercle, révélant une masse de paille. Emeline ne put s'empêcher de se pencher. Jamais elle n'avait accordé grande attention à la vaisselle dont elle se servait, et voilà que tout à coup la porcelaine lui semblait de la plus haute importance. Sam la regarda à la dérobée et secoua la tête. Emeline se renfrogna. Elle se faisait l'effet d'être une enfant réprimandée. Elle se redressa et plaqua sur son visage une expression d'ennui. Sam esquissa un sourire devant cette absence d'enthousiasme et lui fit un clin d'œil. Emeline afficha un air hautain. Elle remettrait cet homme à sa place. Plus tard.

Pendant ce temps, M. Bentley avait délicatement enlevé une couche de paille. En dessous se trouvait un pot avec un couvercle, en forme d'ananas, d'un vert foncé brillant. Il le prit et le tendit à Sam, qui l'examina en silence. Puis il le posa sur le bureau devant

Emeline et l'observa alors qu'elle se penchait pour examiner l'objet.

M. Bentley sortait d'autres pièces : des théières, des plats, des tasses, des bols et des soupières, toutes d'un brillant éclatant et en forme d'ananas ou de chou-fleur.

Profitant de ce que M. Bentley lui tournait le dos, Sam leva à l'intention d'Emeline un sourcil interrogateur. Elle fit de même en retour. Toutes ces céramiques étaient jolies et bien faites, mais n'avaient rien d'extraordinaire.

— Monsieur Bentley, j'imagine que M. Wedgwood a quelques nouvelles pièces ?

— Eh bien, je ne suis pas certain...

— On m'a dit qu'il travaillait sur de superbes porcelaines.

M. Bentley s'éclaircit la gorge.

— Ah, oui... Effectivement, M. Wedgwood procède à des essais de porcelaine, mais il n'est pas encore prêt à dévoiler ses créations au public. En fait, il compte les montrer en priorité à la reine.

— Mon Dieu, comme c'est excitant, monsieur Bentley ! s'exclama Emeline en frappant dans ses mains.

Le marchand s'empourpra de plaisir.

— Merci, madame. C'est vraiment excitant, oui.

— Ne nous permettrez-vous pas d'admirer ces magnifiques nouveautés, monsieur Bentley ? s'enquit Emeline en se penchant un peu plus, ce qui eut pour effet de faire saillir la naissance de ses seins par-dessus son décolleté carré. Je vous en prie, monsieur...

Le visage de l'homme vira carrément à l'écarlate. La situation réjouissait Emeline. Jamais elle ne l'admettrait, mais elle appréciait infiniment la scène qui se jouait. Qui se serait douté que le commerce exigeait des tactiques aussi subtiles ?

M. Bentley épongea son visage moite avec un grand mouchoir, puis haussa les épaules.

— Eh bien... Mon Dieu, pourquoi pas ? Si cela vous fait plaisir, madame...

— Cela me ferait extrêmement plaisir.

Ayant pris sa décision, le marchand alla ouvrir une petite boîte posée dans un coin, glissa la main à l'intérieur avec d'infinies précautions et en sortit une théière qu'il présenta à Emeline. La jeune femme retint sa respiration. La théière était d'une teinte très claire, d'un crème tirant sur le jaune. Sa forme était droite, classique, et elle arborait un ravissant petit bec.

Emeline tendit les mains.

— Puis-je ?

Le marchand plaça la théière dans ses paumes et sa légèreté stupéfia Emeline. La porcelaine était bien plus fine que celle à laquelle elle était habituée. Elle la retourna. *Wedgwood* était inscrit sur la base.

— C'est tout à fait élégant, commenta-t-elle.

Elle leva les yeux vers Sam et son expression la prit au dépourvu : yeux mi-clos, lèvres serrées, il y avait quelque chose de possessif dans sa mine. Elle comprit. Il était heureux qu'elle découvre avec lui la théière de porcelaine. Lady Emeline et M. Hartley formaient un attelage fort bien assorti. Une pensée qui la troubla. Elle n'aurait pas dû prendre autant de plaisir à ce marchandage. Et encore moins se délecter que son opinion comptât autant pour M. Hartley.

Cela aurait dû la laisser de glace.

Les yeux de M. Hartley qui la fixaient s'étaient étrécis. Le jaguar montrait son vrai visage. Et elle était sa proie.

Il se tourna vers M. Bentley. Le chasseur civilisé avait remplacé le fauve en un éclair, mais le marchand avait du mal à se ressaisir face à l'âpreté du client américain. Les sommes que mentionnait M. Hartley et qu'il était prêt à mettre dans l'affaire lui coupaient le souffle, comme à Emeline. Elle avait devant elle l'homme qui avait fait prospérer l'héritage de son oncle d'une manière exponentielle en seulement quatre ans.

Elle fit courir son doigt sur les contours de la délicate théière, songeant aux dames des colonies qui serviraient le thé avec cet exquis petit bec. Et elle se demanda pourquoi M. Hartley avait tenu à l'amener ici. Qu'avait-il voulu lui montrer, ou lui démontrer ?

— C'est simplement que je ne suis pas tout à fait sûre, en ce qui concerne le décolleté, dit Rebecca en s'examinant dans le miroir et essayant sans succès de remonter le tissu de son corsage.

Indéniablement, la robe révélait beaucoup de peau nue.

— C'est parfait, mademoiselle, assura Evans, la bonne.

Elle traversa la chambre pour récupérer les effets abandonnés çà et là par la jeune fille. Rebecca tira encore une fois, mais l'étoffe ne céda pas. Evans lui avait été personnellement recommandée par lady Emeline. Si la bonne affirmait qu'elle devait se présenter nue à son premier bal londonien, Rebecca se plierait à ses recommandations. Elle avait participé à nombre de soirées, et beaucoup dansé à Boston, mais lady Emeline lui avait expliqué qu'à Londres, un bal était un événement tout à fait différent.

Toutes ces complications n'aboutissaient qu'à un résultat : plonger Rebecca dans la culpabilité. C'était elle qui avait insisté pour accompagner Sam en Angleterre. Maintenant, il se trouvait contraint de dépenser des fortunes pour la distraire. Ce n'était pas ce qu'elle avait eu à l'esprit lorsqu'elle l'avait supplié de l'amener. Peut-être aurait-elle dû essayer de mieux connaître son frère, se dit-elle en s'approchant d'une chaise.

— Non ! cria Evans. Nous ne voudrions pas froisser nos jupes, n'est-ce pas ?

— Mais… quand je serai assise dans la voiture, elles…

— On ne peut l'éviter, hélas. Et c'est bien dommage. Je ne sais pas pourquoi les messieurs sont incapables d'élaborer une méthode pour qu'une dame puisse se rendre à un bal debout.

— Ah bon ? murmura Rebecca.

Evans était une petite femme brune intimidante qui suivait scrupuleusement les canons de la mode. Les paniers de ses jupes étaient si larges qu'elle avait du mal à accomplir son travail de camériste. Elle terrifiait Rebecca. Pourtant, Evans essayait de se montrer amicale.

— Peut-être pourrions-nous descendre et aller nous détendre dans le petit salon, mademoiselle ? Pas dans le vestibule, bien entendu. Une dame ne doit jamais attendre l'arrivée de sa voiture.

— Naturellement, concéda Rebecca en marchant vers la porte.

— Rappelez-vous, mademoiselle ! Nous ne devons pas nous asseoir, s'écria Evans en s'élançant à sa suite.

— Je me demande si *nous* aurons le droit d'aller aux toilettes, marmonna Rebecca entre ses dents tout en négociant avec peine la descente des marches de l'escalier, empêtrée dans ses jupons.

Elle regarda autour d'elle, inquiète d'avoir été entendue. La seule personne en vue était un valet dans le vestibule, et il regardait droit devant lui, apparemment sourd. Rebecca lâcha un soupir, allégée d'un poids. Elle réussit à atteindre le pied de l'escalier sans encombre, mais là, elle accrocha son talon à quelque chose et chancela maladroitement avant de se raccrocher à la rampe.

Le valet la fixait ! Il avait avancé un pied, comme s'il s'apprêtait à voler à sa rescousse ! Lorsque leurs regards se croisèrent, il ramena son pied en arrière et ses yeux se perdirent de nouveau sur quelque lointain et invisible horizon.

Mon Dieu, comme c'était embarrassant ! Elle n'était même pas capable de marcher, avec ces jupes. Elle avait failli choir devant un serviteur.

Elle lâcha prudemment la rampe et avança un pied devant l'autre sur le sol de marbre, aussi peu assurée qu'un bambin. Elle prit le temps de lisser ses jupes avant de se décider à traverser le vestibule en direction de la porte, sur sa droite. Dans cette maison, les portes étaient grandes et de bois sombre. Les poignées, énormes. Rebecca posa la main sur l'une d'elles et tira.

Rien ne se passa.

Elle sentit sa nuque se mouiller de transpiration. Le valet allait penser qu'elle était la dernière des gourdes. Pourquoi fallait-il qu'il soit aussi mignon ? C'était une chose de se montrer ridicule devant un vieil homme empoté, c'en était une autre devant un jeune et charmant garçon.

Lequel, après s'être éclairci la gorge, venait vers elle.

— Si vous me permettez, mademoiselle...

Ses yeux verts firent frissonner Rebecca. Il la contourna et ouvrit la porte. Rebecca s'avança... et entra dans la bibliothèque. Oh, non...

— Euh... j'ai changé d'avis. Je préférerais aller dans le salon. S'il vous plaît.

Il pivota sur ses talons et alla ouvrir une autre porte. Rebecca traversa le vestibule sous l'œil du valet qui, sans vergogne, était rivé sur une partie de son anatomie qu'il aurait dû feindre de ne pas voir. Rebecca s'immobilisa et masqua son décolleté de ses mains ouvertes.

— L'échancrure est trop basse, n'est-ce pas ? Je savais bien que j'avais tort d'écouter cette camériste. Cela ne la gêne peut-être pas d'avoir la poitrine exposée comme une marchandise sur un étal, mais moi, je ne peux pas...

Elle s'interrompit, effarée. Mais que disait-elle là ! Ses mains quittèrent son décolleté pour se plaquer sur sa bouche. Sa vilaine bouche qui laissait échapper de si vilaines paroles.

Puis elle resta figée, les yeux rivés sur le joli valet, qui la fixait toujours aussi intensément. Il n'y avait rien à faire pour réparer les dégâts, sauf à tomber raide morte sur place, dans le vestibule de l'hôtel particulier londonien de son frère, une solution malheureusement à exclure dans l'immédiat.

Il s'éclaircit de nouveau la gorge.

— Vous êtes la plus jolie dame que j'aie jamais vue et... dans cette robe, vous avez tout d'une princesse. Vraiment.

— Vraiment ? murmura Rebecca en abaissant ses mains.

— Je vous le jure sur la tombe de ma mère.

— Oh. Votre maman à vous aussi est morte ?

— Oui.

— C'est bien triste, n'est-ce pas ? La mienne est partie quand je suis née. Je ne l'ai pas connue.

— Ma mère est morte il y a deux ans, à la Saint-Michel.

— Je suis désolée.

— Après la naissance de ma plus jeune sœur. Je suis l'aîné de dix.

— Vous ne ressemblez pas aux autres serviteurs, dit Rebecca en souriant.

— C'est parce que je suis irlandais.

— Mais alors, pourquoi…

La voix de Sam fit taire Rebecca.

— Es-tu prête à partir ? lança-t-il.

La jeune fille sursauta. Son frère se dressait trois marches au-dessus d'elle dans l'escalier.

— J'aimerais bien que tu fasses un peu de bruit quand tu te déplaces, Sam.

Il regarda le valet. Rebecca suivit son regard et constata que le joli garçon se tenait de nouveau bien droit contre le mur. On eût dit une créature magique qui serait devenue de bois.

— Voulez-vous nous ouvrir ?

Un bref instant, Rebecca se demanda à qui s'adressait son frère. Elle comprit lorsque le valet brun aux yeux verts s'empressa vers la porte, qu'il ouvrit et tint pendant que le maître de maison et sa sœur sortaient. Quand elle passa devant lui, elle le regarda, mais il arborait une expression totalement neutre et l'éclat dans ses prunelles de jade avait disparu. Elle soupira et posa la main sur le bras de Sam, le temps de descendre les marches du perron et de rejoindre la voiture. Cette conversation avec le valet, l'avait-elle rêvée ?

Elle s'installa sur la banquette et remarqua alors la tenue de Sam. Il portait une redingote verte pleine de classe, et un gilet de brocart doré. Hélas, cette belle mise était gâchée par ses jambières habituelles, enfilées par-dessus la culotte, et ses mocassins indiens.

— Lady Emeline n'appréciera pas que tu aies mis tes jambières.

Il examina ses mollets et sourit.

— Je ne doute pas qu'elle m'informera de sa désapprobation.

Lady Emeline se contint une bonne minute après
être montée dans la voiture. C'est-à-dire une minute
de plus que les estimations de Sam.

— Que vous est-il passé par la tête pour porter de
pareilles choses ? demanda-t-elle en détaillant ses
jambes et ses pieds.

— Je crois vous avoir déjà dit que c'était confortable.

Peut-être se renfrognerait-elle davantage si elle
savait combien il la trouvait jolie avec cette expression
bougonne. Elle arborait une robe très travaillée, rouge
clair, brodée, avec une sous-jupe jaune. Des couleurs
moins vives que celles qu'elle privilégiait d'ordinaire.
Même si elles lui allaient à la perfection, il la préférait
en rouge éclatant et orange vif.

Ce soir, elle était une élégante dame londonienne
à la pointe de la mode, à mille lieues de la femme qui
l'avait accompagné à l'entrepôt de céramique. Qu'avait-
elle pensé de leur sortie ? Les transactions commer-
ciales avaient semblé l'intéresser. À moins que ce ne
soit simplement la nouveauté de la situation. Mais…
et si elle avait ressenti le même plaisir intellectuel que
le sien ? Si leurs esprits avaient été sur la même longueur d'onde ?

Elle le regardait en secouant la tête. Sans doute com-
mençait-elle à se rendre compte de la futilité d'une
dispute à propos de ses jambières. Preuve qu'elle y
renonçait, elle se tourna vers Rebecca.

— Rappelez-vous que vous ne devrez danser qu'avec
les cavaliers que j'aurai approuvés. Ni parler à quiconque à qui je ne vous aurai pas présentée. Il y aura
des hommes, que je n'appellerai pas des gentilshommes,
qui sont connus pour bafouer les règles en vigueur. Vous
ne les laisserez pas faire.

Sam se demanda si, d'après elle, il entrait dans cette
dernière catégorie. Oui, s'il en jugeait par le coup d'œil

critique qu'elle lui lança, et auquel il répondit par un sourire.

Lady Emeline était assise, le dos bien droit, à côté de sa tante, tout aussi raide. Dans un virage, la voiture se balança et tous les passagers suivirent involontairement le mouvement. À côté de Sam se trouvait Rebecca, les bras noués autour du buste. Il se pencha vers elle.

— Je te trouve splendide.

Rebecca se mordillait la lèvre et le regardait d'un air inquiet et égaré. Il eut l'impression d'être à nouveau face à la petite fille d'autrefois. Elle l'avait regardé de la même façon quand il était allé lui rendre visite chez son oncle à Boston. Il se la rappelait coiffée d'un bonnet blanc, portant un tablier de même couleur, debout à côté de son oncle dans le vestibule de la maison, toute timide. Jamais il n'avait su quoi lui dire à l'époque. Il venait à Boston une ou deux fois par an, et sa sœur restait pour lui une enfant qui grandissait dans la civilisation encore balbutiante de la société bostonienne. Sa vie à lui se passait dans la forêt, et éventuellement dans l'armée, un monde dont elle ignorait tout.

— Quoi ? dit-il, se rendant tout à coup compte que Rebecca lui avait parlé.

— Crois-tu que quelqu'un dansera avec moi ? chuchota-t-elle.

— Ils seront tellement nombreux que je serai obligé de les chasser à coup de badine.

Rebecca soupira de plaisir.

— Nous sommes presque arrivés, mon petit, annonça tante Cristelle. Calmez-vous, ainsi vous présenterez bien.

Elle baissa les yeux vers les pieds de Rebecca, cachés sous ses jupes.

— Vous n'avez pas oublié de mettre des souliers, n'est-ce pas ?

— Non, madame.

— Bien. Ah, voilà la maison.

Sam regarda par la fenêtre et vit une longue file de voitures qui avançaient vers l'entrée de l'hôtel particulier du comte de Westerton. Lady Emeline avait raison : le bal qui allait avoir lieu était trop grand pour les débuts de Rebecca. Mais que sa sœur fasse ses premiers pas dans la haute société n'était qu'une des raisons pour lesquelles il avait choisi ce bal. La raison principale, c'était sa quête de la vérité.

Il patienta, le temps que la voiture atteigne le perron, n'accordant qu'une vague attention aux bavardages des dames. Même en cet instant, où il focalisait ses pensées sur son but, il demeurait conscient de la présence d'Emeline. Il entendait les intonations de sa voix, ses inspirations, savait quand elle posait les yeux sur lui et les détournait, et percevait la curiosité qui l'animait. Elle se demandait pourquoi il avait tenu à être invité chez les Westerton. Pourquoi ne pas tout lui dire ? Cela concernait son frère, après tout. Mais il répugnait, sans s'expliquer pourquoi, à révéler la vérité.

Un valet ouvrit la portière. Sam étrécit les yeux à la vue de l'homme. Il allait devoir se montrer vigilant : le moment d'intimité entre sa sœur et O'Hare, tout à l'heure dans le vestibule, ne lui avait pas échappé. Le valet baissa les yeux, ce que n'avait pas fait O'Hare. Sam admirait le courage. Mais un valet orgueilleux ne faisait pas long feu dans le métier.

Il descendit puis se retourna pour aider Rebecca et tante Cristelle. Lady Emeline se tenait dans l'embrasure de la portière et le fixait d'un air soupçonneux. Il sourit et lui tendit la main.

— Madame.

— Monsieur Hartley, dit-elle en pinçant les lèvres.

Néanmoins, elle lui donna sa main et Sam eut le plaisir de presser ses doigts entre les siens. Elle descendit, altière, puis voulut retirer sa main. Sam résista, s'inclina et la porta à ses lèvres. Un parfum de citronnelle lui monta aux narines.

Il se redressa.

— Y allons-nous, madame ?

L'expression d'Emeline s'était adoucie. Ses lèvres n'étaient plus serrées mais entrouvertes, bien rouges et humides, comme si elle venait de les humecter. S'ils avaient été seuls, songea Sam, il l'aurait prise dans ses bras et embrassée.

— Samuel ?

Il sursauta. Rebecca ? Ah, oui.

— Samuel, vas-tu bien ?

— Oui, oui.

Il offrit son bras à tante Cristelle, qui lui jeta un coup d'œil acéré, puis se tourna vers Emeline.

— Y allons-nous, madame ?

Les mêmes mots que tout à l'heure, mais leur sens avait profondément changé. Emeline ne s'y trompa pas.

— Bien sûr, dit-elle en levant fièrement le menton.

Réponse qui le laissa perplexe. Elle avait par l'affirmative répondu à sa question, mais quel sens lui avait-elle donné ?

De l'autre côté de la porte à doubles vantaux, Westerton House scintillait. Des centaines de chandelles, peut-être des milliers, brûlaient. Il régnait dans le vestibule une chaleur pénible qui faisait craindre le pire dans la salle de bal. Pourquoi tant de gens tenaient-ils à participer à cette soirée : voilà une énigme qui laissait Sam pantois. Il transpirait déjà. Il haïssait les foules. Depuis toujours. Mais depuis Spinner's Falls…

Il chassa cette pensée de son esprit et se concentra sur les raisons qui l'avaient amené ici.

Les dames remirent leurs capes à un valet. Puis ils entrèrent dans la salle de bal où un autre valet, coiffé d'une magnifique perruque, les annonça. La salle était gigantesque mais une affreuse chaleur y régnait car elle était bondée. Les gens étaient épaule contre épaule. Il fallait attendre que quelqu'un bouge pour se frayer un chemin dans cette marée humaine en suivant le flot. Pour Sam, cet endroit était l'équivalent de l'enfer. La touffeur, les corps qui se touchaient, le brouhaha de voix, les rires… Tout cela était effroyable. Pas pour la tante Cristelle, qui avait déjà trouvé une connaissance et s'éloignait avec elle dans la cohue. Quelqu'un heurta Emeline. Elle s'accrocha au bras de Sam, qui montra littéralement les dents au fâcheux.

Il se sentait au bord de la panique. S'il ne se ressaisissait pas tout de suite… Il ferma les yeux, espérant un soulagement, mais ce fut pire car son odorat prit le pas sur ses autres sens.

Mon Dieu, ces odeurs… Cire en fusion, haleines chargées, corps qui transpiraient. Odeur de sueur d'hommes, acide. Elles l'enveloppaient comme un voile gluant, répugnant. Les gens essayaient de le dépasser, de le pousser, de le contourner, de le bloquer sur place… Certains assez vieux pour être des grands-pères, d'autres à peine en âge de se raser, tous craignant pour leur vie, tous avides de survivre à cette nuit, tous effrayés car pris dans une nasse de chair et d'os. Sam identifia alors la nature de l'odeur. Celle de la peur de la mort. Il se mit à respirer en haletant, mais l'air qui emplit ses poumons était souillé par la crainte de la bataille imminente et la puanteur de la transpiration mêlée de sang putride.

— Monsieur Hartley… *Samuel !*

La voix était toute proche. Une main lui effleurait la joue. Au prix d'un immense effort, il ouvrit les yeux. Ceux d'Emeline, noirs, intenses, le fixaient. Il parvint à accommoder sa vision.

— Allez-vous bien ?

Il articula avec peine :

— Non.

Il dut se retenir à l'épaule d'Emeline pour ne pas perdre l'équilibre.

— Que se passe-t-il, Rebecca ? Savez-vous ce qu'il a ?

— Non, répondit la jeune fille. Je ne l'ai jamais vu comme cela.

Emeline ramena son regard sur lui et il se sentit mieux.

— Venez avec moi, monsieur Hartley.

Il hocha la tête et la suivit comme un homme ivre. Leur progression à travers la foule était laborieuse et lente. Des gouttes de transpiration coulaient sur son front. Il ne quittait pas Emeline des yeux. Emeline, son guide vers la santé mentale. Puis tout à coup ils franchirent une porte et débouchèrent dans la nuit froide. Ils se trouvaient sous une véranda bordée d'une rambarde basse. Il marcha jusqu'à l'ouverture qui donnait sur le jardin en se retenant à la rambarde et se précipita dans une haie pour vomir.

— Il est malade, entendit-il dire Rebecca. Peut-être a-t-il mangé quelque chose de mauvais. Nous devrions envoyer chercher un médecin.

— Non, non, pas de médecin, bredouilla Sam entre deux accès de nausée.

Derrière lui, Rebecca émit un claquement de langue réprobateur. Il aurait aimé se tourner vers elle et lui assurer que tout allait bien.

— Monsieur Hartley, murmura Emeline en posant une main sur son épaule, vous êtes malade. Je vous en prie, accédez au souhait de votre sœur qui s'inquiète. Permettez-nous d'aller quérir un médecin.

La honte accablait Sam. Qu'une femme le voie dans cet état abominable, surtout lady Emeline, le consternait. Il fit appel à toute son énergie pour faire cesser ses tremblements et chasser les fantômes.

— Non.

La main quitta son épaule.

— Rebecca, pouvez-vous rester auprès de lui, le temps que j'aille chercher un peu de vin ? Peut-être cela le revigorera-t-il.

— Bien sûr, madame.

Lady Emeline s'éloigna et il perçut un grognement, puis se rendit compte que c'était lui qui le poussait. Sans parvenir à l'arrêter. Il ne voulait pas qu'elle s'en aille ! Il la chercha des yeux, déterminé à lui crier de ne pas partir, mais en quelques secondes elle fut avalée par la foule.

Au même instant, il vit une silhouette qui le tétanisa.

Lord Vale se tenait sur le seuil de l'une des portes-fenêtres de la salle de bal.

Jasper referma la porte-fenêtre derrière lui, et un sourire se dessina sur ses lèvres.

— Emmie ! Mon Dieu, je n'aurais jamais imaginé te voir ici !

La seule pensée qui traversa l'esprit d'Emeline fut une question : comment empêcher Jasper Vale d'aller plus loin ? À aucun prix il ne devait découvrir combien Sam était mal. Que Jasper reste où il était ! Une pensée peu charitable pour cet homme qu'elle connaissait depuis toujours, mais tant pis. Elle devinait que Sam détesterait qu'on le voie en aussi piteux état.

Tout s'était passé tellement vite, dans la salle de bal. Dès leur entrée, elle s'était aperçue qu'il se crispait, mais ne s'était pas attardée sur cette anomalie. Après tout, beaucoup de gens devenaient nerveux dans une foule aussi compacte. Cependant, au fur et à mesure qu'ils avaient avancé, Sam avait ralenti le pas. Un pas instable. Elle avait alors levé les yeux vers son visage et vu qu'il souffrait. Quelle était la source de cette souffrance ? Mentale ou physique ? Elle l'ignorait. Tout ce qu'elle savait, c'était que son expression torturée, son visage en sueur et la façon dont il avait agrippé sa main trahissaient une intense détresse. Que cet homme si fort pût souffrir ainsi l'avait abasourdie. Elle avait eu l'impression que sa douleur la pénétrait. Aussi vite que possible, elle l'avait conduit sur la véranda et de là dans le jardin.

Et voilà que maintenant, elle devait gérer le problème que représentait Jasper.

Elle carra les épaules et afficha sa plus hautaine expression. Celle qu'on lui avait enseignée dès la nursery où, fille de comte, elle avait grandi. Mais apparemment, elle n'avait nul besoin d'user de stratagème : Jasper ne la regardait même pas. Ses yeux étaient fixés sur un point derrière elle. Sam, évidemment.

— Hartley ? C'est vous, caporal Hartley, n'est-ce pas ? s'écria Jasper.

— Oui.

Emeline se retourna. Sam se tenait bien droit, le visage encore pâle et luisant de sueur, mais il n'était plus penché sur la haie. Il ne bougeait pas, comme s'il attendait quelque chose. À côté de lui, Rebecca se balançait d'un pied sur l'autre, mal à l'aise, son regard empreint de confusion allant de son frère à Jasper. Lequel se rapprocha.

— Je ne vous ai pas revu depuis…

Il s'interrompit, comme incapable de prononcer le nom fatidique. Ce fut Sam qui l'énonça.

— Spinner's Falls.

— Oui, c'est cela.

Toute trace de gaieté avait disparu de l'expression de Jasper. On n'en remarquait que davantage les profondes rides qui creusaient son visage, de son long nez à sa trop large bouche.

— Saviez-vous que nous avons été trahis ? demanda Sam à mi-voix.

Jasper tressaillit. Ses sourcils ne formèrent soudain plus qu'une ligne continue, tant il les fronçait.

— Quoi ?

— Quelqu'un a trahi le régiment. Êtes-vous au courant de quelque chose ?

— Pourquoi le serais-je ?

— Vous étiez le débiteur de Clemmons.

— Je vous demande pardon ?

— Vous lui deviez une fortune. Tous les anciens du régiment auxquels j'ai parlé depuis mon arrivée en Angleterre se rappellent très bien ce fait. Vous étiez menacé d'expulsion de l'armée, déchéance de votre rang, mise en disgrâce.

Jasper recula aussi vivement la tête que si on l'avait frappé.

— Cela est...

— Le massacre de Spinner's Falls vous a épargné l'obligation de rembourser vos dettes, poursuivit imperturbablement Sam.

Jasper ferma lentement le poing. Emeline sentit la chair de poule hérisser sa nuque.

— Qu'insinuez-vous exactement, Hartley ?

— Que vous aviez une excellente raison de nous trahir.

— Vous imaginez que j'aurais vendu mes hommes aux Français ?

La voix de Jasper était presque normale, mais son expression était sombre.

— Peut-être, dit Sam dans ce qui n'était guère plus qu'un murmure, tout en oscillant légèrement sur place, preuve qu'il n'était pas tout à fait remis. Oui, peut-être. Ou aux Indiens wyandots. Dans un cas comme dans l'autre, le résultat était le même. Ils savaient que nous serions à Spinner's Falls. Ils nous y ont précédés et attendus, et lorsque nous sommes arrivés, ils nous ont massacrés.

Poing en avant, Jasper s'avança vers Sam. Emeline comprit qu'elle devait intervenir dans la seconde, sinon les deux hommes allaient en venir aux mains.

— Cessez, Samuel! Cessez de dire pareilles insanités!

— Pourquoi? s'enquit Sam sans quitter Jasper des yeux.

— Je vous en prie, Samuel, laissez Jasper tranquille!

— Pourquoi devrais-je…

Il regarda Emeline.

— Qu'est-il pour vous, madame?

— Un… un ami. Il est…

— Son fiancé. Je suis le fiancé de lady Emeline.

7

Tous félicitèrent le capitaine des gardes pour son courage, sa force et sa loyauté. Toutefois, nombreux étaient ceux qui se demandaient pourquoi un tel homme s'entêtait à ne prononcer ne fût-ce qu'un mot. Mais ce qui paracheva sa gloire, ce fut qu'il sauva la vie du roi une troisième fois. Le château était attaqué par un dragon qui crachait le feu et Cœur de Fer mit le monstre en pièces à grands coups d'épée. Après cet épisode, le roi déclara qu'il n'existait qu'une récompense à la hauteur d'un tel guerrier. Il devait assurer la protection de la plus précieuse de ses possessions : la princesse elle-même.

— Fiancé ? répéta Sam, le souffle coupé, comme s'il venait de recevoir un horion au plexus.

Incrédule, il dévisagea lady Emeline.

— Nous n'avons pas encore fait d'annonce officielle, murmura-t-elle, mais nous nous sommes mis d'accord depuis une éternité.

Comment cette femme pouvait-elle être fiancée à un autre sans qu'il le sût ? C'était comme s'il avait soudain perdu une chose à laquelle il n'était jusque-là pas conscient de tenir autant. Une aberration, toutefois. Lady Emeline était une aristocrate, fille, sœur, mère et veuve d'aristocrates titrés. Son univers se trouvait à des lieues du sien. Aussi hors de la portée de Sam que la lune des mains d'un enfant.

Inutile de songer davantage à Emeline. Cet endroit, ce bal, il devait les quitter. S'il n'avait pas été rendu malade par les odeurs de tous ces gens, si cette foule ne lui avait pas rappelé le massacre, jamais il n'aurait accusé Vale ici. Mais il l'avait fait, et cela n'aurait servi à rien de le regretter.

— Je n'ai pas trahi, déclara le vicomte qui s'était ressaisi.

Plus rien ne transparaissait de son agressivité. Il n'allait pas l'attaquer, se dit Sam alors que lady Emeline lui touchait l'épaule.

— Partons, Samuel, partons.

Il se rendit compte qu'elle était au bord des larmes. Mon Dieu, qu'avait-il fait ?

— Vous étiez tout à fait sain d'esprit, il y a six ans, remarqua tranquillement Vale. Qu'est-ce qui vous amène à croire que j'aie pu trahir ?

Le vicomte avait tout de l'homme en lequel on avait confiance. Ouvert, souriant, aimable. Mais Sam avait connu des hommes qui souriaient en tuant.

— Vous deviez de l'argent au lieutenant Clemmons, tout le monde était au courant.

— Et alors ?

— Alors, Clemmons a perdu la vie dans le massacre. Ce qui a annulé vos dettes.

Vale eut un rire empreint d'incrédulité.

— Vous imaginez que j'aurais pu faire tuer deux cent quarante-six hommes pour ne pas payer ce que je devais à Clemmons ? Vous êtes fou !

Peut-être l'était-il. Lady Emeline le fixait d'un air horrifié. Rebecca pleurait. Et Vale ne semblait plus du tout avoir peur de lui.

Il se souvenait du jour funeste. Vale galopait sur son cheval à bride abattue à travers les hommes qui combattaient. Il essayait de rejoindre le colonel Darby. Sa jument avait tout à coup été fauchée par une balle. Sam était accouru pour sauver le cavalier tombé sous la bête. Il avait ferraillé comme un dément et vu Darby lui aussi à terre, parce que sa monture avait été également touchée. Vale avait continué à se battre même lorsque la bataille était irrémédiablement perdue.

Ce soir, il aurait dû présenter ses excuses au vicomte et se retirer. Cet homme ne pouvait être un traître. Mais des mots persistaient à tourner dans sa tête. *Un homme courageux n'est pas nécessairement un honnête homme.*

À n'importe quel prix, il devait découvrir la vérité. Savoir ce qui s'était passé à Spinner's Falls.

Lady Emeline lui tourna le dos et se dirigea, hiératique, vers la porte-fenêtre. Un valet se trouvait là, qui n'avait sans doute pas perdu une miette de la scène.

— Vous, dit Emeline en pointant l'index sur l'homme, apportez des biscuits et du vin, je vous prie.

Elle attendit qu'il soit rentré dans la salle et referma la porte-fenêtre.

— C'est tout ce que vous avez ? demanda Vale à Sam. Mes dettes de jeu qui vous font croire que j'aurais trahi le régiment ? que je me serais laissé capturer par les Indiens et que j'aurais laissé Reynaud se faire tuer ?

Lady Emeline tressaillit, mais Vale ne parut pas s'en apercevoir. Sam n'avait pas voulu parler de tout cela devant elle, mais désormais c'était fait. Impossible de revenir en arrière.

— Il y avait une lettre qui détaillait vos plans pour marcher sur Fort Edward, ainsi qu'une carte susceptible d'être comprise par les Indiens.

— Comment se fait-il que vous soyez au courant, pour cette lettre ?

— Elle est en ma possession.

Rebecca cessa de pleurer et s'écria :

— C'est à cause de cela que tu voulais que j'assiste à ce bal, n'est-ce pas, Sam ? Cela n'avait rien à voir avec moi. Tu cherchais à rencontrer lord Vale !

Sacrebleu !

— Je...

— Pourquoi m'as-tu caché la vérité, Sam ?

— Et à moi ? ajouta Emeline d'un ton plat qui n'impliquait cependant pas qu'elle ne fût pas en colère. Reynaud a été tué lors de cette bataille. Ne pensez-vous pas que j'avais le droit de savoir, monsieur Hartley ?

Sam baissa la tête. Il avait des élancements dans les tempes, un goût de bile dans la bouche. Il ne voulait à aucun prix se disputer avec les deux femmes qui comptaient dans sa vie. Cette affaire ne concernait que les hommes !

Apparemment, Vale partageait ce point de vue.

— Emmie, tout cela va rouvrir en vous de douloureuses blessures. Pourquoi Mlle Hartley et vous n'allez-vous pas profiter du bal ?

— Je crois que je préfère rester ici, repartit Emeline, le visage sévère.

— Je reste aussi, dit Rebecca, rougissante mais manifestement déterminée.

— Eh bien, nous allons nous asseoir, conclut Emeline.

Elle alla se poser sur un banc et Rebecca l'imita. Les deux jeunes femmes croisèrent les bras. Leurs expressions de défi et d'impatience, en d'autres circonstances, eussent été amusantes.

Sam adressa un coup d'œil interrogateur à Vale, qui haussa les épaules d'un air fataliste. Le valet revint à ce moment-là avec un verre de vin sur un plateau. Sam le prit, but une gorgée, la recracha dans les buissons puis avala le reste d'un trait. Il se sentit aussitôt mieux. Dès que le valet fut reparti, Vale se racla la gorge.

— Bien. Je vous demandais donc d'où vous teniez cette lettre. Comment savoir s'il ne s'agit pas d'un faux ?

— Ce n'en est pas un, assura Sam.

La mine austère d'Emeline le troublait : elle le jugeait… Comment osait-elle ?

— Je l'ai reçue d'un Indien delaware, poursuivit-il, à moitié anglais par sa mère. Cet homme est un ami. Je le connais depuis des années.

— Cet étrange petit Indien qui est venu te voir au siège de ta société au printemps dernier ! s'exclama Rebecca. Je me rappelle, maintenant. Il était dans ton bureau quand je suis entrée pour te donner ton déjeuner.

Sam acquiesça d'un hochement de tête. Sa société était installée près des docks de Boston, un endroit où d'ordinaire sa sœur ne s'aventurait pas. Mais ce jour-là, il avait oublié le panier que la cuisinière avait préparé pour son déjeuner, et Rebecca était venue le lui apporter.

— Tu t'es montré tellement distrait, ensuite… reprit-elle en le regardant comme si elle le voyait pour la première fois. Et en colère. Ensuite, tu as été de mauvaise humeur pendant des jours. Maintenant, je sais pourquoi.

Sam était consterné, mais il n'était plus temps de dire à Rebecca qu'il était désolé.

— Coshocton, l'Indien, a obtenu cette lettre d'un commerçant français qui avait vécu parmi les Wyandots. Ces mêmes Wyandots qui nous ont attaqués.

— Cela, je le sais, dit Vale. Mais vous, comment savez-vous que c'est l'un des nôtres qui a écrit cette abomination ? Cela aurait pu être un Français ou…

— Non. La missive est rédigée en anglais, et puis son auteur en savait beaucoup trop pour appartenir à l'autre camp. Notre marche sur Fort Edwards était secrète. Seuls les officiers et quelques éclaireurs savaient que nous allions suivre un chemin terrestre plutôt que de descendre le lac Champlain en canoë.

— Le lac Champlain était le trajet le plus classique, en effet.

— Donc, tous ceux qui ont entendu parler de notre destination en ont déduit que nous irions par la voie des eaux et non à pied.

— Réfléchissons, Hartley. Mes dettes étaient très élevées, je ne le nie pas. Mais j'étais tout à fait en mesure de les rembourser.

— Vraiment ? s'enquit Sam, méfiant.

— Oui. Et je l'ai fait.

— Quoi ?

— Eh oui. J'ai remboursé la succession de Clemmons. C'était le moins que je pouvais faire, déclara Vale en détournant le regard comme s'il était embarrassé. Compte tenu des circonstances, je me devais de rendre les fonds à ses héritiers. Je doute que les hommes auxquels vous avez parlé aient été au courant de cela. Mais si vous le souhaitez, vous pouvez contacter mes chargés d'affaires. Et j'ai les documents qui le prouvent.

Sam ferma les yeux. Son cœur battait comme un gong dans ses tympans. Il se sentait totalement stupide.

— Mais alors, à part Jasper, qui d'autre avait intérêt à trahir tout un régiment ? demanda Emeline. Je connais Jasper depuis toujours. Je ne puis le penser capable d'avoir commis un acte qui aurait entraîné la mort de Reynaud.

— Merci, Emeline, dit Vale en souriant. Toutefois, je note que tu n'exclus pas totalement la possibilité que j'aie trahi.

Emeline haussa les épaules.

— C'est la vérité, Hartley, reprit le vicomte. Je n'ai pas trahi.

Sam regarda l'aristocrate. Il avait traversé l'océan pour venir chercher la vérité en Angleterre, espérant que Vale détenait la clé du mystère. Qu'après l'avoir acculé dans ses retranchements, il obtiendrait des réponses et pourrait ensuite oublier Spinner's Falls. Mais les raisons susceptibles de pousser Vale à la trahison s'étaient évaporées. De surcroît, au fond de lui, il sentait bien que le vicomte n'était pas le traître. Et Emeline lui faisait confiance. Quel cauchemar.

Celle-ci se leva et remit ses jupes en ordre.

— Je déduis de tout cela que quelqu'un d'autre est le traître, n'est-ce pas ?

— Tu devrais rejoindre les festivités, Jasper, dit Emeline. Rebecca et moi allons rentrer à la maison.

Elle avait omis de citer Sam, et pourtant il était celui pour lequel elle se faisait le plus de souci. Il semblait ferme sur ses jambes, mais son visage était toujours pâle et luisant de transpiration. Néanmoins, elle ne lui accorda même pas un regard. Elle ne s'adressa qu'à Jasper. Elle pressentait que Sam n'apprécierait pas qu'elle lui montre de la sollicitude devant un autre homme.

— Je ne pense pas qu'en ce qui nous concerne, il soit raisonnable de revenir dans la salle de bal, continua-t-elle. Rebecca a eu assez d'émotions pour ce soir.

Je vais faire dire à tante Cristelle de nous retrouver devant la maison. Nous pouvons rentrer à pied, en passant par les écuries.

— Non !

Emeline sursauta et pivota sur ses talons. Ses nerfs étaient manifestement plus éprouvés qu'elle ne l'avait cru.

Tante Cristelle émergea de l'ombre, près de la porte-fenêtre.

— À l'intérieur, on parle d'une querelle entre deux gentilshommes, dit-elle en fixant successivement Sam et Jasper, lequel eut le bon goût de paraître honteux. Je vais rester, Emeline. Je tiens à faire cesser ces vilains bruits.

— Mais comment rentreras-tu à la maison, tante Cristelle ?

— Oh, j'ai beaucoup d'amis. Cela ne me sera pas difficile de me faire raccompagner.

Elle se tourna vers Rebecca.

— Allez, et remettez-vous tranquillement, mon petit.

Emeline sourit avec gratitude à la vieille dame.

— Merci, tante Cristelle.

— C'est toi qui as le rôle le plus difficile, ma chérie. Tu es obligée de calmer ces deux taureaux.

Sur ces mots, elle regagna la salle de bal. Emeline redressa les épaules et fit face aux « taureaux ».

— Je vais t'escorter jusqu'à ta voiture, Emeline, dit Jasper.

Il lui offrit son bras, et elle l'accepta en s'exhortant à ne pas regretter que ce ne fût pas celui de Sam. Elle garda le silence alors que Jasper lui faisait traverser les jardins des Westerton et, de là, sortir par les écuries, consciente que Sam la suivait avec sa sœur. Lorsqu'ils passèrent sous un lampadaire, elle regarda Jasper.

— Merci. Ne rentre pas trop tard.

— Oui, madame. Promis, je serai au lit avant minuit, répliqua Jasper en souriant. Je ne voudrais pas être changé en citrouille.

Cette insouciance irrita Emeline. Il dut le voir à son expression car son sourire s'effaça. La voiture tourna le coin à ce moment-là.

— J'aimerais que les Hartley et toi, Jasper, veniez prendre le thé demain. Ainsi nous pourrons discuter.

Une invitation un peu cavalière puisqu'elle n'avait même pas été adressée directement à Sam et Rebecca. Jasper décocha à Emeline un coup d'œil agacé.

— Naturellement. Dors bien, ma douce.

Il se pencha et lui effleura la tempe du bout des lèvres. Jasper l'avait embrassée ainsi des douzaines, peut-être des centaines de fois depuis qu'ils se connaissaient. Mais ce soir, Sam était quelque part derrière elle dans le noir et la fixait. Elle éprouva un fort désagréable trouble, et se jugea ridicule. Elle ne devait rien à ce colon. D'autant que depuis le début, c'était Jasper qui l'intéressait, et non elle, comme elle venait de le découvrir...

— Bonne nuit, Jasper.

Il hocha la tête avant de pivoter vers Sam.

— À demain, donc ?

— À demain.

Jasper fit un ironique salut de la main puis descendit la rue. Apparemment, il n'avait pas l'intention de revenir au bal. Cela ne la regardait pas, se dit Emeline. Elle se retourna et fut aussitôt face à Sam. Il était beaucoup plus près d'elle qu'elle ne l'avait imaginé.

— Pouvons-nous partir, maintenant ?

— Si tel est votre souhait, madame...

Il appela la voiture en agitant le bras. Puis il se posta au ras du marchepied, de façon qu'Emeline soit obligée de le frôler en gravissant les trois marches. Il s'était placé là à dessein, évidemment.

Elle se glissa sur la banquette. Il s'assit à côté de Rebecca puis tapa sur le toit. La voiture s'ébranla. Emeline regarda l'hématome sur le menton de son compagnon.

— Vous vous êtes battu récemment, monsieur Hartley.

Il feignit de ne pas comprendre.

— Ces marques sur votre mâchoire. Quelqu'un vous a frappé.

— Est-ce vrai, Samuel ? s'inquiéta Rebecca.

— Ce n'est rien du tout.

— Tu me caches beaucoup de choses sur toi, Sam. Presque tout, en fait, énonça la jeune fille d'un ton empreint de reproche.

— Becca...

— Non, je suis trop fatiguée pour me quereller.

Elle se tourna vers la fenêtre.

— Je suis désolé.

Rebecca poussa un lourd soupir, comme si tout le poids du monde reposait sur ses épaules.

— Je n'ai même pas eu l'occasion de danser.

Sam chercha du regard l'aide d'Emeline, mais elle aussi s'était tournée vers la fenêtre, fixant son propre reflet. Et elle se fit une réflexion : les petites rides aux angles de sa bouche lui donnaient l'air bien vieux, ce soir.

Le trajet se poursuivit dans le silence. Puis la voiture s'immobilisa, la portière s'ouvrit et le valet déplia le marchepied. Sam descendit le premier, prêt à aider Rebecca, mais la jeune fille négligea la main offerte. Elle fonça vers le perron et en un clin d'œil disparut dans la maison. Les sourcils froncés, Sam la suivit des yeux mais ne bougea pas. Puis il tendit la main à Emeline. Elle lui accorda à peine le bout de ses doigts. Il ne se laissa pas impressionner. Il les saisit fermement et une fois qu'Emeline fut sur le pavé, il l'attira vers lui.

— Invitez-moi à entrer, murmura-t-il.

Elle se crispa, tenta de retirer sa main. Il tint bon. Elle leva alors la tête et riva ses yeux aux siens.

— Monsieur Hartley, énonça-t-elle froidement, voulez-vous entrer un instant ? J'ai dans mon salon un tableau à propos duquel j'aimerais avoir votre avis.

Il lui emboîta le pas alors qu'elle gravissait les marches du perron, presque plaqué contre elle, comme s'il craignait qu'au dernier moment elle ne lui joue un mauvais tour. Qu'elle lui claque la porte au nez, par exemple.

Dans le vestibule, Emeline tendit sa cape à Crabs.

— Préparez le salon, je vous prie.

Crabs était à son service depuis bien avant son mariage, et jamais elle ne l'avait vu s'étonner de quoi que ce soit. Ce soir ne faisait pas exception.

— Oui, madame, dit-il avant de claquer des doigts.

Deux valets accoururent, chandeliers à la main. Ils allumèrent le feu dans la cheminée. Le temps qu'ils rendent la pièce confortable, Emeline demeura devant la fenêtre, à fixer son reflet fantomatique. Dès qu'elle entendit la porte se refermer, elle se retourna. Elle était seule avec Sam, qui attaqua tout de go.

— Pourquoi Vale ?

— Pardon ?

Il s'approcha.

— Vale. Pourquoi voulez-vous l'épouser ?

— Pourquoi ne l'épouserais-je pas ? répliqua-t-elle en levant le menton d'un air de défi. Je le connais depuis mon enfance.

Sam s'immobilisa devant elle, trop près, comme à son habitude.

— L'aimez-vous ? questionna-t-il, de la colère dans les yeux.

— En quoi cela vous concerne-t-il ?

Elle vit frémir ses narines.

— L'aimez-vous, madame ?

— Bien sûr, je l'aime ! Jasper est comme un frère pour moi et…

Il ricana.

— Feriez-vous l'amour avec votre frère ?

Elle le gifla. Le claquement résonna dans la pièce. Éberluée par sa propre violence, elle recula, mais avant qu'elle ait le loisir de prononcer un mot, Sam l'avait enlacée et attirée contre lui.

— Il vous embrasse comme un frère, chuchota-t-il à son oreille. Vous ne semblez avoir guère plus d'importance pour lui que la bonne qui lui apporte son thé le matin. Est-ce cela que vous attendez d'un mariage ?

Elle ne savait où poser ses mains, à part sur les épaules de Sam. Elle s'y agrippa donc.

— Oui, c'est ce que j'attends, rétorqua-t-elle. Un homme civilisé. Un Anglais au fait des règles qui régissent notre société, un aristocrate qui m'aidera dans la gestion de mes domaines et l'éducation de mon fils. Nous sommes parfaitement assortis, Jasper et moi.

Elle distingua de la douleur dans les yeux de Sam. Alors autant infliger le coup de grâce.

— Nous serons très bientôt mariés et je serai heureuse. Très heureuse.

— Soyez maudite, gronda-t-il avant de presser sa bouche sur la sienne.

Il mit tant d'ardeur dans son baiser qu'elle sentit le choc de ses dents contre les siennes. Elle essaya de se dérober, mais il l'étreignit avec une ferveur renouvelée puis la souleva, ne lui laissant plus la moindre chance de lui échapper. Ses pieds battaient le vide quand il la porta jusqu'au mur où il l'adossa. Elle était piégée, dans l'incapacité absolue de se libérer, mais n'était pas effrayée. Elle savait que jamais il ne la molesterait. Pourtant, elle s'obstinait à lutter. Par principe. Parce qu'il n'était pas dans sa nature de s'avouer vaincue. Une parade lui vint alors à l'esprit. Elle ouvrit la bouche. Il la crut prête à accueillir sa langue.

Elle le mordit.

Il recula vivement la tête et lui sourit. Ses belles lèvres pleines étaient rouges de sang.

— Chatte !

Elle tenta de le gifler de nouveau, mais il lui immobilisa les bras.

Ensuite, ce fut trop tard pour trouver une autre parade. D'autant qu'elle n'en avait plus envie. Il caressait ses lèvres des siennes, langoureusement, diaboliquement tentateur, sans hâte, comme s'il disposait de tout le temps du monde. Subjuguée, elle voulut prendre sa bouche, aspirant à un vrai baiser, mais il se déroba, peut-être par crainte d'être mordu une nouvelle fois. Quoique, non, il s'amusait. Et elle aurait dû s'en formaliser. Mais elle était désormais incapable de penser avec cohérence. Peu lui importait qu'il jouât avec elle. Elle fondait entre ses bras.

Il recommença à effleurer ses lèvres, du bout de la langue, aussi délicatement que si elle avait été de cristal. Il ne semblait plus la considérer comme une chatte toutes griffes dehors, mais comme une créature délicate et fragile. Jusqu'à ce qu'elle n'y tînt plus. Elle entrouvrit les lèvres, aussi timidement qu'une vierge. Ce qu'elle était peut-être, d'une certaine façon: aucun homme ne l'avait embrassée ainsi, l'attisant, l'excitant. Il insinua enfin sa langue dans sa bouche et, avidement, elle darda la sienne à sa rencontre. Le contact l'électrisa. Ces saveurs qu'il distillait la chaviraient. Il pesait contre elle de tout le poids de son corps, et elle se prit à rêver qu'il n'y eût pas toutes ces couches d'étoffe entre eux. Mais en dépit de cela, elle sentait son sexe pressé contre son ventre, et elle geignit.

Il s'arrêta net. La posa doucement par terre, veillant à ce qu'une distance respectable les sépare.

Puis il fit une courbette, lui souhaita bonne nuit et quitta le salon.

Les jambes flageolantes, Emeline resta un long moment appuyée au mur. Elle avait l'impression qu'elle n'arriverait pas à marcher jusqu'au canapé. Lorsqu'elle se ressaisit finalement, elle alla s'allonger sur les coussins et lécha le sang sur ses lèvres. Était-ce celui de Sam? Le sien? Elle l'ignorait.

Un homme civilisé, se répétait Sam en passant devant le valet. Un homme civilisé…

Il sortit de la maison, dévala les marches du perron et s'élança en courant dans la rue, à longues foulées puissantes, cherchant dans l'effort chaleur et réconfort.

Un homme civilisé.

De tous les qualificatifs que l'on pût employer le concernant, «civilisé» était celui qui convenait le moins. Personne ne songerait jamais à l'utiliser, Emeline pas davantage qu'un autre. Il tourna au coin du bâtiment et fendit en deux un groupe de fêtards. Les hommes s'éparpillèrent dans la rue, surpris par sa subite apparition, puis lui lancèrent des insultes. Mais Sam était déjà loin. Ses pieds martelaient le pavé en un staccato régulier, assourdi par les semelles lisses des mocassins. L'adrénaline affluait dans ses veines, rendant chaque foulée plus facile, plus grisante. Il avait l'impression qu'il aurait pu courir ainsi des heures, voire des jours.

À quoi bon désirer une femme qui ne voulait pas de lui ? À Boston, il était un personnage respecté, l'un des hommes qui comptaient le plus dans le monde du commerce. Grâce soit rendue à l'héritage de son oncle, et à la fortune qu'il avait réussi à accumuler ensuite. L'année précédente, il avait été approché à deux reprises par des pères qui l'avaient informé qu'ils seraient heureux de l'avoir pour gendre. Dans les deux cas, les demoiselles étaient fort plaisantes, mais il n'avait pas ressenti l'étincelle décisive. Peut-être plaçait-il la barre trop haut. Un homme comme lui aurait sans doute dû fonder une gentille petite famille en se contentant d'une épouse au joli minois.

Il sauta par-dessus un tas d'immondices. Il se sentait stupide, à se consumer de désir pour une femme qu'il ne pouvait avoir. Une femme qui voulait un *homme civilisé*. Pourquoi elle, nom d'un chien ? Pourquoi cette snobinarde qui ne l'appréciait même pas un peu ?

Il marqua une halte, mains sur les hanches, et s'étira. Le sort lui jouait un sale tour, sinon comment expliquer que tout soit arrivé en même temps ? La vision de Spinner's Falls, si réaliste au cours de ce fichu bal, sa confrontation avec Vale, puis l'horrible révélation : Emeline était fiancée à ce benêt d'aristocrate…

La tête en arrière, il lança un grand rire à la lune : son univers menaçait de s'écrouler autour de lui. Un chat effrayé par le bruit détala en miaulant.

Sam se remit à courir.

Emeline fit glisser son doigt sur la couverture de feutrine verte du livre. Un petit amas de poussière tomba sur la table basse. Elle avait trouvé le recueil de contes de fées que Reynaud et elle, enfants, avaient passé tant de temps à lire. Au prix d'une fouille acharnée du grenier, toute la matinée durant. Elle avait éternué et dû prendre un bain ensuite, mais elle avait déniché le livre. Maintenant, il se trouvait sur la table de son petit salon.

Elle n'avait pas imaginé qu'il pût être en aussi mauvais état. Dans son souvenir, le livre était tout beau et tout neuf. Elle revoyait les doigts fins de son frère tournant les pages. Mais les souris et l'humidité avaient fait leurs ravages. La reliure était gondolée et les pages jaunies se détachaient.

Elle fronça les sourcils en lissant un angle de la couverture écorné. La gravure représentait un bâton appuyé à un paquetage de militaire en piteux état, comme si un soldat de retour de guerre avait posé ses affaires devant la porte de sa maison.

Elle soupira et retourna le livre pour regarder la quatrième de couverture, ce qui lui causa une désagréable surprise : le livre était en allemand. Elle avait oublié ce détail. À l'époque où Reynaud et elle se passionnaient pour ces contes, elle lisait à peine et n'avait fait qu'examiner les illustrations.

En fait, elle n'était même pas sûre que le texte fût en allemand. Le titre était calligraphié en lettres ornementées au point d'en être presque illisibles. En dessous, une gravure représentait quatre soldats portant de hauts chapeaux et des guêtres. Ils marchaient de front. Nanny était une émigrée prussienne arrivée en Angleterre étant enfant. Le livre devait lui avoir appartenu. Nanny avait-elle raconté l'histoire de mémoire, ou l'avait-elle traduite au fur et à mesure qu'elle tournait les pages ?

Des voix en provenance du vestibule arrachèrent Emeline à ses réflexions. Elle s'éloigna de la table. Pour une raison qui lui échappait, elle n'avait pas envie de partager sa trouvaille avec des visiteurs.

Crabs ouvrit la porte.

— Madame, lord Vale et M. Hartley sont là.

— Faites-les entrer.

Elle était étonnée. Elle les avait conviés à venir prendre le thé mais pas un instant, après le mouvementé épisode de la soirée, elle n'avait envisagé qu'ils puissent arriver ensemble. Et pourtant, ils étaient là. Jasper en redingote écarlate soutachée de jaune et gilet bleu cobalt qui rehaussait la couleur de ses yeux. Ses cheveux sombres étaient attachés sur la nuque en une queue non poudrée qui laissait échapper des boucles. Emeline connaissait des femmes qui auraient tué père et mère pour avoir une chevelure comme celle de Jasper.

— Ma douce, dit-il en lui effleurant distraitement l'oreille gauche d'un baiser.

En jetant un coup d'œil par-dessus l'épaule de Jasper, elle capta le regard énigmatique de Sam. Le colon portait du marron. À côté de Jasper, à la mise tellement colorée, il avait tout d'une corneille dans l'ombre d'un faisan. Le vicomte alla s'asseoir dans l'un des fauteuils tendus de tissu orange foncé.

— Hartley et moi arrivons chapeau à la main comme des solliciteurs devant une reine. Qu'attends-tu de nous, très chère ? Vas-tu nous proposer une trêve ?

— Peut-être, fit Emeline en souriant à Jasper avant de se tourner vers Sam.

Elle se crispa dans l'attente d'un contact entre eux, fût-il aussi léger qu'un baisemain. Mais Sam posa les doigts sur le dossier d'une chaise.

— Votre sœur va-t-elle se joindre à nous, monsieur Hartley ? demanda Emeline.

— Non. Elle vous prie de l'excuser : elle a la migraine.

— Oh, je suis désolée. Prenez donc un siège, monsieur Hartley.

Sam s'assit. Aujourd'hui, il était coiffé en tresse militaire dont pas un cheveu ne dépassait. Emeline ressentit l'envie de passer brusquement la main sur sa tête et d'ébouriffer ce bel ordonnancement.

Les bonnes pénétrèrent dans le salon, l'arrachant à sa rêverie. Elle s'assit et surveilla le service. Ainsi, elle avait une raison de garder les yeux baissés et d'éviter le regard de Sam. De cet homme qui l'avait embrassée la veille dans cette même pièce, et auquel elle avait mordu la lèvre. Le goût métallique du sang perdurait sur sa langue.

Elle fit fondre du sucre dans sa tasse et la cuiller produisit de désagréables tintements contre la porcelaine. Elle tremblait, se rendit-elle compte. Elle se résigna à lever les yeux sur Sam et lui vit un visage de marbre. Gênée, elle toussota puis se tourna vers Jasper.

— Du thé, très cher?

— Avec plaisir, merci.

Était-il totalement inconscient des ondes qui passaient entre Sam et elle? Peut-être. À moins qu'il ne feignît de ne rien remarquer. Un comportement très civilisé, en somme. Elle n'attendait pas de Jasper qu'il menât une existence de moine avant leur mariage – ni même après, d'ailleurs. Il le savait et de ce fait était probablement aussi tolérant vis-à-vis d'elle.

— Monsieur Hartley? s'enquit-elle, théière en l'air, sans regarder Sam.

Sam ne répondit pas. On n'entendait que l'horripilant crissement de la cuiller de Jasper dans sa tasse.

— Monsieur Hartley? répéta Emeline.

Face à ce silence, elle se fit violence et le regarda. Il la fixait.

— Oui, j'aimerais bien un peu de thé, dit-il enfin.

Mais l'intonation ne cadrait pas avec les mots. Il aurait aimé autre chose que du thé, perçut Emeline qui s'agita sur sa chaise, affreusement mal à l'aise. Elle rougit. Et s'étonna de réussir à remplir la tasse que lui tendait Sam sans éclabousser le tapis. Quel homme abominable! Cherchait-il à l'humilier?

Jasper avait posé tasse et sous-tasse en équilibre sur ses genoux.

— Sam a dit quelque chose tout à l'heure à propos de Dick Thornton, Emmie. Je ne me souviens pas de lui. Évidemment, au départ, le régiment comptait quatre cents hommes et je suis loin de tous les avoir connus par leur nom. Je me rappelle les visages, pas les noms.

— Après la bataille de Québec, ils étaient bien moins nombreux que cela, remarqua Sam.

— M. Thornton était-il un simple soldat? demanda Emeline. Après l'avoir rencontré l'autre soir, je n'aurais jamais imaginé cela. Il s'exprimait très bien.

— Lorsque nous l'avons connu pendant la guerre, expliqua Sam, Thornton était un soldat de deuxième classe. Il était très ami avec un autre soldat, McDonald.

— Les jumeaux rouquins! s'exclama Jasper. Toujours ensemble, toujours prêts à chercher la bagarre!

— C'est cela, approuva Sam.

Les yeux d'Emeline allaient de l'un à l'autre. Les deux hommes semblaient avoir conclu quelque viril accord qui la mettait hors jeu.

— Tu connais donc ce McDonald, Jasper?

— Sacrebleu, maintenant, je me le rappelle, oui. Sale affaire. McDonald et son ami Brown ont été accusés de meurtre et...

Tout en jetant un coup d'œil embarrassé à Emeline, il affecta une subite quinte de toux pour ne pas poursuivre. Elle haussa les sourcils. Si elle se basait sur les regards qu'échangeaient les deux hommes, la sale affaire devait être trop horrible pour qu'ils l'exposent devant elle. Elle poussa un soupir de frustration. Les hommes étaient vraiment sots, parfois.

— McDonald a-t-il réchappé du massacre? s'enquit Jasper.

— Non. Thornton m'a dit avoir vu tomber McDonald. Brown a dû être tué lui aussi. S'il avait survécu, nous aurions entendu parler de son passage en cour martiale.

— Mais nous ne sommes pas certains, pour Brown.

— Non.

— Nous devrions interroger Thornton. Peut-être sait-il quelque chose.

— *Nous?*

Jasper eut soudain l'air d'un petit garçon gêné. Emeline lui avait souvent vu cette mine lorsqu'ils étaient enfants. Il l'adoptait pour esquiver les affrontements.

— Je pensais que, n'étant pas le traître, je pourrais vous seconder dans votre enquête, Sam.

— Je suis heureux de constater que vous vous êtes acquitté vous-même, répliqua Sam sèchement, mais je ne suis pas confiant au point de...

— Oh, allons, Samuel! s'écria Emeline. Vous savez que Jasper n'est pas le traître, alors reconnaissez-le!

Elle avait employé son prénom! Confuse, elle battit nerveusement des cils. Sam s'inclina cérémonieusement devant elle.

— Comme il plaira à madame.

Puis il se tourna vers Jasper.

— Si cela doit calmer votre fiancée, monsieur, je reconnais votre innocence.

— C'est très gentil à vous, dit Jasper en souriant de toutes ses dents.

Sam lui sourit en retour.

— Voilà qui est réglé, déclara Emeline. Vous allez enquêter ensemble sur les causes de ce massacre.

Jasper interrogea Sam du regard, lequel hocha la tête avec une solennité exagérée.

— Ensemble, répéta-t-il.

8

Jour après jour, nuit après nuit, Cœur de Fer veilla sur la princesse Solace. Il se tenait derrière elle pendant qu'elle prenait ses repas. Il la suivait quand elle marchait dans les jardins du palais. Il chevauchait à son côté lorsqu'elle pratiquait la chasse au faucon. Et il l'écoutait, le visage grave, quand elle lui révélait ses pensées, ses émotions et les secrets qu'elle gardait dans son cœur. Bien qu'étrange, c'est un fait patent : une dame peut tomber amoureuse d'un homme qui ne prononce pas un seul mot.

Rebecca entrouvrit la porte de sa chambre et scruta le couloir. Personne, apparemment. Elle sortit sur la pointe des pieds et referma la porte derrière elle. Elle était censée être couchée avec la migraine. Evans lui avait apporté des linges parfumés et indiqué qu'elle devait les garder sur le front pendant trente minutes. Mais dans la mesure où ce mal de tête n'était qu'un prétexte, Rebecca ne se sentait pas coupable de ne pas obéir aux consignes. Ce qui ne l'empêchait pas de craindre la gouvernante.

Elle descendit sans bruit l'escalier puis se dirigea vers l'arrière de la maison et, de là, vers la porte qui donnait sur le jardin. Elle avait eu si peur, la veille, lorsque Sam avait été à deux doigts de se battre ! Son grand frère lui paraissait toujours si solide, si fort, doté d'un impressionnant sang-froid… Le voir soudain blême et tremblant l'avait terrifiée. Sam était le roc sur lequel elle s'appuyait.

Des voix montaient du salon. Elle s'arrêta et écouta. Deux bonnes se disputaient à propos du nettoyage des cheminées. Elle s'apaisa. Le corridor était sombre mais la porte était juste devant elle. Elle songea qu'elle était ridicule de se sentir trahie par Sam maintenant qu'il avait avoué les vraies raisons de ce voyage à Londres. C'était elle qui l'avait supplié de l'emmener. Elle avait été si heureuse, si reconnaissante qu'il accepte ! Et voilà que sa déception était à la hauteur de sa joie initiale.

Elle ouvrit la porte et déboucha dans le soleil. Peut-être était-ce parce que les propriétaires mettaient leur maison en location qu'ils ne se souciaient pas de l'entretien du jardin. Il était négligé. Pas de fleurs, mais des allées gravillonnées bordées de haies qui lui arrivaient à l'épaule. Çà et là, des arbustes ornementaux, ou des massifs taillés dessinant des motifs compliqués. Des bancs rompaient l'alignement des haies, pour accueillir le promeneur las de tant de monotonie.

Elle suivit d'un pas lent l'une des allées, la main tendue frôlant les feuillages au passage. Elle savait que les émotions qu'elle ressentait vis-à-vis de son frère étaient excessives. Il lui semblait qu'elle cherchait sans cesse à retenir son attention, comme une gamine et non une femme adulte. D'où lui venait ce besoin ? Peut-être…

— Bonjour.

Rebecca se retourna. La haie se scindait en deux sur sa droite, révélant un petit espace avec un banc en son centre. L'homme assis dessus se leva. Il était roux et pendant quelques instants, elle ne le situa pas. Il s'avança et elle reconnut alors l'ancien compagnon de Sam à l'armée. Celui qu'ils avaient croisé dans le salon de thé. Elle ne se souvenait pas de son nom.

— Je n'avais pas remarqué votre présence, monsieur.

— Je suis désolé. Je ne voulais pas vous faire peur, dit l'homme en souriant.

Il avait de superbes dents blanches.

— Il n'y a pas de problème. Mais… euh… pourquoi…

— Vous vous demandez ce que je fais dans votre jardin, n'est-ce pas ?

— Effectivement.

— Eh bien, je suis venu voir votre frère, mais il n'est pas là, alors j'attends son retour. J'espérais parler avec lui un moment. Je ne vois plus beaucoup d'anciens du régiment. La plupart sont morts lors du massacre.

— Spinner's Falls…

Le nom de la bataille était désormais gravé dans l'esprit de Rebecca. Sam ne l'avait jamais mentionné auparavant. Jusqu'au bal des Westerton, elle n'avait pas imaginé l'importance de cet événement.

Elle se pencha vers le rouquin.

— Pourriez-vous me raconter ce qui s'est passé là-bas ? Sam n'en parle jamais.

L'homme parut étonné, mais acquiesça néanmoins.

— Bien sûr. Je comprends.

Il croisa les mains derrière son dos et commença :

— Le régiment rentrait de Québec, après avoir repris le fort aux Français. Le siège avait été très long. Tout l'été. Mais nous avons fini par vaincre. Puis ce fut l'automne, et les officiers ont jugé sage un retrait avant l'hiver, tellement rude dans ces contrées. Nous avons donc marché vers le sud. Vers Fort Edward. Personne à part nos officiers ne savait quel chemin nous allions emprunter. Les Indiens se cachaient dans les forêts tout autour de nous. Notre commandant, le colonel Darby, espérait rejoindre le fort sans que les Indiens se rendent compte de notre présence.

— Mais ce n'est pas ce qui se passa.

— Non, hélas. Le régiment a été attaqué la deuxième semaine. Nous avancions en file, deux par deux, et tout à coup…

Il s'interrompit. Rebecca attendit, mais il resta silencieux. Ils avaient marché jusqu'au fond du jardin, et étaient arrivés devant la grille qui s'ouvrait sur les écuries. La jeune fille s'arrêta et regarda l'ami de Sam. Comment s'appelait-il ? Elle oubliait toujours les noms des gens !

— Qu'est-il arrivé alors ? demanda-t-elle.

Il lui décocha un coup d'œil.

— Ils nous ont pris en tenaille et la plupart des hommes ont été tués. Vous savez que les Indiens coupent d'un coup de hachette les scalps de leurs victimes et les exhibent comme trophées. Imaginez ma détresse quand j'ai entendu un Indien lancer à un autre qu'il voulait mon scalp parce qu'il était joli !

Il se tapota le crâne. Rebecca riva son regard sur la pointe de ses chaussures. Elle n'était plus du tout sûre d'être heureuse de connaître enfin quelques éléments des épreuves endurées par son frère. Peut-être eût-il mieux valu qu'elle reste dans l'ignorance.

— McDonald n'a pas eu autant de chance que moi, reprit l'homme.

— Pardon ?

— McDonald. Un autre soldat, un ami, qui était aussi roux que moi. Les Indiens lui ont pris son scalp.

— Vous ne lui avez jamais dit comment Saint Aubyn est mort, n'est-ce pas ? demanda Sam cet après-midi-là.

Ils roulaient dans la voiture de Vale, en direction de l'East End. Thornton n'étant pas à son bureau, ils avaient décidé d'aller voir Ned Allen, le sergent survivant. Sam espérait le trouver sobre.

— À Emmie ?

Sam hocha la tête.

— Non, bien sûr que non, répondit Vale. Je me suis bien gardé de lui apprendre que son frère avait été accroché à une croix et brûlé vif. L'auriez-vous fait, vous ?

— Non, admit Sam en soutenant son regard.

À contrecœur, il ressentait de la gratitude envers Vale. Il appréciait qu'il eût résisté aux multiples interrogatoires auxquels Emeline n'avait pas dû manquer de le soumettre. Il avait vu la jeune femme à l'œuvre. Une fois qu'elle avait une idée en tête, seul un homme très volontaire était à même de faire front sans céder. Manifestement, Vale était ce genre d'homme. Maudit soit-il !

— Nous n'avons donc pas de problème, remarqua le vicomte.

— Mais nous allons peut-être en avoir un.

— Ah bon ?

La voiture négocia un virage, et Sam dut agripper la poignée de cuir qui pendait au-dessus de sa tête.

— Lady Emeline veut savoir ce qui s'est passé, comment Reynaud est mort.

— Mon Dieu… souffla Vale douloureusement.

Sam sentit sa gorge se serrer. Il s'était persuadé que cet homme ne tenait pas à Emeline, qu'il s'apprêtait à faire un mariage de convenance. Apparemment, ce n'était pas le cas.

— Vous ne devez pas le lui dire, Hartley! Elle n'a pas besoin de vivre avec cette image dans la tête!

— Je le sais bien.

— Alors nous sommes d'accord?

— Oui.

Vale le regardait, prêt à reprendre la parole, quand la voiture s'immobilisa. Il jeta un coup d'œil par la fenêtre.

— Dans quel ravissant quartier de Londres vous m'avez amené, Hartley!

Ils se trouvaient au cœur de l'East End. Les immeubles décrépis étaient si proches les uns des autres que les venelles les séparant ne pouvaient laisser passer qu'un homme. Ils allaient devoir continuer à pied.

— Vous pouvez rester dans la voiture si vous avez peur, Vale.

Le vicomte émit un petit bruit réprobateur. La portière s'ouvrit, un valet déplia le marchepied puis demanda, inquiet, à lord Vale:

— Voulez-vous que je vous accompagne, monsieur? Ce n'est pas un endroit sûr, par ici.

— Tout ira bien, ne vous en faites pas, dit Vale en donnant au valet une tape amicale sur l'épaule. Restez ici et gardez la voiture.

— Bien, monsieur.

Sans plus attendre, Sam s'engagea dans une venelle sombre. Vale lui emboîta le pas.

— Allons-nous vraiment voir Ned Allen, Hartley?

— Je n'en ai guère d'autres à interroger. Les survivants ne sont qu'une poignée, vous le savez. Et Allen était officier.

Vale marcha dans une flaque et jura entre ses dents. Sam cacha son sourire.

— Qu'est-il arrivé à votre lieutenant, Vale ? Il s'appelait Horn, si ma mémoire est bonne.

— Matthew Horn. Il voyage sur le continent, d'après ce que j'ai appris récemment.

— Et le naturaliste ?

— Munroe ?

Ils entrèrent dans une courette et Sam regarda autour de lui. Les maisons semblaient avoir été édifiées à la hâte après le grand incendie et commençaient déjà à se dégrader. La pestilence qui régnait dans la courette indiquait clairement qu'elle servait de lieux d'aisances aux habitants.

— Je parle de l'homme qui s'en est sorti avec vous, Vale.

Un civil, naturaliste de profession, attaché au 28e régiment. Un Écossais que les Wyandots avaient fait prisonnier.

— D'après ce que l'on m'a dit, Alistair Munroe est en Écosse. Il vit dans un château et sort très peu.

— À cause de ses blessures ? questionna Sam.

Vale n'ayant pas répondu, Sam se retourna. Il avait fallu quinze jours pour repousser les Wyandots jusqu'à leur camp et les y piéger, et pendant ce temps, les soldats capturés avaient été torturés. Les blessures de Munroe étaient particulièrement graves. Ses mains... Sam chassa cette pensée et continua à marcher, tout en surveillant les portes devant lesquelles ils passaient.

— Je ne l'ai pas vu depuis des années, dit Vale.

— Nous devrions lui écrire.

— J'ai déjà essayé. Il ne répond jamais.

Vale accéléra le pas jusqu'à se rapprocher de Sam à le toucher.

— Qu'est-ce que vous surveillez ?

— J'ai été suivi, plusieurs fois.

— Vraiment ? Pourquoi vous aurait-on suivi ?

— Je l'ignore.

Vale émit un sifflement.

— Vous devez avoir mis le doigt sur quelque chose. À qui êtes-vous allé rendre visite ?

Sam s'arrêta devant une porte basse.

— Ned Allen vit ici.

Vale examina brièvement l'immeuble, puis haussa les sourcils.

— Je l'ai appris de trois soldats, expliqua Sam impatiemment. Barrows et Douglas.

— Aucun souvenir.

— Cela ne m'étonne pas. Ce n'étaient que de simples soldats qui sont probablement restés cachés sous un chariot pendant tout le massacre. Ils n'ont quasiment rien vu. La troisième était un sapeur...

— L'un de ceux qui taillaient les arbres et préparaient le chemin pour la colonne.

— C'est cela. Il m'a raconté comment il s'est servi de sa hache pour décapiter un Indien. Il était fier de lui. Mais à part cela, il ne m'a pas dit grand-chose. Quant à Allen, j'ai essayé de lui parler, mais il était saoul. Je doute qu'Allen ou le sapeur m'aient collé quelqu'un aux basques.

Il entra dans le bâtiment. À l'intérieur, il faisait sombre et froid. Il se dirigea grâce à ses souvenirs. Derrière lui, Vale pestait.

— Ça va ? lui demanda Sam sans se retourner.

— Merveilleusement. J'apprécie énormément le charme de l'endroit.

Sam sourit. Ils gravirent quelques volées de marches puis se trouvèrent devant la porte de la chambre d'Allen. Comme précédemment, elle était ouverte et la petite pièce empestait. Allen, recroquevillé dans un coin, semblait se réduire à un tas de chiffons. Sam soupira et s'approcha de lui. De près, l'homme sentait effroyablement mauvais.

— Bon Dieu... souffla Vale en poussant Allen du bout du pied. Quel ivrogne puant.

— Je ne crois pas, dit Sam en faisant pivoter l'homme sur lui-même.

Il bascula comme un morceau de bois. Le manche en os blanc d'un couteau dépassait de sa poitrine. L'homme était mort. Vale s'accroupit à côté de lui et l'examina.

— Bon Dieu... répéta-t-il.

Sam essuya ses mains sur sa culotte. La pièce semblait tout à coup encore plus exiguë et malodorante. Incapable d'en supporter davantage, il partit en courant, dévala l'escalier et déboucha à l'air libre. Même la courette sale était plus agréable que cette chambre. Il prit plusieurs profondes inspirations, essayant de refouler la nausée qui grondait dans son estomac, puis reprit la venelle en sens inverse, conscient de la présence de Vale derrière lui.

— Vivant dans un tel taudis, il peut avoir été tué par n'importe qui, commenta le vicomte qui lui aussi respirait avec peine.

Sam lui fut reconnaissant de s'abstenir de toute réflexion quant à sa fuite.

— Peut-être. Ou alors, j'ai été suivi jusqu'ici, l'autre jour. L'homme qui était sur mes talons avait un couteau au manche en os.

— Donc le sergent Allen savait quelque chose.

— Seigneur… Si seulement j'étais revenu voir Allen plus tôt…

Vale leva les yeux vers le carré de ciel bleu.

— Ils étaient si nombreux…

— Quoi ?

— Vous rappelez-vous Tommy Pace ?

Le souvenir d'un jeune garçon, trop jeune pour avoir dit la vérité sur son âge en s'engageant, s'imposa à la mémoire de Sam. Joues constellées de taches de rousseur, cheveux sombres, petite corpulence…

— Il prétendait se raser, le saviez-vous ? enchaîna Vale d'un ton rêveur. Il avait à peine trois poils au menton et pourtant chaque matin, il se rasait avec orgueil.

— Il avait gagné ce rasoir en jouant aux cartes avec Ted Barnes.

— Je l'ignorais.

— C'est pour cela qu'il était si fier de ce rasoir.

— Barnes avait une barbe tellement épaisse… Quelle ironie.

Il y eut un long silence. Chacun des deux hommes était plongé dans ses souvenirs. Un rat passa dans l'ombre près d'une porte cochère.

— Ils sont tous deux retournés à la poussière, dit enfin Vale à voix basse. Ils ont rejoint les autres.

Il n'y avait rien à ajouter, songea Sam. Il repartit donc vers la voiture, suivi de Vale. La venelle était trop étroite pour qu'ils marchent de front.

— S'ils ont été trahis, nous les vengerons, Hartley. Tous.

Sam acquiesça d'un hochement de tête.

— Où allons-nous maintenant, Hartley ?

— Chez Dick Thornton. Il est peut-être revenu à son bureau. Il faut absolument qu'on le questionne.

— Je suis content que vous soyez de cet avis, dit Vale. Avez-vous vu le cadavre de McDonald ?

— Non.

Ils tournèrent au coin de l'immeuble et la voiture fut en vue, entourée des valets et du cocher à l'air nerveux.

— Je ne suis pas revenu en arrière, poursuivit Sam. J'avais trop à faire. J'ai filé à Fort Edward, puis j'ai guidé le détachement avec la rançon. C'est l'une des questions que j'aurais aimé poser à Allen : qui exactement, parmi les membres du régiment, a survécu ?

Les valets parurent infiniment soulagés quand leur maître et son ami les rejoignirent. Vale les salua d'un signe de tête puis entra dans la voiture, où il s'assit face à Sam. Le cocher fouetta les chevaux qui s'ébranlèrent.

— Vous ai-je jamais remercié, Hartley ? demanda Vale en regardant par la fenêtre, fasciné par le spectacle de ce quartier pouilleux.

— Oui.

Un mensonge. En fait, Vale était en état de choc lorsque le détachement avait apporté la rançon au camp wyandot pour acheter la liberté des survivants. D'après ce qu'on avait rapporté à Sam, Vale avait été contraint d'assister à la torture ou à l'exécution de Saint Aubyn, de Munroe et des autres. Quand il avait été secouru, Vale était bien incapable de remercier qui que ce soit.

— Nous n'avons donc que la parole de Thornton, pour accréditer la mort de McDonald.

— Oui.

— Écoutez, s'il est quelqu'un qui avait de bonnes raisons de s'assurer que le régiment ne rejoindrait jamais Fort Edward, c'est bien McDonald. Il marchait enchaîné!

— Et il aurait été pendu une fois arrivé au fort. Viol et meurtre. Son passage devant la cour martiale aurait été bref.

McDonald avait été un mauvais élément. Avec un autre soldat du nom de Brown, il avait pillé la maison d'un colon français, violé et tué sa femme. Coup de malchance pour McDonald et son complice, il s'était révélé que l'épouse du Français était anglaise, et sœur d'un colonel. Le pillage et le viol étaient passibles de la pendaison, mais certains officiers détournaient le regard lorsqu'ils n'étaient pas directement concernés. Mais là, la victime étant anglaise, le crime ne pouvait être ignoré. Il y avait eu une enquête au sein de l'armée et très vite des soldats étaient venus dénoncer Brown. Une fois arrêté, celui-ci avait impliqué McDonald. Les deux hommes marchaient enchaînés quand le régiment avait été attaqué.

— Brown pourrait bien être le traître, énonça Sam après réflexion.

— Oui. McDonald semblait être le chef, mais vous avez raison, Hartley, Brown avait autant de raisons que McDonald d'arrêter la progression du régiment.

— Ou alors ils sont coupables tous les deux. Mais cela n'explique pas comment ils auraient pu savoir quel chemin le 28e emprunterait.

— Brown n'était-il pas ami avec Allen?

— Si.

— En tant qu'officier, Allen connaissait la route choisie.

— Il a pu faire passer un message.

— Si Allen a parlé à quelqu'un du chemin que prendrait le régiment, c'est un bon mobile pour le tuer.

Sam songea au pathétique tas d'os et de hardes qu'ils venaient de trouver et fit la grimace.

— Oui, c'en est un.

— Mais il y a des manques dans cette théorie, remarqua Vale. Il nous faut impérativement rencontrer Thornton et voir ce qu'il se rappelle.

Sam fronça les sourcils. D'emblée, Thornton l'avait mis mal à l'aise.

— Pensez-vous que ce soit sage, Vale ? D'amener Thornton sur ce sujet, je veux dire. Le traître, c'est peut-être lui.

— Nous jouerons finement la partie. S'il croit que nous lui faisons confiance, il laissera sans doute échapper quelque chose.

Vale sourit et ajouta :

— Il faut rester proche de ses amis, mais plus encore de ses ennemis.

Dans le jardin de la maison de Sam, Emeline se figea. Que faisait Rebecca seule avec M. Thornton ?

— Vous pouvez disposer, dit-elle au majordome qui l'avait escortée.

Elle était venue voir si Rebecca allait mieux. Peut-être accepterait-elle de l'accompagner dans les boutiques pour y trouver des souliers de danse. De nouveaux souliers remontaient toujours le moral d'Emeline quand il était en berne. Après les événements de la veille, la sœur de Sam avait besoin de quelque chose qui lui rendrait sa gaieté.

Une gaieté qu'elle avait apparemment retrouvée.

— Bonjour, lança Emeline en s'approchant.

Rebecca sursauta et tourna vers la visiteuse un visage à l'expression coupable. M. Thornton, en revanche, pivota lentement sur ses talons, l'air tout à fait décontracté.

— Lady Emeline, quel plaisir de vous revoir.

Emeline étrécit les yeux. Cet homme avait été présenté dans les règles à Rebecca, mais cela n'excusait pas qu'il fût seul avec elle. Et puis, c'était tout de même bizarre de le trouver dans ce jardin si peu de temps après qu'elle eut parlé de lui avec Sam et Jasper. Oui, très bizarre.

— Monsieur Thornton, je ne m'attendais vraiment pas à vous voir ici. Cherchez-vous M. Hartley ?

Il eut un grand sourire.

— Oui, mais il semble que M. Hartley ne soit pas chez lui. Je patientais dans le jardin quand Mlle Hartley s'est jointe à moi et a rendu mon attente infiniment plaisante.

Il conclut sa déclaration par une courbette à l'adresse de Rebecca. Emeline glissa son bras sous celui de la jeune fille et l'entraîna dans l'allée. Thornton suivit.

— Ne vous ai-je pas entendu dire que vous faisiez du commerce, monsieur Thornton ?

L'allée était étroite. Thornton était donc obligé de rester derrière les deux femmes.

— Oui. Je suis fabricant de bottes.

— De bottes, répéta Emeline.

— Les bottes, c'est très important, assura Rebecca, volant au secours de Thornton.

— Je fournis l'armée de Sa Majesté.

Il vint à l'esprit d'Emeline que ce Thornton était peut-être fortuné. Elle en savait bien peu sur les équipements militaires, mais elle pouvait imaginer que des monceaux de bottes soient nécessaires à l'armée.

— Sont-elles fabriquées à Londres, monsieur Thornton ? demanda Rebecca en tournant la tête vers le marchand.

— Oh, oui. J'ai un atelier sur Dover Street et j'emploie trente-deux ouvriers.

— Alors vous ne fabriquez pas ces bottes vous-même ? s'enquit Emeline d'un ton faussement ingénu.

Rebecca parut choquée, mais Thornton répondit avec chaleur :

— Non, madame. J'ai bien peur d'en être incapable. Mon père savait, lui. Il a commencé son commerce ainsi, puis il a rapidement embauché des gens qui ont travaillé pour lui. J'aurais pu apprendre, étant jeune, mais j'ai eu quelques dissensions avec mon père...

— Est-ce pour cela que vous vous êtes engagé dans l'armée ? questionna Rebecca.

Elle s'était arrêtée pour regarder Thornton en face, et Emeline n'eut d'autre choix que de l'imiter. Thornton souriait, et elle dut convenir qu'il était séduisant.

— Oui, mademoiselle Hartley. J'ai laissé mon père et ma femme, et...

— Vous êtes donc marié ? coupa Emeline.

— Non, répondit Thornton d'un ton affligé. Ma pauvre Marie est morte peu après mon retour à la maison.

— Oh… Je suis désolée.

Emeline scruta l'allée. Quelqu'un venait.

— Ce fut un terrible choc, reprit Thornton. Elle…

— Emmie ! Tu es là ! s'écria Jasper qui arrivait à grands pas.

Thornton s'était tu. Découvrant Jasper, il blêmit. Emeline était déçue. Ce n'était pas Jasper qu'elle avait espéré voir. Mais… Oui, Sam était là aussi, derrière le vicomte, yeux mi-clos, expression neutre.

— Eh bien, mon cher Jasper, dit Emeline en tendant sa main, tes recherches ont-elles été fructueuses ?

Jasper lui fit un baisemain, puis expliqua :

— Nous avons hélas perdu la piste, alors nous sommes partis en quête de M. Thornton. Il n'était pas à son bureau. Nous sommes donc rentrés bredouilles et voilà que M. Thornton est ici !

Sam salua Emeline et Rebecca, puis son invité inattendu.

— Monsieur Thornton, je suis heureux de vous voir, bien que je sois fort étonné de vous trouver chez moi.

— Je n'entendais pas abuser de votre hospitalité, mais j'étais dans le quartier et mes pieds m'ont amené d'eux-mêmes jusqu'à votre maison.

— Vraiment ?

— Vraiment. Je n'avais rien prévu de la sorte. Peut-être sont-ce ces souvenirs de la guerre que vous avez évoqués l'autre jour qui…

Il marqua une pause, hésitant. Il fixait ses chaussures. Puis il se décida à lever les yeux et regarder Sam en face.

— Vous allez penser que j'ai une imagination débordante, monsieur Hartley, mais j'ai eu l'impression que vous subodoriez que ce qui s'est passé à Spinner's Falls n'était pas dû au hasard.

Il y eut un silence. Les deux hommes s'affrontaient du regard. Sam dépassait Thornton d'une tête, mais par ailleurs, il y avait entre eux certaines similitudes. Tous deux étaient des commerçants qui s'étaient faits tout seuls. Ils avaient grimpé l'échelle sociale à la force du poignet, affichaient une évidente confiance en eux, la capacité à paraître des gentilshommes, à regarder ces derniers de haut. Ils savaient saisir leur chance au passage, même si le jeu était risqué.

— Peut-être, si ces dames le permettent, dit Sam, pourrions-nous nous retirer dans mon bureau pour discuter.

Emeline n'en crut pas ses oreilles. Croyait-il pouvoir l'écarter aussi cavalièrement ?

— Je suis très intéressée par ce qu'a à dire M. Thornton.

— Emmie… fit Jasper nerveusement.

Elle ne lui accorda pas un regard. Ses yeux étaient rivés sur Sam. Elle vit tressauter un muscle de sa mâchoire. Il ne paraissait pas du tout content. Néanmoins, il hocha la tête avant de pivoter vers Thornton.

— Nous avons été trahis, lâcha-t-il tout de go.

Emeline se rengorgea. Sam la traitait d'égal à égal, et la confiance qu'il lui manifestait la grisait.

— Je le savais, répliqua Thornton dans un souffle.

— Vraiment ?

— Sur le moment, non, monsieur Hartley. Mais il aurait fallu un tel nombre de coïncidences pour que nous soyons attaqués à cet endroit précis, et qu'en plus les Indiens soient si nombreux, que l'hypothèse du hasard ne tenait pas debout. C'est ce que je me suis dit après réflexion. Quelqu'un avait élaboré un plan parfait de toute l'attaque.

— C'est ce qu'il semble, approuva Jasper. Thornton, la question que nous voulions vous poser est la suivante : êtes-vous certain que McDonald et Brown sont morts ?

Pendant un moment, Thornton parut en pleine confusion.

— McDonald ? répéta-t-il finalement. Oh, oui. Je vois où vous voulez en venir, mais vous faites fausse route. Tous les deux sont morts. J'ai aidé à les enterrer.

Emeline s'interrogeait : qu'insinuaient les trois hommes à propos de ce McDonald ? Elle interrogerait Sam en privé.

— Bon sang, si le coupable avait été McDonald, on aurait pu clôturer proprement et nettement cette affaire. Mais nous avons quand même d'autres questions à vous poser, Thornton.

— Peut-être devrions-nous aller à l'intérieur, proposa Sam.

Il offrit son bras à sa sœur, mais à son grand dam, ce fut celui de Thornton qu'elle prit. Emeline vit à son expression qu'il était blessé. Elle posa la main sur sa manche.

— Quelle bonne idée, monsieur Hartley. J'apprécierais un thé.

Sam regarda sa main, et ses sourcils se haussèrent légèrement. Enfin, il se résolut à suivre les autres qui se dirigeaient vers la maison.

— Je ne sais pas si je puis vous être utile en quoi que ce soit, disait Thornton. L'homme auquel vous devriez parler, c'est le caporal Craddock.

— Pourquoi cela ? demanda Sam d'une voix forte pour s'assurer d'être entendu.

Thornton se tourna vers lui.

— Il s'est occupé de ramasser les blessés après la bataille, après que vous... que vous êtes parti en courant dans la forêt. Craddock était l'officier en charge.

Emeline sentit le bras de Sam se crisper. Jasper, remarqua-t-elle, ne paraissait pas avoir noté que Thornton venait quasiment de traiter Sam de lâche.

— Est-il à Londres ? s'enquit Jasper.

— Non. Je crois qu'il s'est retiré à la campagne après la guerre. Quoique, je me trompe peut-être. On entend tellement de choses. Mais je pense qu'il est dans le Sussex, près de Portsmouth.

Emeline s'était efforcée de réprimer un sursaut, mais Sam lui chuchota :

— Qu'y a-t-il ?

Elle hésita. Ce matin, elle avait fait le tri parmi toutes les invitations reçues, afin de décider lesquelles elle accepterait au cours du mois à venir.

— Dites-moi, madame, insista Sam.

— Nous sommes invités chez les Hasselthorpe, dans le Sussex.

— De quoi parles-tu, Emmie? lança Jasper par-dessus son épaule.

— Lord et lady Hasselthorpe, très cher. T'en souviens-tu? Ils nous ont invités il y a des semaines et leur maison est très proche de Portsmouth.

— Bon sang, mais tu as raison! Quel coup de chance! Nous pouvons tous aller à ce raout, rendre visite à Craddock et...

Jasper s'arrêta net. Il jeta un coup d'œil désolé à Thornton. Sam et Rebecca pouvaient être conviés, au titre d'amis d'Emeline. Mais un fabricant de bottes, si riche soit-il, c'était autre chose.

Thornton ne parut pas se formaliser. Il sourit et haussa les épaules.

— Ne vous en faites pas, je peux continuer à enquêter à Londres pendant que vous discuterez avec Craddock.

Emeline comprit que la décision était prise. Oh, bien sûr, il faudrait débattre de quelques détails, solliciter des invitations pour les Hartley auprès de lady Hasselthorpe, mais ces menus problèmes seraient vite réglés. Elle se rendrait à une partie de campagne avec Sam.

Elle leva les yeux vers lui, sachant qu'il la fixait. Les prunelles couleur café étaient effectivement dardées sur elle. Une angoissante question lui vint alors à l'esprit: avait-il la moindre idée de la façon dont se déroulaient les parties de campagne?

9

Le roi aimait sa fille par-dessus tout. Il veillait à ce que, quoi qu'elle sollicitât, elle l'obtînt incontinent. Ce qui explique que lorsque la princesse lui demanda la permission de se marier avec son garde personnel, au lieu de rechigner comme n'importe quel autre souverain l'eût fait, le roi accepta, en soupirant toutefois. C'est ainsi que Cœur de Fer épousa la plus belle femme du royaume, princesse de surcroît.

— Seras-tu partie *très* longtemps, maman ? demanda Daniel une semaine plus tard.

Il était allongé sur le lit d'Emeline, la tête pendant dans le vide, les pieds en l'air, gênant Harris qui faisait les bagages.

— Probablement quinze jours, mon chéri.

Assise devant sa coiffeuse, Emeline essayait de décider quels bijoux elle porterait chez les Hasselthorpe.

— Quinze jours ! Mais c'est terriblement long ! s'écria Daniel en calant son pied dans les rideaux du lit.

— Lord Eddings ! protesta Harris.

Un enfant ne devait pas manquer à sa mère, songea Emeline. Nombre de femmes ne voyaient quasiment jamais les leurs. Pourtant, elle détestait laisser Daniel. À chacune de ses absences, lui dire au revoir lui brisait le cœur.

— Vous pouvez disposer, Harris.

— Mais, madame, je n'ai pas terminé.

— Je sais. Mais vous avez travaillé dur. Vous avez certainement besoin d'un rafraîchissement. Pourquoi n'iriez-vous pas prendre un peu de thé dans la cuisine?

Harris n'était pas d'accord, cela se voyait à sa mine, mais elle savait qu'il valait mieux ne pas contrarier sa maîtresse. Elle posa donc la pile de vêtements qu'elle portait et sortit de la chambre, dont elle referma la porte derrière elle.

Emeline se leva, s'approcha du lit, repoussa la montagne de jupons sur le côté de façon à se ménager un espace puis s'assit, dos contre la grande tête de lit en chêne, jambes étendues sur la courtepointe.

— Viens ici, jeune homme.

Daniel rampa jusqu'à elle.

— Je ne veux pas que tu partes, maman.

Il se nicha sur ses genoux. Elle fourragea dans ses boucles blondes.

— Je sais, mon chéri. Mais je ne serai pas longtemps absente et je t'écrirai tous les jours.

La peine de l'enfant était profonde. Le visage caché, il frissonnait, pleurant sans doute en silence.

— Tante Cristelle va rester avec toi, mon ange. Et tu ne toucheras pas aux beignets, bonbons ou gâteaux, n'est-ce pas? Tu vas perdre du poids et à mon retour, je ne te reconnaîtrai pas tellement tu seras maigre.

Le petit garçon s'agita, puis leva ses grands yeux bleus sur sa mère.

— C'est bête, ce que tu dis. Tante Cristelle me donnera plein de sucreries.

— Oh! Vraiment? Elle était pourtant très sévère avec moi.

— Je serai une grosse boule quand tu reviendras, assura Daniel.

Et il gonfla les joues pour montrer le résultat à attendre d'une orgie quotidienne de friandises. Emeline éclata de rire.

— Et puis, je discuterai avec M. Hartley, continua l'enfant.

Prise au dépourvu, Emeline cilla.

— Je... je suis désolée, mon chéri, mais M. Hartley et sa sœur m'accompagnent.

Daniel fit la moue.

— As-tu souvent bavardé avec M. Hartley, Daniel ?

— Oui. Je lui parle par-dessus le mur, et parfois, je vais lui rendre visite dans son jardin. Mais cela ne l'ennuie pas, tu sais. Pas du tout.

Emeline n'en était pas certaine. Mais elle devait convenir que Sam et son fils semblaient s'être liés d'amitié à son insu. Et elle ne savait trop que penser de cet état de fait.

— Maman, peux-tu me chanter ma chanson ? s'enquit Daniel d'une toute petite voix.

Emeline prit une inspiration puis commença à chanter *Billy Boy*, en remplaçant comme elle le faisait toujours « Billy » par « Danny ».

— « Oh, mais où es-tu allé,

« Danny Boy, Danny Boy ?

« Oh, mais où es-tu allé,

« Charmant Danny ? »

Et tout en chantant, Emeline se demandait ce qui allait se passer au cours des quinze jours suivants.

La voiture de location n'était pas aussi bien suspendue que celle d'Emeline, et Sam commençait à regretter d'avoir choisi de voyager auprès de sa sœur dans ce véhicule plutôt que d'avoir loué un cheval. Mais il avait si peu communiqué avec Rebecca depuis le désastreux bal des Westerton. Il espérait que le temps qu'ils passeraient ensemble pendant le voyage arrangerait la situation.

Pour l'instant, il n'en était rien.

Assise en face de lui, Rebecca regardait par la fenêtre comme si la vue des haies et des champs était la plus fascinante du monde. Le visage de la jeune fille n'avait pas un profil académique, mais Sam le trouvait ravissant. Il lui rappelait celui de leur mère.

Il s'éclaircit la gorge, puis déclara :

— Je crois qu'il y aura un bal.

Rebecca se tourna vers lui, sourcils froncés.

— Pardon ?

— Je dis : je crois qu'il y aura un bal.

— Ah bon ?

Rebecca ne semblait pas particulièrement intéressée. Or il aurait parié qu'elle serait ravie.

— Je suis navré d'avoir gâché celui des Westerton.

La jeune fille exhala une longue bouffée d'air, comme si elle était exaspérée.

— Pourquoi ne m'as-tu rien dit, Sam ?

— Te dire quoi ?

— Tu le sais fort bien, rétorqua-t-elle sèchement. Tu ne me parles jamais. Tu ne…

— Nous parlons en ce moment, Becca.

— Oui, mais tu ne vas rien me révéler ! Tu ne me dis jamais rien. Même quand des gens profèrent d'horribles accusations à ton encontre ! M. Thornton t'a quasiment traité de lâche dans le jardin, l'autre jour. Et tu es resté muet ! Pourquoi ne t'es-tu pas défendu ?

Il sentit sa bouche former une moue méprisante.

— Ce que les gens de l'espèce de Thornton disent ne mérite pas d'être relevé.

— Alors, tu as préféré garder le silence et te laisser condamner ?

Il secoua la tête. Il lui était impossible d'expliquer et faire comprendre ses actes à Rebecca.

— Sam, je ne fais pas partie de « ces gens ». Même si tu refuses de te justifier, tu dois me parler. Nous sommes les deux seuls membres de la famille encore vivants. Oncle Thomas est mort, papa et maman aussi, je ne les ai même pas connus, alors en quoi est-ce anormal que je veuille me rapprocher de toi ? Que je sache ce que mon frère a dû affronter pendant la guerre ?

Ce fut au tour de Sam de se tourner vers la fenêtre. Il avait l'impression de sentir une odeur de transpiration dans la voiture. Son cerveau lui jouait d'abominables tours.

— Il n'est pas facile de parler de la guerre, Becca.

— Et pourtant, j'ai entendu d'anciens soldats le faire, des officiers de cavalerie raconter leurs charges, des marins, leurs batailles navales.

— Ils n'étaient pas…

— Pas quoi, Sam ?

Rebecca se pencha.

— Dis-moi, Sam.

Il réussit à soutenir le regard de la jeune fille, mais avec peine.

— Les soldats qui ont été au cœur de l'action, qui ont vu leurs compagnons rendre le dernier souffle… ces soldats-là parlent difficilement de la guerre. Ce n'est pas quelque chose dont on veut se souvenir. Cela fait trop mal.

Un silence, puis Rebecca murmura :

— Alors de quoi peux-tu parler ? Il doit bien y avoir…

Il la coupa, un sourire sans joie sur les lèvres.

— De la pluie.

— Quoi ?

— La pluie. Quand il pleut pendant qu'on marche, on ne peut s'abriter nulle part. On est transi, les provisions sont trempées, la piste n'est que boue qui colle aux bottes et les hommes glissent. Et lorsque l'un d'eux tombe, on dirait qu'il y a une règle : une douzaine d'autres l'imitent involontairement, et leurs vêtements, leurs cheveux sont englués de fange.

— Mais vous pouvez dresser une tente pour la nuit, non ?

— Oui, mais la toile est gorgée d'eau et le sol n'est que boue. Résultat, on se demande s'il ne serait pas ~~ boue nuit, c'était libre, sous la pluie.~~

sourire, qui fit chaud au ~~Rebecca qui souriait. Un vrai~~ cœur de Sam.

— Pauvre Samuel ! Je n'avais jamais songé que, soldat, tu passerais autant de temps dans la boue. Je t'ai toujours imaginé réalisant des actes héroïques.

— Mes actes héroïques concernent pour la plupart une bouilloire.

— Une bouilloire ?

Il hocha la tête et s'adossa à son siège. Il commençait à se détendre.

— Après une journée de marche sous des trombes d'eau, nos provisions étaient trempées, comme je te l'ai dit. Y compris les légumes secs! Tout le stock de nourriture était poisseux. Et parfois, il devait tenir une semaine.

— Ne moisissait-il pas?

— Si. À la fin de la semaine, toutes les provisions étaient vertes.

— Oh… Que faisais-tu alors? s'enquit Rebecca en se pinçant le nez.

— C'est presque un secret, murmura Sam. Ils étaient nombreux, dans l'armée, à vouloir savoir ce que je fabriquais avec ma petite bouilloire.

— Dis-moi!

— Je nourrissais toute la compagnie avec des aliments pourris. Je m'étais aperçu que si je les rinçais trois fois et ensuite les faisais bouillir, le résultat était une bonne soupe. Bien sûr, elle était meilleure quand j'attrapais un lapin ou un écureuil.

— Quelle horreur!

— C'est toi qui as tenu à savoir, Becca.

Si elle prenait plaisir à entendre des histoires affreuses, il allait la satisfaire. Raconter jusqu'à ce qu'elle crie grâce.

— Sam…

— Oui, ma chérie?

Son cœur se serra lorsqu'il la regarda. Elle avait raison, ils formaient une famille – minuscule, mais une famille quand même. À aucun prix il ne devait la laisser s'éloigner de lui. Il la vit se mordiller la lèvre, une mimique qui trahissait son extrême jeunesse.

— Crois-tu qu'elles me parleront, ces étudiantes?

Il aurait tant aimé paver de roses le chemin qui s'étirait devant elle… S'assurer que toute sa vie durant, jamais elle ne serait blessée. Hélas, il ne pouvait que lui dire la vérité

— Je crois que la plupart le feront. Mais quelques-unes garderont le nez en l'air, seront hautaines. De toute façon, cela ne vaudrait pas la peine de faire l'effort de leur parler.

— Je me doutais bien que cela se passerait ainsi. C'est juste que je me sens très nerveuse. Je ne sais jamais que faire de mes mains, je me demande si mes cheveux sont bien coiffés...

— Tu as cette bonne que t'a trouvée lady Emeline. Et puis je serai là, et lady Emeline aussi. Crois-moi, elle ne te laissera pas sortir les cheveux en désordre. D'ailleurs, je te trouve toujours parfaite.

— C'est vrai ? insista Rebecca, rougissante.

— C'est vrai.

— Bien. Il faut que je me rappelle que mon frère était le meilleur de toute l'armée de Sa Majesté pour préparer de la soupe pourrie, et je garderai la tête haute.

Sam éclata de rire.

La voiture cahota en roulant sur un obstacle. Il regarda par la fenêtre et constata qu'ils franchissaient un pont étroit. Les côtés de la voiture frôlaient les parapets.

— Arrivons-nous dans une ville ? questionna Rebecca.

Sam laissa retomber le rideau.

— Non, mais il n'y en a plus pour longtemps, je pense.

— Je l'espère. Je suis tout endolorie.

Un temps, puis :

— Quel dommage que le pauvre M. Thornton n'ait pas pu venir.

— Je crois que cela lui est égal.

— Mais... cela me semble injuste ! Il n'a pu être invité parce qu'il fabrique des bottes ! Toi aussi, tu es un commerçant.

— Exact.

— Dans les colonies, je ne pense pas que l'on ferait une telle distinction.

Sam resta coi. Elle avait raison. Ce genre de distinction entre les classes sociales lui déplaisait aussi.

— On dirait que c'est bien plus difficile en Angleterre pour un homme de s'élever dans l'échelle sociale grâce à son mérite personnel qu'en Amérique, continua Rebecca. M. Thornton a hérité de l'affaire de son père, même si elle était toute petite. Un homme qui n'aurait pas ne fût-ce que cela, qui serait par exemple simple serviteur, a-t-il une chance de devenir respectable, ici ?

La question troubla Sam. À qui songeait-elle ? Au valet aux yeux verts ?

— Non, admit-il. En Angleterre, un domestique n'a aucun espoir de s'élever socialement. La plupart d'entre eux vivent et meurent serviteurs.

Rebecca ouvrit la bouche, puis la referma et se tourna vers la fenêtre. Le silence s'installa de nouveau. Mais maintenant, il n'avait rien de lourd, de déplaisant. Il était empreint d'amitié. Rasséréné, Sam s'adossa à la banquette et ferma les yeux. Tout en somnolant, il s'interrogea : le valet O'Hare était-il à l'origine des questions de Rebecca ?

Il finit par s'assoupir. Lorsqu'il se réveilla, la voiture s'engageait dans une large allée.

— Mon Dieu, qu'elle est grande ! s'exclama Rebecca.

Elle était penchée à la fenêtre. Sam l'imita, et dut convenir qu'effectivement, la demeure des Hasselthorpe était impressionnante. Elle s'élevait au bout de l'interminable allée, au milieu d'une vaste pelouse soigneusement tondue. Un bijou sur le velours d'un écrin. Manifestement, plusieurs générations de Hasselthorpe avaient apposé leur marque sur le château de pierre grise. Ici, il y avait des fenêtres gothiques, là des cheminées Tudor. Les différents styles s'entremêlaient, preuve que la famille vivait là depuis des siècles. Devant le perron, l'allée devenait circulaire et quatre voitures étaient déjà garées, déposant leurs passagers, des messieurs et dames de la haute société.

Sam adressa un sourire rassurant à sa sœur.

— Nous sommes arrivés.

Une journée parfaite pour un pique-nique, se dit Emeline le lendemain matin : soleil radieux, ciel bleu parsemé de quelques petits nuages duveteux, légère brise qui faisait voleter les rubans sur les chapeaux des dames. Les gentilshommes paraissaient charmants et virils, les dames, ravissantes et délicates. La pelouse était encore verte et la vue délicieuse, avec ses collines douces sur lesquelles paissaient des brebis. Que demander de plus ?

Enfin, personne n'aurait dû avoir à demander davantage, si lady Hasselthorpe n'avait pas oublié le vin. Bon, c'était la faute de la gouvernante, d'accord, mais toutes les dames savaient que les serviteurs étaient le reflet de leurs maîtres. Une bonne châtelaine engageait une gouvernante compétente. Une châtelaine irresponsable, une gouvernante qui oubliait le vin.

Emeline soupira. C'était amusant. Dès que les invités s'étaient aperçus qu'il n'y avait rien à boire, ils s'étaient immédiatement découverts morts de soif. Le premier valet avait déjà envoyé plusieurs de ses garçons chercher du vin, mais le pique-nique avait commencé depuis une bonne demi-heure, et il en faudrait encore une autre avant que le problème soit réglé.

Lady Hasselthorpe passait d'invité en invité, les joues roses, agitant les mains. Elle était très belle avec ses cheveux dorés, son grand front altier et sa petite bouche en bouton de rose. Malheureusement, son intelligence était en totale inadéquation avec son apparence. Emeline se rappelait avoir passé vingt éprouvantes minutes lors d'un bal en compagnie de cette dame, à essayer d'entretenir une conversation, pour finir par se rendre compte que son interlocutrice était incapable d'aller au bout de la moindre idée ni de faire montre de la moindre logique.

Elle aurait bien aimé que Melisande soit là, mais celle-ci n'arriverait que le lendemain.

De grands éclats de rire lui firent tourner la tête. Jasper se tenait au milieu d'un groupe de messieurs et avait déclenché leur hilarité en racontant quelque histoire. Par contraste, lord Hasselthorpe discutait très sérieusement avec l'invité le plus illustre, le duc de Lister. Hasselthorpe et Lister étaient d'importants membres du Parlement, et Emeline suspectait son hôte de nourrir de hautes ambitions politiques. Elle vit Lister lancer un coup d'œil irrité à Jasper, que ce dernier ne remarqua pas. Le duc était grand, ventripotent, entre deux âges, bien connu pour son caractère ombrageux.

La jeune femme entendit tout à coup :

— Accepteriez-vous de faire quelques pas avec moi, madame ?

La voix grave de Sam. Elle se retourna, mais ne fut toutefois pas surprise. Par quelque mystérieuse magie, elle l'avait senti approcher. C'était vraiment étrange : elle paraissait toujours anticiper ses mouvements, être consciente de ses faits et gestes lorsqu'il était dans les parages.

— Je vous croyais fâché, monsieur Hartley.

Un autre homme eût éludé. Pas Sam. Il répondit sans détour.

— Moins fâché que déçu par votre projet de mariage de convenance au lieu d'un mariage d'amour.

— Dans ce cas, si mon choix vous choque tellement, je ne comprends pas pourquoi vous voulez faire quelques pas en ma compagnie.

C'était la première fois qu'ils avaient l'occasion de parler en tête à tête depuis la dispute avec Jasper, une semaine plus tôt... et le désastreux baiser qui avait suivi. Emeline regarda Jasper. Son fiancé racontait une autre histoire avec animation et ne lui prêtait aucune attention.

— Je vous crois assez raffinée, madame, pour comprendre ces raisons, ajouta Sam en inclinant la tête.

— C'est sans importance. Ce qui me dérange, c'est de me promener en compagnie d'un gentilhomme incapable de garder son sang-froid.

Il s'inclina davantage, un sourire flottant sur les lèvres, pour donner le change au cas où les autres invités l'auraient regardé. Emeline devinait qu'il ne ressentait aucune gaieté.

— Cessez de me chercher noise et marchez avec moi.

À ce moment, lady Hasselthorpe les aperçut. Pour quelque inexplicable raison, la dame avait jeté son dévolu sur une robe aux paniers démesurés drapés de satin orange et violet, une toilette vraiment peu adéquate pour une garden-party. Bien que parfaitement à la mode, elle était incongrue.

Lady Hasselthorpe s'approcha.

— Lady Emeline, ne me dites pas que je vous ai déçue ! Je ne comprends pas ce qui a pu se passer avec le vin. Je vais renvoyer Mme Leaping. Enfin, je le devrais, mais… je ne sais où trouver une autre gouvernante. C'est si difficile d'en engager une compétente !

Elle se tordait convulsivement les mains, en proie à un intense embarras.

— Trouver une bonne gouvernante est toujours un problème, marmonna Emeline sans conviction.

— Et regardez cette dame toute seule ! poursuivit lady Hasselthorpe en montrant du menton une jolie blonde en robe verte au décolleté incroyablement généreux. Elle est l'*amie* du duc, comprenez-vous. Il a insisté pour que je l'invite, et bien entendu aucune dame ne lui parle ! Pas de vin, mon Dieu… Que vais-je faire ?

— Voulez-vous que nous nous renseignions sur l'avancée de cette fourniture en vin, madame ? proposa Sam.

— Oh, vous feriez vraiment cela, monsieur Hartley, Emeline ? Je vous en serais éternellement reconnaissante.

Lady Hasselthorpe balaya les alentours d'un regard vague.

— Je suppose que je vais être obligée d'aller bavarder avec Mme Fitzwilliams, reprit-elle.

— Pendant ce temps, nous nous occuperons du vin, assura Sam. N'est-ce pas, lady Emeline ?

Comment refuser ?

— Évidemment, confirma Emeline qui plaça ses doigts sur la manche de Sam.

Elle sentait la chaleur de son corps. Ils s'éloignèrent, abandonnant les pique-niqueurs derrière eux. Maintenant que Sam avait atteint son but, à savoir être seule avec elle, Emeline s'attendait à ce qu'il lui parle, mais il gardait le silence. Elle épia son expression du coin de l'œil. Il semblait soucieux. À quoi réfléchissait-il ? Et de toute façon, pourquoi s'en préoccupait-elle ? Elle lâcha une longue expiration, puis se concentra sur ce qui l'entourait. Quelle belle journée. Il n'y avait aucune raison pour laisser un compagnon d'humeur sombre la gâcher et…

— Qui est ce jeune homme qui bavarde avec Rebecca et les autres jeunes filles ?

Emeline fut déçue. Le sujet de conversation que voulait aborder Sam était donc sa sœur ? Avait-il oublié le baiser qu'ils avaient échangé la semaine précédente ? Oui, peut-être. Eh bien, dans ce cas, elle allait l'oublier aussi.

— Lequel, monsieur Hartley ?

— Celui qui a un rire idiot.

Emeline ne put s'empêcher de sourire. La description lapidaire et cruelle ne correspondait que trop bien au jeune homme en question.

— M. Théodore Green. Il a un revenu annuel qui n'est pas négligeable et un domaine à Oxford.

— Que savez-vous d'autre sur lui ?

Elle haussa les épaules.

— Qu'y a-t-il d'autre à savoir ? Je ne crois pas qu'il joue.

Il lui décocha un regard froid.

— Est-ce là votre seul critère pour juger un homme ? Son revenu ?

— Son rang aussi, bien sûr.

— Bien sûr.

— Il est le neveu d'un baron. Il serait un bon parti pour Rebecca, si elle est capable d'oublier ce rire idiot, déclara Emeline d'un ton pensif, comme si elle se penchait vraiment sur cette possibilité : quelque chose la poussait à provoquer Sam. Sincèrement, je ne pense pas que nous puissions aspirer à mieux pour elle, monsieur Hartley. Votre fortune coloniale ne lui achètera qu'un certain niveau social, pas très élevé.

— Madame, vous n'êtes pas aussi superficielle que vous l'affectez, dit Sam en souriant.

— Je ne comprends pas ce que vous insinuez, répliqua Emeline.

Le vent souleva soudain ses jupes. Elle les rabattit en hâte.

— Votre discours sur l'argent et le rang, expliqua Sam. Comme si c'était là tout ce qui compte chez un homme.

— Nous sommes en train de parler de votre sœur et de ses espérances matrimoniales, me semble-t-il. Alors sur quels critères voudriez-vous que je me base pour juger un homme?

— Caractère, intelligence, gentillesse par exemple…

Ils venaient d'arriver au sommet d'une petite éminence, et des champs dorés bordés de haies et de murets de pierre sèche s'étendaient devant eux.

— Comment il assume ses responsabilités, poursuivit Sam, veille sur ceux qui dépendent de lui. Il y a une multitude de critères que je placerais avant la fortune et le rang d'un homme, pour estimer s'il convient à Rebecca.

Emeline fit la moue.

— Donc, en résumé, si je trouvais un gentil et intelligent mendiant dans la rue, vous voudriez immédiatement conclure un contrat de mariage?

— Ne jouez pas les sottes, madame. Vous n'en êtes pas une et vous avez parfaitement compris ce que je voulais dire.

— Vraiment? Je vous prie de m'en excuser, mais peut-être suis-je effectivement très sotte. Voyez-vous, ici, en Angleterre, nous aimons marier nos filles et sœurs à des gentilshommes qui sont en mesure de leur assurer un train de vie qui…

— Même si l'homme est un débauché, un simple d'esprit, un…

— Oui! s'exclama Emeline en essayant de rester à la hauteur de Sam qui avait accéléré le pas. Nous ne pensons qu'à l'argent et au rang parce que nous sommes de misérables êtres cupides! Si je trouvais un comte ayant une rente de vingt mille livres par an, je l'épouserais, même s'il était malade et sénile!

Sam s'arrêta net et lui saisit le bras. Lorsqu'il la regarda bien en face, elle se dit qu'elle aurait dû avoir peur. Il était blême de colère, un sourire féroce sur les lèvres. Pourtant, la peur était bien la dernière émotion qui l'assaillait.

— Chatte… souffla-t-il avant de l'attirer contre lui et de presser sa bouche sur la sienne.

Le mot «baiser» n'était certainement pas approprié. Ce contact recelait trop de fougue. Il l'embrassait avec avidité, lui écartant sans douceur les lèvres d'une langue exigeante. Emeline ne put que céder, et il insinua alors cette langue profondément dans sa bouche, en quête de la sienne. Il y avait de la rage en lui, à laquelle elle opposa sa propre fureur. Son corps s'était embrasé, elle avait l'impression que de la lave coulait dans ses veines. Frénétiquement, elle s'agrippa à ses épaules, enfonça les ongles dans l'étoffe de sa redingote. S'il s'était agi de sa peau nue, elle l'aurait ravagée de coups de griffes, elle l'aurait marquée profondément, et en aurait conçu un plaisir fou. Pantelante, elle gémissait. La violence du baiser prenait des proportions hallucinantes. Dents crissant les unes contre les autres, lèvres meurtries… Il n'y avait ni beauté ni délicatesse dans ce baiser. Seulement de la frénésie sexuelle et de la colère.

Elle sentait l'odeur de la peau de Sam. Elle n'était pas faite de parfum ou d'onguents. C'était son odeur à lui, brute, et Emeline s'en enivrait à en perdre toute retenue, voire la raison. Elle voulait lui arracher son manteau, déchirer sa chemise, sa lavallière, et enfouir son nez au creux de son cou. Le désir qui l'animait avait quelque chose de primitif, d'animal.

Elle était à deux doigts de perdre le contrôle d'elle-même quand Sam l'arrêta. Il la repoussa et la maintint devant lui, bras tendus. Elle se rendit compte qu'il l'examinait, la détaillait, avec un regard calme d'entomologiste. Alors qu'elle était en ébullition! Maudit soit cet homme! Comment pouvait-il ne pas être aussi affecté qu'elle?

Il dut voir la fureur dans ses yeux, car il esquissa un sourire sans joie.

— Vous le faites exprès, n'est-ce pas, madame?

— Pardon?

Elle était en pleine confusion. Il scruta longuement son visage, puis répondit:

— Vous me cherchez querelle, vous me mettez en colère jusqu'à ce que je n'y tienne plus et que je vous embrasse.

— D'après vous, j'aurais tout planifié pour que vous m'embrassiez? s'exclama-t-elle en essayant vainement de se défaire de son emprise.

152

— Ce n'est donc pas le cas, madame ?

— Bien sûr que non !

— Moi, je crois que si, murmura-t-il. Je crois que vous vous imaginez ne pouvoir accepter mes caresses que si je vous y contrains.

— C'est faux !

— Alors prouvez-le-moi.

Il pencha la tête vers elle, et ajouta :

— Détachez vos griffes et embrassez-moi.

Lentement, avec une infinie douceur, il effleura ses lèvres des siennes. Elle s'empressa de répondre, lui offrant sa bouche mais cette fois sans hâte ni brutalité. Le baiser n'était plus qu'étourdissante sensualité. Un baiser à faire tout oublier. Un baiser qui incitait à faire l'amour. Un baiser bien plus dangereux que le précédent. Celui-ci parlait de désir, de besoin. Au fond d'elle tintait une sonnette d'alarme. Elle ne devait pas se livrer aussi ouvertement. Sam allait comprendre à quel point elle avait envie de lui, désespérément. Il fallait qu'elle…

Il releva brusquement la tête. Elle ouvrit les yeux, hébétée. Pourquoi ne l'embrassait-il plus ?

Il regardait par-dessus son épaule.

— Les valets envoyés par lady Hasselthorpe approchent. Allez-vous bien ?

— Oui, assura Emeline en dépit de ses mains qui tremblaient.

Elle les enfouit dans ses jupes et plaqua une expression d'ennui sur son visage. Les valets gravissaient la petite colline en charriant à deux un panier chargé de bouteilles de vin. Ils ne paraissaient pas particulièrement intéressés par le couple isolé.

— Puis-je vous offrir mon bras ? dit Sam.

Emeline acquiesça, et s'efforça de maintenir un équilibre parfait sur ses deux jambes qui ne demandaient qu'à flageoler. Samuel Hartley exerçait sur elle un effet qu'elle n'appréciait guère. Il semblait avoir le don de la dépouiller de son vernis de civilisation. Il l'avait laissée exposée, vulnérable. Contrairement à ce qu'il pensait, elle n'était pas une créature sophistiquée.

Elle était toute en nerfs et en émotions. Prête à se coucher à ses pieds, incapable de contrôler ses impulsions les plus primaires.

Elle aurait dû refuser son bras et partir en courant aussi vite que ses jambes le lui permettaient. Elle avait besoin de se retrouver, de se calmer.

Au lieu de cela, elle avait posé les doigts sur les bras de Sam. Elle sentit le regard triomphant qu'il lui lança. Comme si elle avait reconnu sa défaite.

Le contact de la main de lady Emeline l'apaisait, même si elle ne le lui avait accordé qu'avec répugnance. Son parfum de citronnelle lui chatouillait délicieusement les narines. Pendant quelques secondes, il ferma les yeux et s'exhorta à se ressaisir, le temps que les valets les rejoignent. Il avait été un soldat capable de faire face à des guerriers sauvages et n'avait pas reculé d'un pouce. Pourtant, auprès de lady Emeline, il transpirait. Il jura entre ses dents. Il était impératif de mettre un terme à cette histoire : elle était une aristocrate, pas une femme pour lui.

Il héla les valets.

— On nous a envoyés à votre rencontre. Puis-je vous aider à porter ce panier ?

— Non, monsieur, merci, répondit le plus âgé des deux.

Il avait le souffle court, son compagnon était écarlate, mais dans son intonation transparaissait ce qu'il ressentait : il était choqué. Un gentilhomme n'était pas censé proposer son aide à un serviteur.

Sam soupira et rebroussa chemin avec Emeline, direction le pique-nique devant le château.

— Votre peuple adore diviser les hommes, madame.

— Pardon ?

— Regardez ces deux-là. Ils sont épuisés. Mais tout est fait pour les isoler de nous. Les Anglais raffolent des barrières, même les plus ténues, entre les humains.

— Qu'essayez-vous de me dire ? Qu'il n'y a pas de différence de classes dans les colonies ? Parce que si c'est le cas, sachez que je ne vous crois pas.

— Si, il existe des différences, mais je vous donne ma parole qu'elles sont loin d'être aussi strictes, que ces barrières sont à des lieues d'être aussi infranchissables qu'ici. En Amérique, un homme peut s'élever au-dessus de sa condition à la seule force de ses mains. Sa naissance ne le bloque pas à jamais dans un carcan.

— Comme votre ami, M. Thornton.

— Thornton n'a pas été convié à cette garden-party, n'est-ce pas ?

Emeline dut convenir qu'elle venait de perdre un point.

— Il a peut-être gagné de l'argent, continua Sam, mais il n'est manifestement pas considéré comme acceptable parmi la petite noblesse et encore moins la grande aristocratie.

— Allons, monsieur Hartley, vous avez servi dans l'armée. Ne me dites pas qu'il n'y avait pas de différences de rang et de classe !

— Oui, nous en avions, repartit Sam aigrement, et quelques parfaits idiots se sont retrouvés nommés généraux, parfois. Simplement à cause de leur naissance.

— Mon frère était-il un mauvais soldat ?

Sam réprima un juron. Quel manque de doigté de sa part ! Il était évident qu'elle allait penser à son frère. Comment avait-il pu ne pas y songer ?

— Non, madame. Le capitaine Saint Aubyn était l'un des meilleurs soldats que j'aie connus.

Il la vit baisser la tête, serrer les lèvres. Pour une femme aussi prompte à discuter et argumenter, elle se montrait par moments très vulnérable. L'avoir blessée lui fit mal. Seigneur, comme c'était étrange ! Sa langue acérée aux reparties souvent venimeuses lui donnait la sensation de déborder de vie, et l'envie de l'embrasser jusqu'à ce qu'elle geigne de plaisir. Et pourtant, lorsqu'elle montrait quelque faiblesse, il était bouleversé. Et se prenait à souhaiter qu'elle ne révélât ces faiblesses qu'à lui seul. L'idée qu'elle apparût fragile devant un autre homme lui était insupportable. Il tenait à ce qu'il n'y eût que lui pour protéger cette douceur.

— Et Jasper ? demanda-t-elle. Était-il un bon officier, lui aussi ? Je n'arrive pas à l'imaginer commandant des hommes. Jouant aux cartes et plaisantant
avec eux, oui, leur donnant des ordres, non.

— Peut-être, alors, ne connaissez-vous pas bien votre
fiancé.

— Je connais Jasper depuis l'enfance.

— Je crois qu'on ne connaît pas un homme tant que
l'on n'a pas vu comment il fait face à la mort.

Ils approchaient des pique-niqueurs. Lady Emeline
regarda Jasper qui se tenait au centre d'un groupe
d'hommes hilares. Il avait ôté sa redingote – une entorse
aux bonnes manières – et gesticulait en bras de chemise.
Les rires montèrent en intensité.

— Lord Vale est l'homme le plus courageux au combat que j'aie jamais vu, dit Sam.

Emeline se tourna vers lui, incrédule.

— Oui, madame, je l'ai vu tomber de cheval. L'ennemi avait tiré sur la bête. Vale s'est relevé, couvert de
sang, et a continué à se battre alors que tous les autres
autour de lui mouraient. Il a affronté le combat,
affronté la mort, comme s'il n'éprouvait aucune peur.
Il lui arrivait même de sourire en se battant.

Emeline eut l'air sceptique.

— Peut-être Jasper ne connaît-il pas la peur.

— Non. Ce n'est pas cela. Seuls les fous ne craignent
rien ni personne. Or lord Vale n'est pas fou.

— Dans ce cas, il est un acteur accompli.

— C'est possible.

— Nos sauveurs ! s'exclama lady Hasselthorpe en
accourant vers eux, ses mains blanches voletant dans
l'air. Oh, merci, lady Emeline, monsieur Hartley. Vous
avez permis à ma petite partie de campagne de ne pas
tourner au désastre !

Sam sourit et s'inclina. L'hôtesse s'éloigna avec les
valets chargés du vin.

— Et vous ? s'enquit Emeline quand lady Hasselthorpe ne fut plus à portée de voix. Comment faites-
vous face à la mort ?

— Aussi bien que je le peux, répondit Sam, le visage
soudain fermé.

— Je pense que lors des combats, vous vous êtes comporté aussi héroïquement que Jasper, dit gentiment Emeline.

Il se détourna. Il se sentait incapable de regarder la jeune femme droit dans les yeux.

— Il n'y a pas de héros sur les champs de bataille, madame. Il n'y a que des survivants.

— Vous êtes trop modeste.

— Non, répliqua-t-il, conscient de parler trop fort, d'attirer l'attention. Je ne suis pas un héros.

— Emmie! appela lord Vale. Viens goûter un peu de tourte au pigeon avant qu'il n'y en ait plus! J'ai risqué ma vie pour t'en garder une part. Quant au poulet rôti, il a déjà disparu!

Sam adressa un signe de tête à Vale, mais avant de laisser partir Emeline, il lui souffla à l'oreille, car il lui semblait vital qu'elle ne se fasse pas d'illusions sur lui :

— Ne pensez jamais que je suis un héros.

10

Ainsi, toutes les prédictions du vieux sorcier se réalisè-
rent. Cœur de Fer vivait dans un magnifique château
avec la princesse Solace, devenue sa femme. Il portait des
vêtements tout de pourpre et de cramoisi, entouré d'une
foule de serviteurs prêts à satisfaire ses moindres caprices.
Évidemment, il ne pouvait toujours pas parler, sinon il
eût brisé le serment fait au sorcier, mais il estimait que
ce n'était pas si difficile. Après tout, on demande rarement
son avis à un soldat.

— Cette expression bougonne ne te ressemble pas,
Emeline, remarqua Melisande le lendemain matin.

Emeline avait l'impression d'être incapable de dissimuler son irritation. Elle observait Sam.

— J'aurais préféré que tu viennes hier plutôt qu'aujourd'hui.

Melisande montra son étonnement.

— Si j'avais su que tu te languissais de moi, je l'aurais fait, ma chérie. Est-ce à cause de cela que tu es
d'humeur aussi peu amène ?

Emeline soupira et passa le bras sous celui de son
amie.

— Non. Mon humeur n'a rien à voir avec toi, excepté
que tu m'aides à me sentir plus calme.

Les deux jeunes femmes se trouvaient sur la grande
pelouse à l'arrière de Hasselthorpe House. La moitié
des invités s'étaient réunis là pour tirer à la cible, l'autre

moitié ayant choisi d'aller se promener dans la ville voisine. Des cibles peintes avaient été dressées à l'extrémité de la pelouse par des valets. Derrière les cibles, des balles de paille étaient amoncelées pour recevoir les bottes. Les messieurs qui désiraient participer paradaient, arme à la main, sous le regard admiratif des dames – car bien entendu le public serait essentiellement féminin.

— Le fusil de M. Hartley est incroyablement long, commenta Melisande. Je suppose que c'est à cause de cela que tu le dévores des yeux.

— Pourquoi faut-il qu'il se tienne à part? marmonna Emeline en soulevant ses jupes aux rayures roses et vertes. On dirait qu'il se considère différent des autres messieurs. Je suis sûre qu'il fait cela pour m'agacer.

— Oui, bien sûr. Il ne songe qu'à cela le matin en se réveillant. Il se dit: «Comment vais-je agacer lady Emeline aujourd'hui?»

Emeline fronça les sourcils.

— Je deviens stupide, n'est-ce pas?

— Non, ma chérie, je n'ai pas dit cela, mais…

— Tu ne l'as pas dit car c'eût été superflu.

Un soupir, puis:

— J'ai apporté quelque chose que j'aimerais te montrer.

— Oui?

— C'est un recueil de contes de fées que Nanny nous lisait. Je l'ai retrouvé récemment, et je crois qu'il est écrit en allemand. Pourrais-tu me le traduire?

— Je peux essayer, mais je ne te promets rien. Mon allemand est très limité et il y a beaucoup de mots que je ne connais pas, parce que je l'ai appris de ma mère, oralement, et non dans un livre.

La mère de Melisande était une Prussienne qui n'avait jamais parfaitement possédé l'anglais, bien que s'étant mariée à seize ans. Melisande avait grandi en parlant indifféremment anglais et allemand.

Les valets, maintenant que les cibles étaient installées, revenaient vers la zone de tir. Les messieurs se consultèrent gravement pour décider dans quel ordre ils allaient tirer.

— Je ne sais pas pourquoi il a le don de chasser toute pensée intelligente de mon esprit, reprit Emeline en regardant de nouveau Sam.

À la différence des autres messieurs, il ne faisait aucun geste théâtral avec son fusil. Il le tenait droit, par le canon, crosse posée par terre, et attendait calmement. Il s'aperçut qu'Emeline le fixait. Il hocha la tête, sans sourire. Emeline détourna les yeux en hâte, mais sur ses rétines resta imprimée l'image de sa redingote marron, les désormais familières jambières de cuir et ses cheveux libres que le vent soulevait. Rien dans sa tenue ne jouait en sa faveur. Même parmi des hommes habillés pour la chasse, Sam aurait pu passer pour un serviteur. Ce qui ne l'empêchait pas de bouleverser Emeline.

— Hier, il m'a embrassée.

Melisande se figea.

— Quoi ? M. Hartley ?

— Oui.

— Et lui as-tu rendu son baiser ? s'enquit Melisande du ton décontracté qu'elle eût employé pour s'enquérir du coût d'un ruban.

— Mon Dieu… oui.

— Mmm. C'est un homme charmant. Très attirant, dans son genre, mais jamais je n'aurais imaginé qu'il t'attirerait, toi.

— Mais ce n'est pas le cas !

Quel mensonge ! Elle avait l'impression de souffrir de quelque horrible fièvre. Il suffisait que Samuel s'approche pour qu'elle s'empourpre. Elle se découvrait incapable de dominer les pulsions de son corps. Jamais elle n'avait vécu cela. Pas même avec Daniel, pourtant si gai, et à une époque où elle était si jeune… Ressentir d'aussi intenses émotions avec un homme qui n'était pas son mari lui semblait indécent.

— Donc, dans l'avenir, tu vas fuir ce monsieur, n'est-ce pas ? demanda Melisande.

Emeline tourna la tête. Ainsi, M. Hartley n'était plus dans son champ de vision. Elle se mit à contempler un bassin derrière les cibles. Il était rempli de roseaux. Lady Hasselthorpe aurait dû le faire nettoyer avant de donner sa garden-party. Mme Fitzwilliams se tenait à côté, toute seule. Pauvre femme.

— Je ne sais pas ce que je vais faire, Melisande.

— Eh bien, une dame rechercherait la compagnie de son fiancé, c'est évident.

Jasper faisait partie des tireurs, bien sûr. Il adorait tout ce qui avait trait à l'exercice physique. À la différence de Sam, il était en constant mouvement. Il se couchait sur le sol, fusil pointé, puis bondissait sur ses pieds. Emeline se rappela soudain ce qu'avait dit Sam à propos de Jasper : qu'il se battait comme si la peur lui était inconnue. Ce n'était certainement pas là l'homme qu'elle connaissait. Mais peut-être une femme ne connaissait-elle jamais les hommes de sa vie…

— Melisande, ce qui se passe n'a rien à voir avec Jasper.

— Tu as conclu un accord avec lui.

— Exact. Un accord. Les sentiments de Jasper ne sont pas impliqués.

— Vraiment ? Je pense qu'il éprouve de la tendresse envers toi.

— Il me considère comme une sœur.

— Ce qui peut être une excellente base pour un mariage.

— Il voit d'autres femmes !

Cette fois, Melisande resta coite. Emeline se demanda si elle avait choqué son amie. Il n'y avait rien d'anormal à ce qu'un gentilhomme entretienne des relations tant avant le mariage qu'après, mais en parler à haute voix ne se faisait pas.

— Cela ne t'a pas créé de problème auparavant, remarqua Melisande alors que les hommes se mettaient en ordre de tir. Viens, allons regarder.

— Melisande, je n'ai aucun problème quant aux sentiments que me porte Jasper. En fait, je pense qu'une tendre amitié est le secret d'un mariage réussi. Bien plus qu'une folle passion.

Melisande lui jeta un regard acéré, mais s'abstint de tout commentaire. Elles avaient rejoint le groupe de messieurs. Le duc de Lister fit tout un spectacle de sa préparation au tir. Son rang lui avait valu la première place, évidemment.

— Vilain monsieur, chuchota Melisande.

— Le duc ? s'étonna Emeline.

— Oui. Il traîne sa maîtresse comme un petit chien au bout d'une laisse.

— Elle ne semble pas s'en formaliser, répliqua Emeline en regardant Mme Fitzwilliams qui, la main protégeant ses yeux du soleil, observait les tireurs.

Ses cheveux blonds luisaient, et elle avait l'air très décontractée.

— Si elle ne veut pas perdre son statut de favorite numéro un, elle ne peut pas se montrer vexée, argua Melisande. Mais sa situation n'a rien d'amusant. Aucune des dames ne lui adresse la parole et lui, pendant ce temps, il ne perd pas une once de respectabilité.

Le duc épaula son fusil. Melisande se plaqua les mains sur les oreilles quand il appuya sur la détente. L'écho de la détonation se répercuta sur tout le domaine.

— Pourquoi faut-il que les armes à feu soient aussi bruyantes ? se plaignit Emeline.

Un valet s'avança vers la cible et dessina un cercle noir autour du trou creusé par la balle de Lister afin que tout le monde vît l'impact. C'est-à-dire près du bord de la cible. Le duc paraissait déçu, mais les dames l'acclamèrent avec enthousiasme.

Mme Fitzwilliams vint vers lui, sans doute pour le féliciter. Il ne remarqua même pas la jeune femme et lui tourna le dos pour discuter avec lord Hasselthorpe. Emeline vit Mme Fitzwilliams s'arrêter, affichant un sourire sans conviction destiné à personne en particulier, puis pivoter sur ses talons et repartir vers le bassin. Melisande avait raison, songea-t-elle. Maîtresse n'était pas un emploi facile.

— Est-ce que ces messieurs ne sont pas extrêmement virils ? s'extasia lady Hasselthorpe en passant derrière elles.

Aujourd'hui, leur hôtesse portait une robe de coton à pois roses par-dessus de grands paniers. Une multitude de rubans roses et verts ornaient les jupes drapées avec art. Elle tenait une houlette de berger blanche à la main. Apparemment, elle jouait à la bergère. Emeline songea que rares devaient être les bergères qui s'encombraient de robes à paniers pour garder leurs brebis.

— J'aime tellement regarder les messieurs faire la démonstration de leurs prouesses !

Une nouvelle détonation l'interrompit. Melisande sursauta et lâcha dans un sourire contraint :

— Superbe.

— M. Hartley est le prochain, avec son drôle de fusil, reprit lady Hasselthorpe en clignant des yeux.

Tout le monde la savait myope. Elle refusait de porter des lunettes.

— Pensez-vous qu'il va réussir à viser correctement, avec un si long canon ? demanda l'hôtesse. Peut-être va-t-il exploser ! Voilà qui serait excitant !

— Indéniablement, confirma Emeline d'un ton morne.

Sam s'avança jusqu'à la marque au sol puis resta un moment immobile, à fixer la cible. Emeline s'interrogea : que faisait-il ? Puis, à la vitesse de l'éclair, il épaula, visa et tira.

Un silence empreint de stupéfaction s'abattit sur l'assemblée. Le valet muni d'un pinceau s'avança vers la cible. Sam, lui, s'était déjà détourné alors que tout le monde attendait de voir quelle partie de la cible avait atteint la balle. Solennellement, le valet peignit en noir le centre.

— Mon Dieu, il a touché le cœur... murmura l'un des hommes.

Les femmes applaudirent, les messieurs se groupèrent autour du fusil pour l'examiner.

— Seigneur, ce que je peux détester le bruit d'une arme à feu ! gémit Melisande.

— Tu aurais dû te munir de coton pour tes oreilles.

La détonation n'avait même pas fait ciller Sam. Ni le recul de l'arme et pas davantage la fumée qui sortait du canon. Tous les hommes présents maniaient les fusils avec aisance. Ils participaient à des chasses ou tiraient à la cible lors de garden-parties comme aujourd'hui. Mais aucun d'eux n'avait fait montre de l'incroyable familiarité de Sam avec les armes.

— Cela améliorerait indéniablement mon apparence, si j'avais du coton qui sortait des oreilles, dit Melisande. J'aurais l'air d'un lapin.

L'image fit rire Emeline. Sam se tourna aussitôt dans sa direction. Elle était trop loin de lui pour qu'il l'ait entendue. Il avait donc perçu son amusement. Elle accrocha son regard et le temps parut suspendu, jusqu'au moment où lord Hasselthorpe détourna l'attention de Sam en lui parlant. Emeline baissa la tête. Son cœur battait trop fort.

— Mon Dieu, que vais-je faire ? murmura-t-elle.

— Sacré bon coup, marmonna Jasper qui se tenait derrière Sam.

— Merci.

Sam observait leur hôte qui se préparait à tirer. Hasselthorpe avait les pieds trop rapprochés. Il risquait de perdre l'équilibre, ou au minimum de chanceler quand il ferait feu.

— Mais vous avez toujours été un excellent tireur, continua Jasper. Vous rappelez-vous la fois où vous avez eu cinq écureuils pour notre dîner ?

— Mmm. Cela n'a pas servi à grand-chose. Ils n'ont pas fait un bon ragoût. Trop décharnés.

Il était conscient de la présence d'Emeline à une petite dizaine de mètres de lui. Elle bavardait avec son amie, fuyant son regard. De quoi parlaient les deux jeunes femmes ?

— Décharnés ou pas, nous avons été bien contents d'avoir de la viande fraîche. Hasselthorpe va perdre l'équilibre, n'est-ce pas ?

— Possible.

Ils firent silence lorsque leur hôte visa, pressa sur la détente et comme prévu ne parvint pas à garder son fusil droit quand le coup partit. La balle alla se perdre dans la paille, très loin de la cible.

— Au moins, il n'est pas tombé, remarqua Jasper d'un ton qui trahissait la déception.

Sam se tourna vers lui.

— Avez-vous demandé autour de vous, à propos du caporal Craddock ?

— J'ai eu l'adresse que Thornton nous a donnée, et j'ai situé Honey Lane. C'est là qu'habite Craddock.

— Ah. Bien. Nous ne devrions pas avoir de problème pour le trouver demain, donc.

— Aucun. Je me souviens de Craddock comme d'un gars du genre sensible. S'il est quelqu'un susceptible de nous aider, c'est bien lui.

Sam hocha la tête. Il espérait de tout son cœur que Vale avait raison, que Craddock pourrait les aider. Car ils commençaient à manquer de survivants à interroger.

Ce soir-là, tout en entrant dans la salle de bal, Emeline lissa la soie corail drapée autour de ses paniers. D'après lady Hasselthorpe, la vase pièce avait été récemment redécorée, et manifestement, l'argent avait été dépensé sans compter. Murs peints en rose avec des frises de vigne soulignant plafond, pilastres, fenêtres, porte, bref, tous les endroits possibles et imaginables. Les médaillons sur les panneaux muraux, également entourés de frises, représentaient des scènes pastorales de nymphes et de satyres. L'ensemble donnait une écœurante impression de douceur suave.

Pour l'instant, ce n'était pas la salle de bal des Hasselthorpe qui intéressait Emeline, mais Sam. Elle ne l'avait pas revu depuis la partie de tir de l'après-midi. Participerait-il aux danses, après son problème lors du bal des Westerton ? Renouvellerait-il l'expérience ? C'était stupide de se faire du souci pour un sujet qui ne la concernait pas, se morigénait-elle, mais elle ne pouvait s'empêcher d'espérer que Sam déciderait de rester dans sa chambre.

— Lady Emeline !

Ayant reconnu la voix chantante, elle se retourna. Son hôtesse approchait. Lady Hasselthorpe portait une robe taillée dans un tissu rose, doré et vert pomme, aux paniers tellement amples qu'elle devait se déplacer de biais pour se frayer un chemin parmi ses invités. Le rose de la robe était exactement le même que celui des murs.

— Lady Emeline, je suis tellement contente de vous voir ! s'exclama la dame, comme si elle n'avait pas été en compagnie d'Emeline deux heures plus tôt. Que pensez-vous des paons ?

— Eh bien… ce sont, me semble-t-il, de ravissants oiseaux.

— Oui, mais en sculpture de sucre ? Je veux dire, le sucre, c'est *blanc*, n'est-ce pas ? Or les paons sont tout sauf blancs ! Ce sont les couleurs de leurs plumes qui les rendent si beaux. Un paon en sucre ne peut donc ressembler à un vrai paon, n'est-ce pas ?

Emeline tapota gentiment le bras de son hôtesse.

— Non, mais je suis sûre qu'ils seront néanmoins merveilleux.

Lady Hasselthorpe ne parut pas convaincue, mais elle oubliait déjà son souci. Un groupe de dames derrière Emeline avait accroché son attention.

— Avez-vous vu M. Hartley ? lui demanda précipitamment celle-ci avant qu'elle ne s'éloigne.

— Oui. Sa sœur est très jolie et excellente danseuse. À mon sens, deux qualités qui aident, ne croyez-vous pas ?

Lady Hasselthorpe fila. Emeline soupira de frustration. Maintenant, elle voyait Rebecca, qui dansait avec grâce. Mais où était Sam ? Elle traversa la salle, passa à côté de Jasper qui murmurait à l'oreille d'une toute jeune fille, laquelle rougit, puis se trouva bloquée par un groupe d'hommes assez âgés qui bavardaient.

— J'ai vu le recueil de contes que tu as laissé dans ma chambre.

Emeline se retourna. Melisande était derrière elle, en robe gris terne qui lui donnait l'air d'une corneille poussiéreuse. Toutefois, Emeline s'abstint de tout commentaire. Elles avaient déjà parlé de cela à maintes reprises, et son amie n'avait pas amélioré d'un iota ses tenues.

— Alors ? Peux-tu me le traduire ?

— Je pense que oui, répondit Melisande en ouvrant son éventail. Je n'ai regardé qu'une page ou deux, mais je suis arrivée à déchiffrer la plupart des mots.

— Oh, bien !

Elle avait cru mettre de l'enthousiasme dans sa voix mais, manifestement, avait échoué car son amie lui lança un regard aigu.

— L'as-tu vu ?

Inutile de préciser à qui elle faisait allusion…

— Non.

— Il m'a semblé l'apercevoir sur la terrasse.

Emeline pivota vers les portes-fenêtres que l'on avait ouvertes pour laisser entrer la brise nocturne. Elle toucha le bras de Melisande.

— Merci.

— Mmm. Sois prudente.

— Bien sûr, répliqua Emeline en s'éloignant.

Elle franchit le seuil de l'une des portes-fenêtres, et passa sur la terrasse. La déception s'abattit aussitôt sur elle. Plusieurs couples se trouvaient là, mais elle ne distinguait pas la silhouette si caractéristique de Sam. Elle s'avança et, soudain, perçut sa présence.

— Vous êtes ravissante ce soir, madame… chuchota-t-il.

Il était derrière elle et son souffle caressait délicieusement son épaule nue.

— Merci.

Elle voulut se retourner, mais il s'était emparé de sa main pour la caler au creux de son coude.

— Faisons-nous quelques pas, madame ?

Question de pure rhétorique. Néanmoins, Emeline acquiesça d'un hochement de tête. La fraîcheur de la nuit était un vrai bonheur après la touffeur de la salle de bal. Le son des voix des invités s'assourdit alors qu'ils descendaient les larges marches de la terrasse. Ils empruntèrent une allée gravillonnée. De petites lanternes pendaient aux branches des arbres fruitiers. Elles scintillaient comme des lucioles.

Emeline frissonna. C'était l'automne, il ne faisait guère chaud. La grande main de Sam enveloppa la sienne.

— Si vous avez froid, nous pouvons rentrer.

— Non, je vais bien, assura-t-elle en regardant son profil qui se dessinait en ombre chinoise sur la douce clarté des lanternes. Et vous ?

— Plus ou moins. Vous devez me prendre pour un idiot.

— Pas du tout.

Pendant quelques instants, ils marchèrent en silence. On n'entendait que le crissement de leurs pas sur le gravier. Emeline l'avait soupçonné de projeter une incursion vers le noir du sous-bois, mais non. Il ne s'écartait pas de l'allée éclairée.

— Daniel vous manque-t-il, madame ?

Dans un premier temps, elle se méprit, crut qu'il parlait de son défunt mari. Puis elle comprit.

— Oui. J'ai peur qu'il ne continue à faire des cauchemars, la nuit. Parfois, ils le perturbent beaucoup. Son père aussi était sujet aux cauchemars.

— Comment était votre mari ?

Elle sentait son regard sur elle. Elle s'obligea à garder les yeux rivés sur l'allée.

— Il était jeune. Très jeune. Vous devez penser que c'est sot de dire cela, mais c'est la vérité. À l'époque, je ne m'en suis pas rendu compte parce que j'étais jeune aussi. Daniel n'était qu'un tout jeune homme quand nous nous sommes mariés.

— Mais vous l'aimiez.

— Oui. Désespérément.

C'était un soulagement que de le reconnaître, d'admettre avoir été follement amoureuse de Daniel, et accablée de chagrin à sa mort.

— Lui, vous aimait-il ?

— Oh, oui ! Il m'a dit être tombé amoureux de moi au premier regard. C'était lors d'un bal comme celui-ci, et tante Cristelle nous a présentés l'un à l'autre. Elle connaissait la mère de Daniel. Ensuite, il m'a envoyé des fleurs, m'a emmenée en promenade, bref, il a fait tout ce qui est prévu dans ces cas-là. Nos familles ont presque été surprises lorsque nous avons annoncé nos fiançailles. Dans leur esprit, nous étions déjà fiancés de longue date.

Cette époque avait été merveilleuse, mais un peu floue dans sa mémoire maintenant. Avait-elle vraiment été aussi jeune?

— Était-il un bon mari?

— Oui, dit Emeline en souriant. Il lui arrivait de jouer et de boire, mais tous les hommes font cela. Et il me faisait des cadeaux et de jolis compliments.

— Un mariage idéal, en somme, remarqua Sam d'un ton plat.

— C'en était un, accorda Emeline en se demandant s'il était jaloux.

Il s'immobilisa et lui fit face. Elle constata alors que ses yeux ne recelaient pas une once de jalousie.

— Alors pourquoi, après un premier mariage parfait, voulez-vous en contracter un second de convenance?

Emeline sursauta comme s'il l'avait soufflétée. Elle leva instinctivement la main, pour se défendre ou le frapper, elle l'ignorait. Il lui saisit le poignet.

— Pourquoi, Emeline? insista-t-il en usant de son prénom.

— Cela ne vous regarde en rien, rétorqua-t-elle d'une voix tremblée.

— Je crois que si, madame.

— Quelqu'un va venir, lâchez-moi!

Pour l'instant, il n'y avait personne dans l'allée, mais Emeline savait que cela ne durerait pas.

— Vous l'aimiez, insista Sam en scrutant son expression. Vous l'aimiez vraiment.

— Oui, je l'aimais, et il est mort et m'a laissée seule!

Il la fixait. On eût dit qu'il essayait de lire jusqu'au fond de son âme.

— Emeline…

— Non! cria-t-elle en dégageant son bras.

Elle partit en courant dans le jardin, fuyant Sam comme elle aurait fui un démon.

Quand Sam et Vale partirent à cheval l'après-midi suivant, le ciel s'assombrit. Sam espérait qu'il ne pleuvrait pas avant qu'ils aient regagné la maison. Il n'avait pas eu l'opportunité de parler à Emeline de toute la matinée. Elle s'était arrangée pour être en permanence avec quelqu'un. Son refus de toute discussion avec lui le perturbait au plus haut point. La veille, dans le jardin, il avait mis le doigt sur un point très sensible, il le savait. Elle avait aimé son mari. Sam avait désormais la certitude qu'Emeline était capable d'aimer profondément, sans restriction.

Et peut-être était-ce là le problème : combien de fois serait-elle à même d'aimer ainsi sans en subir les conséquences ? Il l'imaginait sous la forme d'un feu qui, après avoir brûlé ardemment, serait devenu cendres incandescentes, que seul un homme déterminé pourrait ranimer jusqu'à ce qu'elles redeviennent flammes.

Le cheval de Sam secoua la tête, faisant cliqueter la bride. Ils se rendaient à Dryer's Green, la ville voisine où habitait le caporal Craddock. Vale était anormalement silencieux alors qu'ils engageaient leurs montures dans l'allée qui conduisait à la route principale.

Lorsqu'ils atteignirent la grille de fer forgé qui fermait l'allée, Vale parla enfin.

— Votre tir a vraiment été impressionnant, hier. Je pense que vous devez toucher le cœur d'une cible à chaque coup.

Sam regarda son compagnon. Quel curieux sujet de conversation il avait choisi là. Mais peut-être Vale ne cherchait-il qu'à bavarder pour passer le temps.

— Merci. Finalement, vous, vous n'avez pas tiré.

Un petit muscle tressauta sur la joue de Vale.

— J'ai eu ma dose pendant la guerre.

Sam hocha la tête. Il comprenait. Aristocrates ou simples soldats avaient vécu des expériences qu'ils souhaitaient oublier.

— J'espère que vous ne me prenez pas pour un lâche, Hartley.

— Loin de moi cette idée.

— Ah, merci.

Un temps, puis :

— C'est curieux, savez-vous. Cela m'est égal d'entendre tirer ou de sentir l'odeur de la poudre. Mais pas de tenir un fusil entre les mains. Il se passe alors quelque chose dans ma tête. La guerre redevient réelle. Trop réelle.

Sam acquiesça. Ils étaient maintenant sur la route, bordée d'un côté par une vieille haie et de l'autre par un mur de pierre sèche. Derrière ces barrières, les champs bruns et dorés s'étendaient à perte de vue. Un groupe de faneurs s'activait dans l'un d'eux. Les femmes avaient retroussé leurs jupes jusqu'aux genoux, les hommes étaient en sarrau.

— Saviez-vous que Hasselthorpe a aussi fait la guerre, Hartley ?

— Vraiment ? s'étonna Sam.

Le lord n'avait rien d'un militaire.

— Il était aide de camp de l'un des généraux. Je ne me rappelle plus lequel.

— Était-il à Québec ?

— Non. Je ne suis pas sûr qu'il ait participé à la moindre action. De toute façon, je crois qu'il n'est pas resté longtemps dans l'armée avant d'hériter.

Beaucoup d'aristocrates obtenaient des sinécures dans l'armée de Sa Majesté. Qu'ils soient ou non adaptés à la vie militaire n'entrait guère en ligne de compte dans leur choix de carrière.

La conversation entre les deux hommes mourut. Elle n'avait pas repris lorsqu'ils entrèrent dans les faubourgs de Dryer's Green quelques minutes plus tard. C'était une petite ville animée, le genre à avoir un marché florissant chaque semaine. Les deux cavaliers passèrent devant l'atelier du maréchal-ferrant, celui du cordonnier, puis approchèrent d'une auberge.

— On m'a dit que Honey Lane était juste là, expliqua Vale en montrant du doigt une ruelle après l'auberge.

Sam fit pivoter son cheval en direction de la ruelle, dans laquelle ne se trouvait qu'une maison, un vilain petit cottage au toit de chaume noirci par le temps.

Sam interrogea Vale du regard. Celui-ci lui répondit par un haussement d'épaules.

Ils mirent pied à terre et attachèrent les chevaux à des branches basses qui dépassaient du mur séparant le cottage de la rue, puis Vale ouvrit le portillon de bois et ils remontèrent l'allée dallée. L'endroit avait sans doute été charmant autrefois. Les vestiges d'un jardin demeuraient et le cottage, bien que petit, avait jolie allure. Manifestement, Craddock avait été écrasé par la dureté de l'existence. Ou bien il était devenu incapable d'entretenir la maison.

Perturbé par ces réflexions, Sam frappa à la porte au linteau bas.

Personne ne répondit. Il attendit un moment, frappa de nouveau, cette fois avec vigueur.

— Il est peut-être sorti, suggéra Vale.

— Avez-vous appris où il était employé ?

— Non. Je…

La porte s'entrouvrit. Une femme entre deux âges les examina par l'entrebâillement. Elle portait un bonnet blanc, mais le reste de sa tenue était noir. Un châle croisé sur sa poitrine était attaché à sa taille.

— Oui ?

— Excusez-nous, madame. Nous cherchons M. Craddock. On nous a dit qu'il habitait ici.

La femme émit un petit hoquet.

— Il habitait ici, oui. Mais il n'y est plus. Il est mort. Il s'est pendu il y a un mois.

11

Six ans s'écoulèrent dans une parfaite entente conju-gale. Mais quel homme n'aurait pas été heureux d'être riche et époux d'une femme superbe qui l'adorait ? Au cours de la sixième année, le bonheur de Cœur de Fer atteignit son point d'orgue lorsque la princesse lui apprit qu'elle attendait un enfant. Oh, l'allégresse qui s'empara de la Ville brillante ! Les gens dansaient dans les rues, et la nuit où naquit le bébé, un garçon, le roi inonda la population de pièces d'or. Ce petit enfant était l'héritier du trône et porterait un jour une couronne royale sur la tête. Cette nuit-là, Cœur de Fer sourit en regardant sa femme et son fils. Il savait que très bientôt, il pourrait prononcer leurs noms à haute voix. Car il ne restait plus que trois jours avant la fin de ses sept années de silence.

— Les câpres… dit lady Hasselthorpe.

Emeline avala un morceau d'oie et leva les yeux sur son hôtesse.

— Oui ?

— Eh bien…

Lady Hasselthorpe balaya du regard les élégants convives assis autour de sa table magnifiquement dressée. Tous la fixaient.

— … d'où viennent-elles ?

— Des cuisines ! s'écria un jeune homme.

Personne ne rit, excepté la demoiselle à côté de lui. Lord Boodle, un gentilhomme plus âgé à la figure pâle

173

sous une perruque un peu filandreuse, s'éclaircit la gorge puis énonça :

— Je crois que ce sont des bourgeons.

— Vraiment ? dit lady Hasselthorpe. Voilà qui me paraît un peu fantaisiste. Je les aurais plutôt crues de la famille des pois, simplement un peu plus acides, si vous voyez ce que je veux dire.

— Tout à fait, tout à fait, ma chère, lança lord Hasselthorpe de l'autre extrémité de la table.

Nombreux étaient ceux qui se demandaient comment le lord, mince, austère, totalement dépourvu d'humour, avait pu épouser lady Hasselthorpe.

— Comme je le disais... reprit-il après un inquiétant raclement de gorge.

— De très, très acides pois, le coupa sa femme.

Les sourcils froncés, elle fixait la sauce qui entourait son émincé d'oie sur son assiette. Quelques câpres nageaient dedans.

— Je ne sais pas si je les aime vraiment, ces petites choses aigres, continua-t-elle. Elles se cachent dans une excellente sauce, et lorsque je mords l'une d'elles, je sursaute. Cela vous fait-il le même effet ?

Cette question s'adressait au duc de Lister, assis à sa droite.

Le duc était connu pour ses dons d'orateur au Parlement, mais lady Hasselthorpe semblait avoir le don de lui faire perdre son éloquence.

— Ah...

Emeline vola au secours de la conversation mourante.

— Faut-il demander aux valets de retirer votre assiette ?

— Oh, non ! s'exclama lady Hasselthorpe dans un sourire charmant.

Le bleu de sa robe était exactement assorti à celui de ses yeux. Elle arborait un collier de perles qui mettait en valeur son cou fin et long. Elle était d'une exceptionnelle beauté.

— Je vais simplement faire attention aux câpres, voilà tout.

Et elle prit une bouchée d'oie.

— Courageuse femme, murmura le duc.

— Je le suis, n'est-ce pas ? fit lady Hasselthorpe, ravie. Plus courageuse que lord Vale et M. Hartley, je crois : ils ne sont même pas rentrés de leur promenade au village pour le dîner. À moins qu'ils ne se cachent dans leurs chambres ?

Elle avait regardé Emeline.

Celle-ci ignorait où Jasper et Sam avaient bien pu aller. Ils étaient partis immédiatement après le déjeuner.

Elle afficha à l'intention de son hôtesse un sourire décontracté.

— Ils se sont certainement arrêtés à la taverne du village. Vous savez comment sont les messieurs…

Lady Hasselthorpe écarquilla les yeux, comme si elle n'était pas sûre de savoir comment étaient les messieurs.

— En fait, intervint Lister, je pense que lord Vale est dans la véranda.

— Quoi ? Mais que fait-il donc là ? Le dîner n'est pas servi dans la véranda !

— Je crois qu'il a… euh… une indisposition.

— Sottises ! répliqua lady Hasselthorpe. La véranda est un très mauvais endroit lorsque l'on est indisposé. Il devrait aller dans la bibliothèque.

Emeline demeura interloquée. Jasper, dans la véranda et *indisposé* ? Donc il était rentré depuis longtemps déjà, à son insu. Mais, et Sam ? Où se trouvait-il, lui ?

— Avez-vous vu M. Hartley ? demanda-t-elle à Sa Grâce, ce qui obligea le duc à interrompre ses explications embrouillées sur ce qui pouvait amener un homme à se réfugier dans une véranda s'il souffrait d'une indisposition.

— Je suis désolé, non, madame.

— Eh bien, ils auront tous les deux manqué le dîner et iront se coucher le ventre vide, conclut gaiement lady Hasselthorpe.

Emeline essaya de sourire, sans résultat. Le dîner s'éternisa encore une heure et elle s'étonna de parvenir à entretenir la conversation avec ses voisins immédiats : elle avait l'esprit ailleurs. Enfin, après la poire et le fromage, le repas s'acheva. Elle ne s'attarda pas davantage que la politesse l'exigeait. Elle partit vers la véranda, longeant toute une série de couloirs jusqu'à ce que, enfin, ses talons claquent sur le sol d'ardoise du seuil. Une jolie porte vitrée gardait la chaleur humide à l'intérieur. Elle la poussa et appela :

— Jasper ?

Tout ce qu'elle entendait était un bruit de gouttes d'eau qui tombaient. Agacée, elle ferma la porte derrière elle et appela de nouveau.

— Jasper ?

Quelque chose cliqueta vers le fond de la véranda, puis il y eut un juron lancé par une voix d'homme. Jasper.

L'endroit était tout en longueur, avec des murs et un toit de verre. Quelques plantes en pots justifiaient la destination de la pièce, mais manifestement elle n'avait été construite qu'à titre ornemental. Emeline souleva ses jupes et s'approcha. Elle contourna une statue de Vénus et trouva Jasper allongé sur un banc. Derrière lui, il y avait une fontaine, au centre d'un espace circulaire.

— Ah, tu es là, Jasper !

— Vraiment ?

Il avait les yeux clos, ses vêtements et ses cheveux étaient en désordre. Il se tenait en équilibre précaire sur le flanc. Elle lui attrapa l'épaule et le secoua.

— Où est Sam ?

— Arrête ! Je me sens tout bizarre.

Il essaya de repousser le bras d'Emeline mais le manqua, tant ses mouvements étaient désordonnés. Il était complètement ivre, constata Emeline avec consternation. Jamais elle ne l'avait vu aussi saoul. Éméché et joyeux, oui, carrément saoul, non. Et jamais en public. Mon Dieu, que s'était-il passé ?

— Jasper ! Qu'est-il arrivé, au village ? Où est Sam ?

— Il est mort.

L'épouvante saisit Emeline, jusqu'à ce qu'elle se rende compte que Jasper ne pouvait dire vrai. Si Sam avait été victime d'un accident, les Hasselthorpe en auraient été informés.

La tête de Jasper était retombée. Il avait maintenant le menton appuyé sur la poitrine. Emeline s'agenouilla.

— Jasper, mon chéri, dis-moi ce qui s'est passé.

— Ce vieux pote... s'est suicidé... Oh, Emmie, cela ne finira donc jamais ?

Elle n'avait qu'une vague idée de ce dont il parlait, mais il était patent que quelque chose de grave était survenu.

— Sam ! Où est allé Sam, Jasper ?

Il battit l'air d'un bras et faillit basculer dans la fontaine. Emeline l'attrapa par la taille pour le stabiliser.

— Là, dehors. A filé dès qu'on est descendus de cheval. En courant. Sacré coureur, Sam. L'as-tu déjà vu courir, Emmie ?

— Non, jamais. Viens, très cher. Je vais te mettre au lit. Tu ne devrais pas rester ici tout seul.

Sam était sain et sauf, Dieu merci.

— Mais je ne suis pas tout seul. Je suis avec toi, Emmie.

— Oui, mais n'empêche : tu serais mieux au lit.

Emeline vit avec surprise Jasper se redresser sans difficulté. Une fois debout, il se pencha vers elle, se balançant sur ses talons. Seigneur, pourvu qu'il parvienne à regagner sa chambre par ses propres moyens...

Il posa la main sur son épaule.

— Tout ce qui te ferait plaisir, Emmie. Tiens, que Sam soit là. On pourrait faire une petite java.

— Mais oui, ce serait charmant, assura Emeline en l'aidant à marcher.

Il chavirait et faillit tomber sur un oranger, dont il cassa une branche.

— C'est un merrrrveilleux pote, sais-tu cela, Emmie ?

— Oui, oui...

Ils avaient atteint la porte et elle eut quelque difficulté à l'ouvrir sans lâcher Jasper. Il résolut le problème en l'ouvrant lui-même.

— Il m'a sauvé, marmonna-t-il en passant dans le couloir. M'a ramené en lieu sûr au moment où je pensais que les sauvages allaient me couper les roupettes et... Ooooh... Je ne devrais pas dire cela devant toi, Emmie. Sais-tu que j'ai un sacré coup dans le nez ?

— Vraiment ? Je ne m'en serais jamais doutée. Ainsi, Sam t'a sauvé ?

— Il a couru pendant trois jours. Couru, couru, couru... et pourtant, l'avait une blessure à l'arme blanche au flanc. C'est un grand coureur, oh oui.

Ils étaient arrivés au pied de l'escalier. Emeline raffermit son emprise. S'il chutait pendant qu'ils gravissaient les marches, il l'entraînerait. Personne, jusqu'à maintenant, ne les avait vus. Pourvu que leur chance dure...

— Cela les a mis en sang, Emmie.

— Quoi donc ?

— Courir. Le temps qu'il rejoigne le fort, il avait les pieds en sang.

Mon Dieu, quelle image horrible...

— Comment remercier un homme qui a fait cela, hein, Emmie ? Il a couru jusqu'à ce que ses pieds ne soient plus que des plaies. Et même alors, il a continué à courir.

Ils étaient maintenant dans la chambre de Jasper. Qu'elle y entre était inconvenant, mais elle ne pouvait tout de même pas l'abandonner dans le couloir. Et puis, il s'agissait de Jasper, n'est-ce pas ? L'être qui pour elle se rapprochait le plus d'un frère, qui remplaçait celui qu'elle avait perdu. Et accessoirement, son fiancé.

Elle tendit la main vers la poignée mais la vit tourner, puis la porte s'ouvrit. Le valet de Jasper s'inscrivit dans l'ouverture, impavide.

— Puis-je vous aider, madame ?

— Oh, merci, Pynch. Pouvez-vous vous occuper de lui ?

Elle se délesta de sa charge, qu'assuma aussitôt le valet.

— Naturellement, madame.

— Merci, dit-elle, soulagée de laisser Jasper aux bons soins de Pynch, à qui elle sourit avant de repartir en hâte vers l'escalier.

Il fallait absolument qu'elle trouve Sam.

La nuit tombait. Le ciel avait pris cette teinte étain qui précédait la fin du jour.

Et Sam courait.

Il courait depuis des heures. Depuis assez long-temps pour être épuisé. Assez longtemps pour avoir, précisément, transcendé l'épuisement et trouvé son second souffle. Son corps bougeait au rythme régulier d'une machine. Excepté que les machines ne connais-sent pas le désespoir. Il avait beau courir, il ne parve-nait pas à aller plus vite que ses pensées, les dépasser, les laisser derrière lui.

Un soldat qui s'était suicidé. Un soldat qui avait sur-vécu aux batailles, à la nourriture pourrie, au froid de l'hiver dans des vêtements inadaptés, aux maladies qui décimaient régulièrement le régiment. Il était sorti vivant de toutes ces épreuves, un miracle. Il avait été l'un des rares à en réchapper, et pour quoi ? Pour ren-trer chez lui, dans un joli petit cottage auprès d'une épouse aimante. Cela aurait dû être l'épilogue. Le sol-dat de retour au bercail, la guerre renvoyée au passé, et dont il aurait raconté des anecdotes au coin du feu en hiver. Mais non. Craddock s'était juché sur un tabouret, avait passé un nœud coulant autour de son cou et fait tomber le tabouret d'un coup de pied.

Pourquoi ? Cette question hantait Sam. Pourquoi, après avoir fait un pied de nez à la mort, se jeter dans ses bras ? Pourquoi maintenant ?

Il gravit une colline, le souffle court, les jambes tremblantes de fatigue, de terribles élancements dans les pieds à chaque foulée. L'obscurité baignait les champs et il n'aimait pas cela. Il risquait de se rompre le cou en faisant un faux pas. Mettre le pied dans un terrier de lapin ou heurter un gros caillou et tomber. Mais il devait continuer à courir parce que les autres dépendaient de lui. S'il s'arrêtait, il serait un lâche fuyant le champ de bataille. Or il n'était pas un lâche. Il avait survécu aux batailles, tué des hommes, Blancs et Indiens. Il était en vie à la fin de la guerre et était devenu un homme sage et respectable. Oui, les autres dépendaient de lui, ils écoutaient avec gravité ses avis. Désormais, plus personne ne l'accusait de lâcheté. Du moins, pas en face.

Il trébucha, vacilla, mais tint bon.

Continue à courir, ne tombe pas…

Craddock avait baissé les bras. Il avait succombé à l'attrait des ténèbres qui envahissaient l'esprit aux moments où l'on s'y attendait le moins, aux cauchemars qui hantaient le sommeil. Désormais, Craddock dormait en paix. Sans cauchemars ni peur pour son âme. Craddock reposait du sommeil du juste.

N'abandonne pas…

Emeline ne savait pas ce qui l'avait réveillée en pleine nuit. Sam se déplaçait toujours dans un silence total, tel un chat. Et pourtant, lorsqu'il entra dans la chambre, il la réveilla.

Elle se redressa sur le fauteuil où elle s'était assoupie devant la cheminée.

— Où étiez-vous ?

Il ne parut pas étonné de la trouver dans sa chambre. Dans la lumière des candélabres, son visage était pâle, son expression indéchiffrable. Il s'avançait vers Emeline, d'une démarche étrangement raide. Elle baissa les yeux. Ses pieds marquaient le tapis de taches sombres. Elle faillit lui reprocher de ne pas nettoyer la boue qu'il laissait derrière lui, puis elle comprit. Et se réveilla alors complètement.

— Ô mon Dieu, qu'avez-vous fait ?

Elle se mit debout et lui agrippa le bras, puis l'attira doucement vers le fauteuil qu'elle occupait jusque-là.

— Vous êtes un homme stupide ! Qu'avez-vous fait ? Que vous est-il passé par la tête ?

Elle rajouta du charbon dans la cheminée, puis rapprocha une chandelle. Ce qu'elle découvrit à la clarté de la flamme la laissa sans voix. Ses mocassins étaient déchiquetés, se réduisaient à des lambeaux de cuir accrochés à ses pieds… Ses pieds qui… Seigneur ! Ils n'étaient plus que des moignons sanguinolents. Tels que Jasper les avait décrits quelques heures plus tôt. Maintenant, l'horrible description était devenue réalité.

Y avait-il de l'eau dans la chambre ? Oui, mais froide. Et où trouver des linges pour nettoyer et faire des bandages ? Elle bondit vers la porte. Une main jaillit et la retint.

— Restez là.

La voix de Sam était gutturale, enrouée de fatigue, mais ses yeux étaient dardés sur la jeune femme et il ne cillait pas.

— Restez là, répéta-t-il.

— Il faut que je trouve de l'eau et des linges.

— Non. Je ne veux pas que vous partiez.

Elle repoussa fermement sa main.

— Et moi, je ne veux pas que vous mouriez d'une infection !

Elle s'était exprimée abruptement, son expression était sévère, mais il lui sourit.

— Très bien. Mais revenez-moi.

— Ne dites pas de sottises, marmonna-t-elle en se dirigeant vers la porte. Bien sûr que je vais revenir.

Sans attendre, elle prit une chandelle et s'élança en courant dans le couloir. Elle marqua toutefois une brève pause, le temps de s'assurer que personne ne la voyait, puis gagna aussi vite et aussi discrètement que possible les cuisines. Les parties de campagne comme celle organisée par les Hasselthorpe étaient connues pour leurs rendez-vous clandestins. La plupart des invités feindraient la cécité s'ils l'apercevaient traversant la maison en pleine nuit, mais ensuite, les ragots iraient bon train. Une affreuse perspective, dans la mesure où elle était parfaitement innocente.

Les cuisines des Hasselthorpe étaient vastes, avec une salle principale voûtée, datant probablement de l'époque médiévale. Emeline constata avec satisfaction que la cuisinière était une femme compétente : elle gardait le feu couvert la nuit.

Elle traversa la salle, vers l'immense cheminée. Et faillit tomber sur un petit garçon qui dormait là. Il se redressa, au milieu de son nid de couvertures comme une petite souris.

— Je suis désolée, murmura Emeline, je ne voulais pas te réveiller.

Une énorme jarre de terre cuite était posée dans un angle de l'âtre. Elle la souleva et regarda son contenu. De l'eau tiède ! Alors qu'elle en vidait dans une bouilloire, elle entendit le garçon bouger derrière elle.

— Je peux vous aider, m'dame ?

Elle posa la bouilloire sur le feu, ranima les braises, puis se retourna. Il était assis sur les couvertures, ses cheveux noirs hérissés. Il avait probablement l'âge de Daniel.

— Est-ce que la cuisinière a un baume pour les brûlures et les coupures ?

— Oui.

Il se mit debout et se dirigea vers une grande armoire, dont il ouvrit un tiroir. Il fouilla à l'intérieur, puis rapporta à Emeline un petit pot. Il contenait une substance graisseuse de couleur sombre. Elle en huma l'odeur. Herbes et miel.

— Cela fera parfaitement l'affaire. Merci. Va te recoucher, maintenant.

— Oui, m'dame.

Le gamin regagna sa couche de fortune et observa Emeline pendant qu'elle prenait une pile de linges dans l'armoire puis, la pile dans une main, la bouilloire dans l'autre, gagnait la porte. Elle le remercia d'un sourire et lui souhaita bonne nuit.

Elle repartit vers la chambre, sans la chandelle qu'elle n'aurait pu tenir. Mais elle connaissait bien le chemin, désormais. Sam devait s'être endormi, se dit-elle en entrant dans la pièce. Non. Il tourna aussitôt la tête vers elle et ne la quitta pas des yeux quand elle versa l'eau chaude dans une cuvette, ajouta un peu d'eau froide, puis apporta le tout à côté de lui. Elle s'agenouilla et fronça les sourcils.

— Avez-vous un couteau ?

Il extirpa un canif de sa poche de gilet et le lui tendit. Elle fit sortir la lame du manche et entreprit de taillader les lambeaux de cuir des mocassins. Quelques-uns étaient collés à la peau de ses pieds par du sang coagulé. Lorsqu'elle les arracha, le sang se remit à couler. Ce devait être extrêmement douloureux, songea-t-elle, mais Sam n'émit pas un son. Elle enroula les jambières le long de ses mollets et approcha la cuvette.

— Mettez vos pieds dedans, monsieur Hartley.

Il obéit et, cette fois, laissa échapper un petit sifflement en plongeant ses pieds dans l'eau chaude.

— Combien de temps avez-vous couru ? demanda Emeline.

— Je ne sais pas.

L'eau de la cuvette était écarlate.

— Vale vous a dit, madame ?

— Jasper m'a dit quelque chose à propos d'un homme que vous êtes allés voir et qui est mort, oui, répondit-elle distraitement.

Si ses semelles s'étaient désagrégées pendant qu'il courait, de la terre et des petits cailloux avaient dû pénétrer dans sa chair. Il fallait nettoyer soigneusement, sinon il y aurait une infection. Retirer un à un chaque débris serait très douloureux.

— Où est Vale ? s'enquit soudain Sam.

— Dans sa chambre, je pense. Je l'ai laissé aux bons soins de son valet. Il a bu plus que de raison.

— Ah.

Emeline étala un linge sur ses genoux, qu'elle tapota.

— Levez les pieds et posez-les là.

Il s'exécuta, tendant ses pieds nus, et elle examina la plante et les talons. Rouges, mâchurés, profondément écorchés, mais en meilleur état qu'elle ne l'avait imaginé. En fait, il n'y avait qu'une seule entaille profonde.

Des pieds élégants. Elle ne s'était pas attendue à les voir si bien faits. Et se reprocha aussitôt cette pensée incongrue.

— Il s'est pendu, lâcha Sam.

Emeline le regarda. Il avait fermé les yeux, sa tête reposait contre le dossier du fauteuil. La clarté du feu de cheminée jouait sur les méplats de son visage, qui luisait encore de sueur. Il était épuisé.

Elle revint au pied qu'elle soignait.

— Le soldat que vous êtes allé voir avec Jasper ?

— Oui. Sa femme était là, dans son petit cottage. Elle a raconté qu'il était revenu après la guerre et que, pendant un moment, il avait semblé aller bien.

— Et ensuite ?

Emeline prit un linge et le froissa jusqu'à le réduire aux dimensions de sa paume. Puis elle le plongea dans l'eau chaude, l'essora, et entreprit de nettoyer le pied blessé et souillé, regrettant de n'avoir pas pris une petite brosse dans les cuisines.

— Il a cessé de vivre.

De nouveau, elle le regarda. Il souffrait, c'était certain, et pourtant ses traits n'étaient pas crispés.

— Qu'entendez-vous par « il a cessé de vivre » ?

— Il est sorti de moins en moins souvent, jusqu'à ne plus quitter le cottage du tout. À ce moment-là, il avait perdu son poste d'employé à l'épicerie du village. Puis il a cessé de parler. Sa femme nous a dit qu'il s'asseyait devant le feu et le fixait des heures durant, comme hypnotisé.

Emeline posa le pied droit propre par terre.

— L'autre, je vous prie.

Il plaça le pied dégoulinant d'eau pourpre sur ses genoux. Elle ne voulait pas entendre cette histoire de soldat incapable de recommencer à vivre normalement une fois rentré de la guerre. Reynaud se serait-il comporté comme M. Craddock, s'il avait été épargné ? Aurait-elle été obligée de le regarder mourir à petit feu, consumé par son enfer intérieur ? Mais, et Sam ?

— Et… ?

— Et il n'a plus dormi.

Elle releva la tête.

— Comment est-ce possible ? Tout le monde dort. On ne contrôle pas le sommeil.

Il ouvrit les yeux et les fixa sur elle, tristes, si tristes qu'elle résista avec peine à l'envie de fuir ce regard vibrant de détresse. De quitter cette chambre à toutes jambes. De trouver un endroit où plus jamais elle ne penserait à la guerre et aux hommes qui l'avaient faite.

— Il avait des cauchemars.

Elle se tourna vers le feu et inspira profondément. Elle ne voulait pas savoir. Il existait des choses trop pénibles à imaginer, trop horribles. Reynaud était mort, mais elle ne se sentait pas mal. Elle avait réussi à faire son deuil, même si au début elle avait maudit le destin. Elle s'était résignée à l'accepter car il n'y avait pas d'autre alternative. Apprendre en détail ce qu'avait été la guerre, ce qu'enduraient ceux qui en étaient revenus, vivants mais pas intacts, c'était plus qu'elle n'en pouvait supporter.

— Et vous, monsieur Hartley, faites-vous des cauchemars ?

— Oui.

— De… de quoi rêvez-vous ?

Les rides autour de sa bouche se creusèrent. Des plis de profonde amertume.

— Je rêve de l'odeur de la sueur des hommes. De l'odeur des cadavres aux blessures béantes, aux chairs rouges et luisantes même après la mort. Je rêve que je suis mort, moi aussi. Qu'être en vie n'est qu'une illusion, et lorsque je baisse les yeux sur mes mains, elles sont en putréfaction, les os saillent à travers la peau qui tombe en lambeaux.

— Ô mon Dieu…

— Mais ce n'est pas le pire, murmura Sam, si bas qu'elle l'entendit à peine.

— Et… qu'est-ce qui est le pire ? demanda Emeline avec appréhension.

— Que j'aie abandonné mes camarades, que je sois parti en courant dans les forêts d'Amérique du Nord, mais pas pour aller chercher de l'aide, dans un premier temps. Je me suis enfui, c'est tout. C'est pour cela qu'ils me considèrent comme un lâche.

Dieu du ciel, quel affreux aveu ! Trop incongru et déplacé pour être l'expression de la vérité. Tellement choquant qu'Emeline ne put s'empêcher d'éclater de rire. Aussitôt, comme une enfant, elle mit son poing sur sa bouche pour retenir cette inconvenante hilarité, mais ce fut plus fort qu'elle : son rire continua à résonner dans la chambre.

— Je suis désolée, bredouilla-t-elle entre deux hoquets. Je suis désolée...

Éberluée, elle vit Sam esquisser un sourire. Il se pencha et l'attira contre ses genoux. Le bas de ses jupes glissa dans l'eau rougie de sang de la cuvette. Elle n'en eut cure. Rien ne la touchait, hormis la souffrance de cet homme et ses atroces cauchemars. Elle tendit la main et la posa sur sa joue. Elle aurait aimé par ce seul geste aspirer la douleur qui était en lui, la faire sienne, le soulager. Il lui caressa les cheveux.

— Je sais que vous êtes désolée. Pourquoi riez-vous ?

Sa voix recelait tant de tendresse que, du rire, elle faillit passer aux larmes.

— Parce que l'idée que vous puissiez être un lâche est ridicule. Tellement ridicule qu'elle en est risible.

— Madame... Emeline... cette idée n'est pas ridicule. Vous ne me connaissez pas.

— Mais si, je...

Elle s'apprêtait à dire qu'elle le connaissait comme jamais elle n'avait connu un homme, pas même Jasper, mais il bloqua les mots sur ses lèvres en l'embrassant.

Un baiser tout de douceur, de tendresse, qui la bouleversa. Pourquoi lui ? Pourquoi cet homme et non un autre de sa condition sociale ? De son pays ?

Elle prit son visage entre ses mains et pressa sa bouche contre la sienne, avec une ardeur fébrile. Elle avait apprécié la douceur et la tendresse, mais elle voulait que ce baiser devienne torride. Alors elle insinua sa langue, et chercha les saveurs qui l'enivraient, les sucs ensorcelants que seulement Sam était à même de lui offrir. Elle se dressa sur ses genoux et plaqua sa poitrine contre la sienne, chavirée par la sensation que lui prodiguait le contact étroit de ses seins sur les pectoraux à la dureté de marbre. Il résista le temps de quelques battements de cœur puis l'enlaça, écartant les cuisses afin qu'elle puisse se serrer tout contre lui, son sexe durci contre le ventre d'Emeline.

Elle frissonna. Son corps de femme chaste réagit avec une exaltation qui lui coupa le souffle.

Elle approfondissait le baiser, lorsqu'il la repoussa. Elle dut se retenir à ses épaules pour ne pas basculer.

— Que se… ?

— Partez, madame.

Effarée, elle le regarda. Il avait tout à coup la mine sombre. S'était-elle méprise sur ce qu'il souhaitait ? Impossible. Son sexe en érection le trahissait. Alors ?

— Partez !

Il glissa les mains sous ses aisselles et la releva. Puis il la fit pivoter sur ses talons et la poussa sans cérémonie vers la porte.

— Partez.

Sans vraiment savoir comment, Emeline se retrouva dans le couloir, désorientée, les jupes dégoulinantes, le cœur gonflé de chagrin.

Elle courut jusqu'à sa chambre.

12

Cette nuit-là, alors que tout était calme dans le château, Cœur de Fer se réveilla sur le coup de minuit. Il ressentit soudain une peur sans nom. Il sortit du lit conjugal et laissa la princesse endormie. Il prit son épée et partit voir son fils. Arrivé devant la chambre de l'enfant, il trouva les gardes qui ronflaient devant la porte. Sans bruit, il l'ouvrit en grand et ce qu'il découvrit à l'intérieur glaça son sang dans ses veines : un loup gigantesque, crocs luisant dans la pénombre, était penché sur le berceau du bébé.

Curieusement, Sam avait bien dormi. Ce fut sa première pensée à son réveil le lendemain matin. À croire qu'Emeline lui avait passé du baume non seulement sur les pieds mais également sur l'âme.

Si elle avait pu l'entendre, elle aurait ri. Elle était une si ravissante petite créature malicieuse…

Sa seconde pensée fut que ses pieds l'élançaient affreusement. Il grogna, puis s'assit dans le grand lit. La chambre, à l'instar du reste de la maison, était somptueuse. Des rideaux de velours rouge pendaient du baldaquin, les murs étaient couverts de panneaux de bois sombre travaillé, un épais tapis ornait le sol. Le chalet dans lequel il avait grandi aurait tenu dans cette pièce. Si les Hasselthorpe l'avaient installé dans une chambre pareille, lui, le moins important de leurs invités, que devait-il en être de celles données aux hôtes de marque !

Il fit la grimace. Il n'était pas chez lui, dans ce genre de demeure toute de velours et de boiseries anciennes. Ce n'était pas son monde. Le sien, c'était le Nouveau Monde, où l'on jugeait les hommes sur ce qu'ils réalisaient au cours de leur vie, et non en fonction de leurs ancêtres. Néanmoins, il ne pouvait rejeter l'Angleterre en bloc. C'était le pays de lady Emeline et elle y tenait une place précise et prépondérante, aussi bien adaptée qu'une pièce dans un puzzle. Seules la naissance et la classe sociale généraient cette situation. Un fait qui aurait dû l'inciter à rester le plus loin possible d'elle. Leurs univers, leurs expériences, leurs vies étaient aussi différentes que le jour et la nuit.

Mais ce n'était pas pour cette raison qu'il l'avait repoussée la veille. Il s'était agi d'un geste instinctif qui allait à l'encontre des désirs de son corps. Il était dans un tel état d'excitation qu'il ne songeait qu'à la posséder. Et soudain, il s'était rendu compte qu'il se sentirait trop mal s'il cédait à ses pulsions, car il était persuadé qu'Emeline allait vers lui par pitié. La pitié était la dernière des émotions qu'il voulait susciter en elle. Elle l'avait étreint et il s'était enflammé. Mais quel homme serait resté de glace ? Son corps avait réagi avec enthousiasme parce que Emeline avait paru tout à fait consentante, prenant même des initiatives. Tel un chien flairant une proie facile, il s'était en un clin d'œil mis en chasse.

Un chien… Quelle image ! Mais il empestait comme un chien crotté. Le résultat de sa course effrénée. Il avait couru jusqu'à ce que son corps soit couvert de transpiration, exsudant la détresse par tous les pores.

Il boitilla jusqu'à la porte et appela pour demander de l'eau chaude. Puis il se rassit sur le lit et examina ses pieds. Emeline avait fait du bon travail. Les éraflures et coupures étaient propres. Il guérirait sans problème, il le savait par expérience.

Le tub se révéla à peine assez grand pour lui, mais la chaleur et la vapeur firent du bien à ses muscles noués. Lorsque, plus tard, il s'habilla et dut se pencher pour lacer ses mocassins – une vieille paire mise dans son sac de voyage par prudence –, il eut vraiment très mal. Il se redressa en hâte, puis descendit prendre son petit déjeuner. Pour lui, il était tard, mais pour un aristocrate anglais, il était tôt, aussi ne trouva-t-il qu'une poignée d'invités dans la salle à manger du matin.

La pièce sur l'arrière de la maison était toute en longueur. Des fenêtres à vitraux donnaient sur le jardin, laissant largement pénétrer la lumière. Il n'y avait pas de grande table ovale comme dans l'autre salle à manger, mais plusieurs petites tables rondes. Sam salua d'un hochement de tête un gentilhomme dont le nom lui échappait, et s'efforça de marcher sans claudiquer jusqu'au buffet au fond de la pièce. Rebecca était déjà là, examinant un plat de jambon frit.

— Ah, te voilà! dit-elle à voix basse.

— Bonjour à toi aussi.

— Ne fais pas cela, lui intima-t-elle en se rendant compte que lady Hopedale les observait.

— Que je ne fasse pas quoi? s'enquit Sam en plaçant une tranche de jambon sur son assiette: il avait remarqué que dans cette maison, le jambon frit était particulièrement bon.

— Feindre de ne pas savoir de quoi je parle.

Rebecca semblait fort irritée. Le problème, c'était que Sam n'avait pas la moindre idée de ce qui l'irritait. La jeune fille émit un long soupir, puis expliqua lentement comme si elle s'adressait à un tout petit enfant:

— Tu es parti toute la journée, hier. Personne ne sait où Vale et toi êtes allés. Vous aviez purement et simplement disparu.

Sam s'apprêtait à répondre, mais elle continua dans un murmure:

— Je m'inquiétais pour toi! Je m'inquiète quand mon frère disparaît dans la nature, et que les gens commencent à se demander s'il n'est pas tombé dans un fossé et y gît, mort!

Sam cilla. Il n'avait pas l'habitude de rendre compte de ses mouvements à quiconque. Il était un adulte en pleine possession de ses moyens. Pourquoi quelqu'un se serait-il fait du souci pour lui?

— Rien ne justifie cette inquiétude, Becca. Je suis tout à fait capable de veiller sur moi.

— Ce n'est pas le problème! s'écria Rebecca, si fort qu'une dame aux bajoues pendantes se retourna. Tu pourrais être le plus fort, le mieux armé des hommes que je me ferais quand même du souci pour toi si tu disparaissais mystérieusement!

— Cela n'a aucun sens.

Rebecca plaqua un hareng salé sur son assiette.

— Je me demande ce qui a du sens pour toi!

Sam cherchait toujours à comprendre ce qui n'allait pas, lorsque Vale apparut à son côté.

— Votre sœur me semble avoir les plumes bien ébouriffées.

Sam le regarda et fit la grimace. La figure de Vale était gris cendre, et il oscillait légèrement tout en scrutant le plat de jambon.

— Vous avez vraiment un air de déterré, Vale.

— Merci, c'est trop gentil.

Son teint verdit soudain et il ajouta:

— Je ne crois pas que je vais manger quoi que ce soit maintenant.

— Bonne idée, approuva Sam en se servant une portion de rognons. Mais peut-être un café vous ferait-il du bien.

— Non. Juste de la tisane d'orge.

Sam appela un valet et lui commanda un verre d'infusion.

— Je vais aller m'asseoir dans un coin tranquille, annonça Vale.

Sam le suivit. Il se sentait obligé de faire montre de sympathie: Vale était la proie des mêmes démons que lui, sauf que sa réaction différait de la sienne.

— Avez-vous vu Emmie ce matin, Hartley?

Sam se crispa. Il supportait mal cette familiarité, ce diminutif ridicule. Emmie… Chaque fois que Vale le prononçait, il avait envie de le frapper.

— J'ai bien peur d'avoir été vraiment minable avec elle hier soir, ajouta-t-il.

Sourcils froncés, Sam le dévisagea.

— Vous étiez avec elle ?

— Pas longtemps. Enfin, il me semble. J'étais un peu éméché.

Sam taillada sauvagement sa tranche de jambon. Lady Emeline avait-elle accompagné Vale dans sa chambre ? L'avait-elle déshabillé et mis au lit ? Soigné avec autant de tendresse et de douceur qu'elle l'avait soigné, lui ? Mû par la colère, il trancha avec tant de vigueur son jambon que la lame ripa sur l'assiette. Le jambon fut propulsé sur la table.

— Oups ! fit Vale en souriant bêtement.

Lady Emeline entra à cet instant-là dans la salle. Sam étrécit les yeux et l'examina. Elle portait une robe toute simple rose et blanc. Il vécut ce rose comme une offense. Cette couleur lui donnait l'air d'une dinde de la haute société, incapable de prendre la moindre décision. Ce qui n'était pas son cas, il le savait. Elle était une femme forte, la plus forte qu'il eût rencontrée.

— Voilà Emmie ! s'écria Vale.

Le vicomte avait-il jamais fréquenté une vraie femme ? Certainement pas, sinon il n'aurait pas employé ce nom de gamine.

Sam était conscient de l'ampleur que prenait peu à peu son hostilité. Elle n'était qu'une sœur pour Vale, rien de plus ! On pouvait aimer une sœur profondément, sincèrement. Mais cet amour-là n'avait rien à voir avec la passion. Emeline était une femme forte aux émotions intenses. Elle avait besoin de bien davantage qu'un amour fraternel.

Elle parlait à son hôtesse, feignant de n'avoir pas remarqué les deux hommes, mais elle ne dupait pas Sam : il avait noté que sa présence n'échappait jamais à Emeline. Était-ce un signe ? Il avait l'impression que même s'il le désirait, il ne pourrait se cacher d'elle.

— Emmie ! appela Vale. Bon sang, Hartley, pourquoi ne nous voit-elle pas ?

Elle se tourna enfin vers eux, évitant soigneusement le regard de Sam. Elle échangea encore quelques mots avec lady Hasselthorpe, puis carra les épaules et marcha vers leur table.

— Bonjour, Jasper. Monsieur Hartley.

Vale tendit la main vers celle de la jeune femme, et Sam serra le poing sous la table.

— Me pardonneras-tu, Emmie ? J'ai vraiment honte d'avoir été ivre à ce point, hier soir.

Elle adressa un sourire tellement sirupeux à Vale, que Sam douta de sa sincérité quand elle assura :

— Bien sûr, je te pardonne, Jasper. *Tu* es toujours si gentil.

Sam était sûr de n'avoir pas imaginé l'accent mis sur le «tu». Il s'éclaircit la gorge dans l'espoir d'attirer son attention, mais manifestement, elle avait décidé de l'ignorer.

— Je vous en prie, asseyez-vous avec nous, se résigna-t-il à dire.

Lui parler directement impliquait qu'elle lui réponde. Elle lui décocha une esquisse de sourire crispé.

— Je ne pense pas que...

— Mais oui, mais oui, assieds-toi, Emmie ! Je vais te chercher une assiette.

L'espace d'un instant, l'expression d'Emeline montra à quel point elle était excédée.

— Jasper, je ne...

Trop tard. Vale était déjà debout et chaloupait vers le buffet. Ravi, Sam tira la chaise entre Vale et lui.

— Il ne vous a pas laissé le choix, madame.

— Mmm.

Elle s'assit donc, mais n'offrit à Sam que son profil. Nullement découragé, il se pencha vers elle pour humer son parfum et, dans la seconde, crut sa culotte devenue trop petite à cause d'une érection aussi impressionnante qu'inattendue.

Emeline s'empourpra lorsqu'il chuchota :

— Je regrette de vous avoir repoussée, la nuit dernière.

— Je ne sais pas à quoi vous faites allusion, monsieur Hartley.

— À vous, assise sur mes genoux, qui aviez glissé votre langue dans ma bouche.

— Auriez-vous perdu l'esprit, monsieur ? Vous ne pouvez pas parler de cela ici !

— Oh, je ne puis dire n'avoir pas apprécié les saveurs de votre langue, continua Sam imperturbablement.

— Samuel, je vous en prie... murmura-t-elle en fixant sa bouche.

Mon Dieu, cette femme avait l'art de le rendre débordant de vie ! Il la voulait. Au diable leurs différences sociales, au diable Vale, au diable ce fichu pays ! La veille, la noble dame s'était montrée d'une sensualité ébouriffante.

— J'ai également adoré que vous vous pressiez sur mon sexe.

Elle écarquilla les yeux, au bord de la panique.

— Arrêtez, monsieur Hartley. C'est trop dangereux. Je ne...

— Voilà ! lança gaiement Vale en posant une assiette bien garnie devant Emeline et un grand verre de tisane d'orge pour lui. Je ne savais pas ce qui te tentait, Emmie, alors j'ai mis un peu de tout.

— Tu es trop gentil, répondit la jeune femme d'une voix mourante.

— Quelle galanterie, commenta Sam d'un ton railleur. Il va falloir qu'il me donne des leçons, n'est-ce pas, lady Emeline ?

— Vous n'avez nul besoin de...

— Oh, mais si ! répliqua Sam, qui se contenait de plus en plus difficilement.

Assister au manège de Vale, qui était aux petits soins pour Emeline, ce Vale qui ne connaissait rien d'elle, le mettait hors de lui. Il se rendait compte que sa colère, son dépit devaient se lire sur son visage, mais était incapable de se maîtriser.

— Mes manières sont trop grossières, ma façon de m'exprimer trop brutale. Il faut que j'apprenne à être policé, de façon à être en mesure d'avoir des rapports avec une dame.

L'expression fit sursauter Emeline si vivement qu'elle en lâcha sa fourchette. Vale avala de travers sa tisane. Sam lui demanda :

— N'êtes-vous pas d'accord avec moi, Vale ?

Le teint d'Emeline avait pâli de colère.

— Je suis désolée, mais j'ai oublié…

Elle s'interrompit, cherchant une excuse.

— … je ne sais plus ce que c'est, mais je dois m'en aller.

Elle repoussa sa chaise et sortit précipitamment de la salle à manger.

— « Avoir des rapports », mon vieux, n'est certainement pas la formule que vous cherchiez, remarqua Vale. « Converser », peut-être, ou…

Sam se leva.

— Excusez-moi… mon vieux.

Sans attendre la réponse de Vale, Sam s'en alla. Qu'importaient ces singeries de bonnes manières ? Emeline était partie, et désormais elle savait ce qui mettait en appétit un prédateur.

La jeune femme remonta ses jupes pour marcher plus vite alors qu'elle traversait le vestibule. Quel horrible homme ! Il avait osé la repousser la veille, et maintenant il se comportait comme si c'était lui la dupe de l'histoire !

Tout à sa colère, elle faillit bousculer le duc de Lister. Elle marmonna quelques mots d'excuses et continua son chemin. Le pire, c'était cette attirance qu'elle éprouvait pour cet individu, attirance que rien n'entamait. Une honte. Elle s'était offerte, il l'avait rejetée, et pourtant elle ne parvenait pas à occire la bête sauvage en elle, qui était affamée de Samuel Hartley.

En entrant dans la salle à manger, elle avait été émue de l'y trouver. Comment allaient ses pieds ? Les avait-elle bien nettoyés ? Avait-il marché sans trop de peine ce matin ? Ah, quelle sottise que cet attendrissement… Dès qu'elle s'était tenue devant lui, il l'avait agressée verbalement, insoucieux des oreilles indiscrètes. À cause de Jasper, c'était certain. Sam réagissait comme un mâle dominant sur son territoire. Ou devant une proie fraîchement chassée. Eh bien, elle n'était pas une proie !

L'escalier était devant elle, mais sa vision se brouilla sous l'effet de la rage et de la frustration. Elle se moquait totalement de cet homme! Il la laissait de glace! Elle refusait qu'il en soit autrement! Il n'était qu'un colon dépourvu de bonnes manières, d'élégance. Elle le détestait et… Seigneur, elle avait failli trébucher sur une marche. Pourvu qu'elle réussisse à gagner sa chambre sans s'affaler dans l'escalier. C'eût été l'ultime honte: lady Emeline perdant la tête chez les Hasselthorpe à cause d'un homme!

Les derniers mètres qui la séparaient encore de sa chambre, elle les fit en courant, ouvrit la porte à la volée, s'engouffra dans la pièce et claqua la porte derrière elle. Du moins essaya-t-elle: quelque chose résistait, empêchait le battant de se fermer. Elle se retourna et, horrifiée, constata que la main de Sam bloquait la porte.

— Non! cria-t-elle en poussant de toutes ses forces. Partez! Partez, espèce de malappris, fils de chien, salopard!

— Chuut… souffla Sam en l'écartant de la porte.

Il referma, sans lâcher Emeline qu'il avait attrapée par l'épaule, et elle vit rouge, perdant toute mesure. Elle tenta de le griffer, de le mordre, de lui donner des coups de pied. Sans réussir à l'atteindre. Lui, en revanche, n'eut aucune peine à se saisir d'elle. Il l'attira contre lui et plaqua la bouche sur la sienne. Elle voulut le mordre, mais échoua car Sam rejeta la tête en arrière. Incrédule, elle le vit sourire.

— Vous ne m'aurez pas deux fois, madame. Je n'ai pas oublié votre vilain petit tour.

— Bâtard!

Elle leva la main. Il lui crocheta le poignet, l'entraîna vers le mur et l'y adossa si brutalement qu'elle en eut le souffle coupé. Et il la maintint là, comme un papillon épinglé. Il la contempla quelques instants, un sourire narquois flottant sur les lèvres, puis se pencha vers elle, en évitant soigneusement de lui faire face. Et il la mordit dans le cou, juste sous l'oreille. Consternée, elle se sentit réagir… mais pas comme il l'aurait fallu. Son corps, son stupide et traître corps fondit de plaisir ! Apparemment conscient du phénomène, Sam entreprit de lui lécher la naissance de l'épaule. Elle renversa la tête en arrière et geignit. À sa grande honte, mais incapable de s'en empêcher.

Sam tressauta. Riait-il ?

— Ne vous moquez pas de moi ! cria-t-elle, à bout de nerfs.

— Mais non, je ne me moque pas…

En bougeant, ses lèvres caressaient la peau d'Emeline, qui se hérissa de chair de poule. La sensation était exquisément troublante.

— Non, je ne me moque pas et ne me moquerai jamais de vous, madame.

Il tira sur le corsage, faisant jaillir l'arrondi d'un sein, qu'il se mit à lécher. Emeline frissonna, transportée. Maudit soit-il !

— Ne vous avisez pas de faire cela par jalousie, monsieur Hartley !

Il la regarda, à distance prudente, prêt à parer à toute tentative de morsure, et répliqua :

— Il n'y a aucune jalousie vis-à-vis de qui que ce soit dans ce qui me motive, madame. Ce qui se passe là est purement entre vous et moi.

Pour ponctuer son affirmation, il la saisit par les hanches et la plaqua contre lui, de façon qu'elle prenne la mesure de son excitation. Elle ne s'y trompa pas. En dépit des épaisseurs d'étoffe, elle sentit son sexe d'une dureté d'acier, long, vigoureux. Elle en perçut même la chaleur. C'était bien elle qu'il voulait, elle qu'il attendait, et elle éprouva un sentiment de triomphe en songeant qu'elle détenait le pouvoir de le mettre dans cet état. Mais ce désir n'était pas à sens unique. Elle avait autant envie de lui ! Ce sexe, elle aspirait à l'accueillir en elle, et afin de préciser ses intentions, elle posa la main dessus et le caressa.

Il émit un grondement sourd et la fit pivoter, face vers le mur. Elle s'y appuya à deux mains, hanches arquées afin de maintenir le contact avec le sexe de Sam, maintenant contre sa chute de reins. Il entreprit de délacer les rubans de son corsage, s'activant à l'aveuglette pendant qu'il lui embrassait la nuque. Chavirée, elle enfonça les ongles dans la peinture du mur, et appuya sa joue enfiévrée sur le revêtement frais. Ce qui était en train de se passer relevait de la pure folie, mais elle n'en avait cure.

Il abaissa les manches du corsage le long de ses bras. De l'air froid courut sur ses épaules, vite chassé par le souffle brûlant de Sam. Il continua à faire glisser l'étoffe et dénuda son dos. Ses paumes calleuses sur sa peau délicate déclenchaient des sensations étourdissantes. Incrédule, elle s'entendit pousser de petits cris très doux, comme des roucoulements.

Elle ferma les yeux, l'esprit traversé par l'idée qu'elle fondait, que son corps était prêt, qu'il allait se mouler à celui de cet homme, que nul besoin n'était de poursuivre ces préliminaires. Mais il ne semblait pas pressé. Il prenait plaisir à la faire languir. À moins qu'il ne se gorgeât de la satisfaction de l'avoir à sa merci, à moitié nue et vulnérable ? Il lui constellait le dos de petits coups de langue. Elle geignit.

Soudain, il agrippa sa taille, là où son corsage était fixé à ses jupes. Il tira brusquement et Emeline pressentit que les dégâts causés à sa robe devaient être impressionnants car en un éclair et un crissement, elle fut nue jusqu'au nombril. Dans un friselis, coton, soie et dentelle tombèrent à ses chevilles. Sans aucun scrupule, Sam les piétina et acheva le saccage en arrachant les tissus qui protégeaient encore sa pudeur. Jupes et jupons allèrent rejoindre l'amas de délicates étoffes malmenées.

Il s'écarta d'elle. Elle faillit protester quand elle sentit sa langue sur... Ô Seigneur ! Sur ses fesses ! Il les léchait mais aussi les mordillait, assez vivement, et elle songea que ce n'était pas là une caresse d'homme sophistiqué, mais celle d'un être primaire, mal dégrossi, voire une caresse animale. Elle aurait dû ne pas aimer cela du tout.

Elle l'aurait dû.

Mais... mais elle adorait !

Il lui écarta les jambes et elle eut une pensée: la position qu'il lui avait fait adopter ne la mettait certainement pas à son avantage. Elle ne devait guère être séduisante sous cet angle, et… Quel délice, ce pouce qui suivait l'arc de sa colonne vertébrale, descendait le long de ses fesses, poursuivait audacieusement son chemin entre ses cuisses, s'enhardissait, stimulait son intimité, son… son sexe – elle devait appeler un chat un chat. Foin de la pudeur, désormais. Les exigences de son corps faisaient taire les rares reliquats de réticence qui essayaient d'agiter son esprit.

Elle cria, un long feulement extatique, lorsque la langue de Sam remplaça son pouce. Il l'avait d'une poussée ferme incitée à se pencher en avant et, accroupi derrière elle, il embrassait son sexe moite et palpitant. Elle se croyait sur le point de défaillir de plaisir quand il se redressa. Il jouait le chaud et le froid, cherchait sans doute à la forcer à supplier. Et elle le fit, reculant jusqu'à s'exposer crûment. Mon Dieu, elle aurait dû être mortifiée…

De nouveau, cette déplaisante pensée s'évapora de son esprit: ce n'était plus la langue ou le pouce de Sam qui éveillait ses sens, mais ses doigts, tous ses doigts. Ils étaient entrés en elle et bougeaient avec un art consommé. Sam savait exactement ce qu'il fallait toucher, à quel rythme, exerçant des rotations, des pressions qui lui arrachèrent des cris. Elle s'imaginait sur le point de mourir de plaisir, persuadée que les spasmes qui électrisaient son corps ne pouvaient s'amplifier, qu'elle avait atteint le sommet de la jouissance.

Mais il s'accroupit de nouveau et joignit sa langue à ses doigts. La sensation fut tellement puissante que ses jambes ne la portèrent plus. Sam la soutint d'une main sous les reins pendant que de l'autre, il se livrait à d'ensorcelantes caresses. Incapable de garder la tête droite, elle l'inclina et découvrit alors le spectacle le plus érotique qui existât: les doigts de Sam dans sa toison et, au-dessus de son ventre nu, ses seins qui se balançaient lascivement. Soudain agitée d'incoercibles tremblements, elle râla longuement, haletante, rayant le mur de ses ongles, les hanches qui oscillaient comme animées d'une vie propre. Sur ses rétines jaillissaient des éclats lumineux, la puissance de l'orgasme était d'une telle intensité qu'elle tressautait, bouche ouverte, le cœur battant à bondir hors de sa poitrine. La fulgurance des spasmes de plaisir qui paraissaient ne devoir jamais s'arrêter décrut enfin, après que Sam eut retiré sa main pour la recueillir contre lui, moite, puisque ses jambes ne la portaient plus.

Mais un corps, découvrit-elle très vite, recèle d'incroyables capacités de récupération : elle sentit ses jambes se raffermir et voulut se retourner, faire face à son amant et l'embrasser.

Il l'en empêcha. Il la força même à se pencher davantage. Elle perçut un froissement de tissu et, un instant plus tard, son pénis à la dureté de marbre entrait en elle. Lentement, par à-coups à la fois violents et doux, déclenchant, à chaque coup de boutoir, un geignement tremblé qui sonnait comme un sanglot mais était en fait la pure expression du plaisir absolu. Emeline avait l'impression que leurs identités se réduisaient à un fait : elle était une femme qui recevait un homme. Le reste du monde se réduisait à néant. Ils étaient le centre d'un univers qu'ils découvraient ensemble.

Elle sentit chaque centimètre de son sexe entrer en elle, perçut l'instant où il fut là, tout entier, et poussa un long soupir. Elle aurait pu rester ainsi éternellement, maintenue par ses bras puissants, empalée sur son sexe d'airain, dans cette étreinte si étroite que leurs corps se fondaient l'un dans l'autre.

Mais Sam se retira, aussi lentement qu'il était venu. Elle se crispa, essayant de le retenir. Alors il renonça à la douceur au profit de la vigueur et, en une fraction de seconde, il fut hors d'elle. Elle chancela, car le choc décolla ses bras du mur.

— Ne bouge pas, dit-il.

Elle plaqua les coudes contre ses flancs et attendit, haletante. Il la prit par les hanches et la pénétra de nouveau, cette fois sans ménagement. Ahanant, il se livra à de frénétiques va-et-vient, et le paradis qu'elle avait cru atteindre précédemment se révéla n'avoir été qu'un palier vers le vrai, l'unique, celui que même dans ses fantasmes les plus brûlants elle n'avait jamais imaginé. Un cri monta en elle, roula dans sa gorge, arriva à ses lèvres. À peine avait-elle commencé à le pousser que Sam la bâillonnait de sa main qui portait le goût salé de ses sucs intimes. Pour s'empêcher de crier, elle lui mordit la paume et entendit Sam souffler :

— Petite chatte…

Elle vécut en silence les ultimes moments de plaisir, attentive à ce qu'elle ressentait mais aussi à la jouissance de Sam, qui grondait comme un fauve. Elle croyait le voyage sur le point de s'achever quand il s'arracha une nouvelle fois à elle, la souleva et la porta jusqu'au lit, où il la coucha sur le dos. Il se laissa tomber sur elle, se reçut au dernier moment sur les coudes et, d'une main autoritaire, lui rouvrit les cuisses. Mais au lieu de la chevaucher, il glissa le long de ses jambes et ce fut avec sa langue qu'il la fit jouir.

Il ne s'était même pas déshabillé, songea-t-elle lors d'un bref accès de lucidité. Il portait toujours sa redingote, ses jambières, son gilet… et sans doute aussi ses affreux mocassins ! Les boutons de métal du gilet lui meurtrissaient les seins, l'étoffe était froide et rugueuse, et par contraste, son pénis extrait de la culotte, brûlant et satiné.

Il glissa en sens inverse sur elle, l'agrippa par les épaules et le sexe frémissant, toujours aussi dur, retrouva le chemin de cette partie d'elle-même qu'elle considérait désormais comme propriété exclusive de Samuel Hartley. Il l'avait pénétrée lorsqu'on frappa à la porte.

Emeline se pétrifia. Sam redressa la tête.

— Allez-vous bien, madame ?

Harris. Mon Dieu.

Sam l'interrogea du regard. Emeline s'éclaircit la gorge.

— Très bien, Harris. Vous pouvez disposer.

— Comme il plaira à madame.

Le son des pas de la gouvernante décrut rapidement. Elle avait rejoint le palier. Parfait. Mais il était temps d'arrêter ces jeux dangereux. Harris aurait pu entrer d'autorité.

— Retire-toi, intima Emeline à Sam en le poussant.

— Pourquoi ? Je me sens bien, là.

Un début de panique commençait à la faire suffoquer.

— Ma gouvernante va revenir.

— J'en doute. Je suis sûre que tu n'engages que du personnel parfait.

Elle lui donna une bourrade, et cette fois, il se retira et roula sur le flanc. Elle jaillit hors du lit. Si elle avait attendu quelques secondes de plus, elle n'en aurait pas eu la force.

Une fois debout, elle se rendit compte combien il était difficile d'être nue devant un amant. Si Sam avait eu deux doigts d'élégance, un comportement policé de gentilhomme, il se serait esquivé en un éclair. Mais non. Il restait allongé, très décontracté, et l'observait pendant que, penchée en avant, seins ballants, elle fourrageait dans ses vêtements en quête d'une pièce intacte susceptible de protéger sa pudeur. Sa camisole. C'était sans doute le seul élément de sa toilette qui... Oh, non ! La camisole n'était plus qu'un vilain chiffon déchiré !

Furieuse, elle pivota vers Sam.

— Va-t'en !

Paresseusement, il s'appuya sur son avant-bras. Sa chevelure était toujours nette, ses habits en désordre mais lui, au moins, il les portait ! Néanmoins, quelques éléments trahissaient ses activités récentes : le pli sensuel que dessinait sa bouche, ses paupières lourdes, qui voilaient à demi ses yeux somnolents. Et surtout, les pans ouverts de sa culotte. Il aurait pu avoir le tact de les rabattre, tout de même ! Mais non. Il semblait satisfait d'exhiber son sexe, toujours tendu, toujours arrogant. Comme s'il attendait qu'elle vienne finir ce qu'ils avaient commencé.

— Pourquoi n'es-tu pas parti ? demanda-t-elle d'un ton cinglant.

Il soupira et s'assit.

— J'avais espéré rester un moment allongé auprès de toi, ma chérie, mais il est évident que cette idée ne te plaît pas.

Emeline baissa les yeux, consciente de s'empourprer. Oh, si, cette idée lui plaisait. Et elle se sentait stupide de se montrer aussi agressive.

— Je t'en prie, va-t'en, dit-elle en croisant les bras sur ses seins nus.

Il se leva et rajusta sa culotte sans hâte.

— Très bien, je m'en vais. Mais rien n'est fini.

Horrifiée, elle écarquilla les yeux.

— Bien sûr que si, c'est fini ! Tu... Non, *vous* avez eu ce que vous vouliez, alors il n'est nul besoin de... de...

Elle s'interrompit, incapable d'exprimer ses pensées. Si seulement elle avait été l'une de ces veuves sophistiquées ! Celles qui prennent des amants discrets et ont des liaisons où chacun des deux partenaires connaît les règles du bon aloi ! Hélas, tout s'était passé trop vite, elle n'avait pas eu le temps de s'organiser une agréable vie clandestine. Il lui avait fallu s'occuper de Daniel et de tante Cristelle, puis Reynaud était mort. De surcroît, jamais auparavant la chasteté ne l'avait perturbée.

Elle sursauta : tout à ses réflexions, alors qu'elle se tenait raide, sévère, elle n'avait pas pris garde à Sam qui s'était approché d'elle, penché sur son cou, et l'effleurait du bout des lèvres, si délicatement, si tendrement qu'elle faillit en pleurer.

Il recula. Son regard était pensif.

— Oui, j'ai eu ce que je voulais, que tu voulais d'ailleurs aussi. Mais je ne suis pas rassasié. Alors je reviendrai vers toi. Tu auras le choix de me recevoir calmement, ou bien de me laisser frapper à ta porte jusqu'à ce que je la brise et alerte toute la maisonnée.

Il eut un sourire sans joie.

— Je ne suis peut-être pas très au fait de toutes les élégances de ta société, Emeline, mais je ne pense pas que tu voudras cela.

Emeline avait écouté Sam dévider son arrogant petit discours bouche bée, mais lorsqu'il tourna les talons, elle retrouva sa voix.

— Comment osez-vous présumer que…

Il la saisit par les épaules, interrompant sa protestation indignée. Il approcha la tête de la sienne et lui souffla à l'oreille :

— J'ose, parce que ton corps m'a accueilli avec enthousiasme il y a à peine un quart d'heure. Tu ruisselais de plaisir sur mon pénis et je veux que cela recommence.

Elle allait de nouveau protester. Il l'en empêcha d'un baiser qui cette fois n'était ni tendre ni doux, qui exprimait le désir viril à l'état pur. Il glissa sa langue dans la bouche d'Emeline et la força à incliner la tête de façon que ses lèvres recouvrent entièrement les siennes. Consternée, elle se rendit compte que son corps la trahissait une nouvelle fois, qu'il s'arquait contre celui de Sam. Oui, elle voulait recommencer. Son intelligence, sa raison ne pouvaient rien contre ce désir qui la tenaillait.

Il recula, si promptement qu'elle faillit tomber. Il avait le visage rouge, les traits durs.

— Laisse-moi venir ce soir, Emeline.

Sur ces mots, il sortit de la chambre sans lui laisser le temps de répondre. Quelques instants plus tard, assise sur la pile de vêtements déchirés, elle prit conscience d'une épouvantable évidence : elle avait perdu le peu de contrôle qu'elle avait jamais eu sur le déroulement de cette inconvenante liaison.

— Craddock s'est pendu il y a un mois, dit lord Vale.

L'après-midi était déjà bien avancé. Sam luttait constamment contre les images et les réflexions qui lui assaillaient l'esprit : la peau d'Emeline, ses seins… et le fait qu'elle ne souhaitât pas le revoir. Il s'obligea à se concentrer sur ce qui avait trait au 28e régiment.

— Thornton aurait dû savoir que Craddock était mort, remarqua-t-il.

— Il n'en a rien dit lorsque nous l'avons rencontré. Qui est le prochain sur votre liste, Hartley ?

— Personne, avoua Sam dans une grimace.

Il pleuvait, ce qui plongeait leur hôtesse dans le désespoir. Apparemment, lady Hasselthorpe avait organisé une promenade jusqu'aux ruines d'une abbaye, un lieu touristique célèbre. À part lui, Sam se réjouissait qu'il pleuve. Jamais il n'aurait été capable de gravir des collines aujourd'hui, ou alors au prix de térébrantes douleurs dans les pieds. Il aurait pu invoquer une excuse pour ne pas participer à l'escapade, mais cela aurait attiré l'attention de Rebecca. Il commençait à se rendre compte que sa sœur était bien plus observatrice qu'il ne l'avait imaginé. Devoir lui expliquer pourquoi il avait les pieds en capilotade lui aurait posé un gros problème.

La majorité des invités s'étaient donc regroupés dans un grand salon à l'arrière de la maison. Emeline n'en faisait pas partie. Évidemment. Elle l'évitait. Certains jouaient aux cartes, d'autres lisaient ou bavardaient. Par exemple, Sam et Vale.

— Vous ne voyez vraiment personne d'autre à interroger, Hartley ?

Vale paraissait incrédule. Sam répliqua entre ses dents serrées :

— Je suis ouvert à toute suggestion.

— Ah…

— En avez-vous à faire, Vale ?

— Eh bien… commença le vicomte avant de s'abîmer dans la contemplation de la pluie par l'une des fenêtres.

— Je me doutais bien que non, marmonna Sam.

À son tour, il se tourna vers la fenêtre. Vale pianotait sur l'accoudoir de son fauteuil, ce qui horripilait Sam.

— Pour que Thornton soit le traître, dit finalement le vicomte, il faudrait qu'il ait eu une excellente raison.

Que le cheminement de pensée de Vale ait suivi le sien, curieusement, n'étonna pas Sam. Sans détourner les yeux de la fenêtre, il demanda :

— Vous le soupçonnez donc ?

— Pas vous ?

Sam se rappelait le malaise éprouvé en revoyant Thornton à Londres. Il soupira.

— Je le soupçonne, oui, mais je n'arrive pas à croire qu'il ait pu trahir tout le régiment. Et vous ? Une hypothèse ?

— Pas la moindre. Peut-être était-il las du porridge aux pois qui nous était servi à chaque repas lors de cette épouvantable marche.

Le vicomte semblait l'apprécier, songea Sam, et cela le troublait de feindre l'amitié face à un homme dont il avait fait de la fiancée sa maîtresse. Il aurait préféré éviter sa compagnie, mais Vale s'était précipité vers lui dès son entrée dans le salon.

— Il y a toujours l'argent, Hartley. Mais je ne vois pas comment Thornton aurait pu tirer bénéfice de faire massacrer tout un régiment. Sauf s'il a été payé par les Français.

— Thornton parle-t-il français ?

— Je n'en sais rien, répondit Vale en continuant à pianoter sur l'accoudoir. Mais ce n'est pas important : le message était écrit en anglais, m'avez-vous dit. Et de toute façon, nombreux sont les Français qui parlent anglais.

— Devait-il de l'argent à quelqu'un ? s'enquit Sam tout en regardant sa sœur qui s'entretenait avec une autre jeune fille : elle avait enfin trouvé une demoiselle encline à lui parler.

— Nous devrions essayer de le découvrir, dit Vale. Ou plutôt, moi. Je vais m'occuper de cela. Mais il faudrait qu'il ait emprunté davantage que quelques livres.

Sam se tourna vers le vicomte, lequel dardait sur lui des yeux innocents. Quel genre d'homme serait capable de trahir un ami comme lui ?

— Merci, Vale.

L'expression du vicomte s'illumina. Il sourit et son visage irradia, ses yeux bleus scintillèrent.

— De rien, mon vieux.

Sam se détourna, incapable de soutenir ce regard franc et gai. L'honneur exigeait qu'il renonce à tout jamais à Emeline. Ce qui ferait de lui l'homme loyal le plus malheureux du monde.

Non. Il était et resterait déloyal.

Car il entendait bien la revoir et lui faire l'amour. Ce soir.

13

Le loup géant plongea sur le berceau du bébé, tous crocs dehors. Mais Cœur de Fer fondit sur la bête, épée brandie, pour protéger son fils. S'ensuivit un combat dantesque. Car si Cœur de Fer devait garder le silence, ne pouvait donc appeler à l'aide, le monstre mettait à l'épreuve sa force et son adresse. Les deux combattants allaient d'un côté à l'autre de la chambre, mettant les meubles en pièces. Le berceau du bébé fut retourné, et le nourrisson se mit à pleurer. Cœur de Fer réussit un bon coup. Il atteignit l'une des pattes arrière du loup. La bête hurla de douleur et frappa l'homme, qui fut projeté contre le mur. Le choc ébranla le château. La tête de Cœur de Fer heurta la pierre, et il perdit connaissance.

Toute la journée, Emeline s'était disputée avec elle-même. Prudemment, elle était restée dans sa chambre, de peur de rencontrer Sam. Et maintenant, elle était enfin arrivée au bout de son âpre combat intérieur : elle savait précisément pourquoi elle n'aurait pas dû revoir Samuel Hartley.

Ils appartenaient à des classes différentes, à des univers différents. Elle devait songer à son fils, à sa famille. Sam était trop entier, trop difficile à manœuvrer. Avec lui, elle ne réussirait pas à garder la main. Et pourtant...

Et pourtant.

Peut-être était-ce parce qu'elle avait passé la journée à débattre sur ce sujet, mais aucun de ses arguments ne semblait plus avoir la moindre efficacité. Elle les écarta donc. Comparés à ses désirs, ils étaient vraiment trop minces. Elle avait besoin de cet homme, conclut-elle. C'était choquant, bestial. Jamais elle n'avait fait cela auparavant, à savoir rejeter la raison au profit d'exigences physiques. Laisser la chair l'emporter sur l'esprit. Elle trouvait effrayant d'être l'esclave de ses sens. Et en même temps, elle exultait. Depuis toujours, elle se maîtrisait, gardait ses émotions sous un étroit contrôle. Il avait bien fallu qu'elle se montre forte. Comme un homme, puisque tous les hommes censés s'occuper de la famille avaient disparu. D'abord Reynaud, ensuite Daniel, et six mois plus tard, son père. Ils l'avaient laissée seule.

Si affreusement seule.

Elle se tendit en entendant des pas dans le couloir. Elle était prête. Nue, dans le lit de Sam. Elle sentit aussitôt l'excitation monter en elle.

Il ouvrit la porte, la referma derrière lui. Avant qu'il ne se rende compte qu'elle était couchée, elle eut le temps d'observer les sillons qui marquaient sa bouche, la façon dont il voûtait ses larges épaules. Il était fatigué, elle le voyait bien. Sans doute ne s'était-il pas encore remis de sa course folle de la veille. Peu importait. Elle allait l'avoir auprès d'elle ce soir, et se servirait de lui comme il s'était servi d'elle.

Il remarqua enfin sa présence dans le lit. Il se figea, redingote à moitié enlevée. Elle s'assit. Le drap glissa jusqu'à sa taille, et ce faisant révéla ses seins nus.

— Je t'attendais.

— Vraiment ?

Il acheva de retirer sa redingote. Il s'était exprimé d'un ton urbain, mais ses yeux étaient rivés sur la poitrine offerte. Emeline se laissa aller contre les oreillers, ce qui eut pour effet de faire bomber ses seins dont les pointes se dardèrent lorsque l'air froid les frôla. Quoique, ce n'était pas seulement l'air qui était en cause. Le phénomène était surtout dû à la présence de Sam.

— Je t'attends depuis des heures.

— Je suis désolé, dit-il sans la quitter des yeux, en déboutonnant son gilet avec des doigts qui semblaient gourds. Si j'avais su, je me serais dépêché.

— En fait, je préfère que tu ne te dépêches pas, répliqua Emeline en faisant une petite moue.

Les doigts s'immobilisèrent sur un bouton.

— Je tâcherai de ne pas l'oublier.

Mais ce fut en hâte qu'il ôta son gilet, puis sa chemise, et s'avança vers Emeline torse nu. Il avait un torse superbe, large, musclé, marqué d'un fin triangle de toison sombre dont la pointe inférieure s'étirait jusqu'au nombril. Le seul fait de le voir à demi nu émut la jeune femme. Mais elle ne le lui montra pas, pour ne pas perdre l'avantage.

— Non, tu ne dois pas l'oublier, Sam.

Elle fit descendre son regard le long de la culotte, des jambières, et l'arrêta sur les mocassins.

— Ce qui implique, poursuivit-elle, que tu ne viennes pas trop vite près de moi.

Il étrécit les yeux et, le temps de quelques battements de cœur, elle eut peur d'être allée trop loin. Il pinçait les lèvres, manifestement contrarié. Puis il soupira et attrapa une chaise par le dossier, la posa à un mètre du lit et s'assit dessus à califourchon. Avant de se raviser, de la retourner et de s'asseoir face à Emeline. Il releva une jambe, plaça le pied sur l'assise et commença à délacer un mocassin. Les muscles longilignes de ses avant-bras jouaient, pour le plus grand plaisir de la jeune femme. Il se débarrassa d'un mocassin, la regarda, puis s'activa sur le second. Elle déglutit. Il ne faisait que se déchausser ! Mais c'était le début d'un déshabillage destiné à elle seule. Sous les vêtements se cachait un corps qui lui était destiné. Quant au sien, il était déjà prêt. Brûlant, moite, frémissant.

Lorsque le mocassin tomba, Emeline découvrit qu'il avait enveloppé son pied de bandelettes. Néanmoins, un peu de peau nue apparaissait, qui lui sembla en bonne voie de guérison.

Sam se redressa et détacha les lacets de cuir accrochés à sa taille, qui maintenaient les jambières. Il les fit glisser et, quand elles furent par terre, entreprit de déboutonner sa culotte, les yeux rivés à ceux d'Emeline. Son pouce et son majeur bougeaient avec précision sur les boutons, et elle songea que bientôt, ce serait en elle qu'ils bougeraient, avec la même précision. Elle retint un gémissement. Il ne fallait à aucun prix rompre le silence qui régnait. Ce moment était magique. Le seul bruit qu'elle voulait entendre était celui des étoffes froissées, et le son sourd qu'elles produisirent en tombant sur le tapis lorsque Sam se mit debout. Puis il se tint devant elle, bien droit, dans toute la splendeur de sa nudité.

Il était grand, mince, tout en muscles déliés, et bronzé là où le soleil avait touché sa peau. Ses jambes étaient impressionnantes de beauté, de puissance. Des jambes de statues grecques, celles des athlètes d'Olympie sculptées par Phidias. Elle avait l'impression de pouvoir l'admirer éternellement. Elle remarqua une fine cicatrice blanche en travers de son ventre. Précédemment, elle en avait noté une autre sur le pectoral. Jasper lui avait dit que Sam avait couru des jours durant alors qu'il avait été blessé au couteau. Comme cela avait dû être difficile... Et comme elle était fière qu'un homme aussi brave la désire...

Elle se décida, ayant gardé ce plaisir pour la fin, à laisser descendre ses yeux vers son sexe, qui se dressait, fier, arrogant, épais et si blanc par contraste avec la toison pubienne sombre. Dans les petites boucles noires se cachaient à demi les bourses bien rondes, vigoureuses, symboles de vie.

Le souffle court, Emeline détaillait avec délectation ce corps d'homme et jugulait avec peine son envie de se précipiter dessus pour le caresser.

— Puis-je, madame ? demanda tranquillement Sam.

Il ne cherchait pas à la presser, la laissait patiemment jouir de son examen attentif.

— Je pense que oui.

Il haussa les sourcils, affichant soudain la mine arrogante d'un mâle offensé.

— Tu *penses* ? Si tu n'es pas sûre, permets-moi de t'aider à te forger une opinion définitive !

En un clin d'œil, il fut dans le lit. Une vraie bourrasque. Il se rua sur elle à quatre pattes, tel un animal, et lorsqu'elle le crut sur le point de l'embrasser, il plongea la tête sur son sein gauche et se mit à en sucer avidement la pointe. Il ne la toucha nulle part ailleurs, se limitant à ce bout de sein, et Emeline s'émerveilla qu'une caresse sur une petite partie de son corps puisse déclencher des sensations dans l'intégralité de ce dernier. Elle se redressa et enlaça le buste de Sam. Enfin, elle touchait sa peau, tâtait ses muscles, faisait glisser ses paumes le long du dos lisse, satiné. Elle voulait explorer la moindre parcelle de peau, faire courir sa langue, ses doigts jusque dans le plus secret repli, tout connaître de ce corps, qu'il lui devienne aussi familier que le sien.

Il releva la tête, mais garda les yeux rivés sur les seins tendus.

— J'ai pensé à cela toute la journée. Une vraie obsession. Je ne songeais qu'à ces mamelons, ces pointes, et à tout ce que je désirais leur faire. J'avais du mal à marcher, tellement j'étais excité !

Il la regarda et elle distingua comme une lueur de colère dans les prunelles couleur café.

— C'est l'effet que tu me fais ! Tu me métamorphoses en obsédé sexuel. Soulève tes seins, présente-les-moi comme une offrande. Je veux les sucer jusqu'à ce que tu jouisses.

Ô Seigneur ! Jamais elle n'aurait dû lui permettre de lui parler ainsi ! En termes si crus, si explicites. Si elle obéissait à ses ordres, il allait abuser de son pouvoir sur elle. Mais comment refuser alors qu'elle sentait son propre corps déjà dominé ? Même son esprit y mettait du sien. Les pensées qui l'habitaient se résumaient à ceci : elle voulait que Sam exerce sa volonté, elle voulait qu'il se gorge de plaisir, un plaisir qu'elle partagerait avec exaltation.

Elle plaça les mains sous ses seins et les souleva, comme une offrande, sacrifice librement consenti à un dieu lubrique.

Sam émit un grondement d'approbation et le monde d'Emeline bascula, se muant en orgie de délices : il mordillait, suçait, léchait, passant d'un sein à l'autre. Sa barbe naissante meurtrissait sa peau tendre, et c'était exquis. Il pinçait aussi, de deux doigts trop énergiques. Elle cria. Il allait la blesser ! Mais il adoucit ses gestes dans la seconde et une vague de volupté déferla en elle, la laissant moite. Maintenant, il se limitait à de doux baisers. Cependant, ses yeux ne recelaient aucune gentillesse. Une inquiétante intensité, oui, mais pas de tendresse. Cet homme semblait affamé et féroce.

— Je ne peux plus attendre, murmura-t-il.

Et il arracha le drap tendu sur les jambes d'Emeline, qu'il écarta sans ménagement avant de plaquer son ventre contre le sien. D'une main, il guida son pénis vers son sexe et l'y enfonça. En deux poussées, il fut entièrement en elle. De nouveau, il grogna. Mais ses yeux étaient maintenant fermés, et l'expression de son visage toute de félicité, de satisfaction. Voyant cela, Emeline sourit, heureuse. Comment eût-elle pu ne pas l'être, alors qu'elle était la maîtresse du jeu ? Il paraissait incapable de dominer l'attraction qu'elle exerçait sur lui. Elle détenait le pouvoir de lui faire perdre sang-froid et raison.

Elle lui caressa la joue. Il souleva les paupières et fronça les sourcils.

— Tu te moques de moi !

Elle secoua la tête, ouvrit la bouche pour répondre, mais il pesa soudain lourdement sur elle, la plaquant contre le matelas, puis se mit à aller et venir, se coulant en elle de plus en plus vite, de plus en plus sauvagement, et la fulgurance de ce qu'elle ressentit lui fit oublier ce qu'elle s'apprêtait à dire. Tant pis s'il était offensé, en colère, cela lui était égal du moment qu'il poursuivait cet assaut divin ! Son sexe emplissait entièrement le sien, comme s'ils avaient été faits l'un pour l'autre, pour leur plaisir réciproque.

— Cela te convient-il, ma dame ?

Perdue dans son océan de bonheur, elle ne répondit pas. Sam se figea.

— Cela te convient-il, ma dame ?

L'intonation était agressive, la voix rauque.

— Oui, oui ! Mais n'arrête pas, sacrebleu ! s'écria Emeline en ouvrant tout grand les yeux.

Et elle lui agrippa les fesses, essayant de le faire bouger.

Il s'exécuta, tout en poussant des grondements de félin, de profonds bruits de gorge. Était-il encore irrité ? Elle avait clos les paupières sans se donner la peine de vérifier son expression. Aucune importance, pourvu qu'il n'interrompe pas ces coups de boutoir qui la faisaient monter de plus en plus haut, la rapprochaient de plus en plus de l'orgasme. Si seulement cela avait pu durer encore longtemps... Que cela ne cesse jamais, en fait... Grands dieux, ce qu'elle vivait tout à coup dépassait en intensité tout ce qu'elle avait ressenti jusque-là ! Elle se mit à trembler, possédée par un plaisir inouï.

Elle cria, longuement, et quand la folie de ses sens s'affaiblit un peu, elle rouvrit les yeux pour observer les traits de son amant au moment où il jouissait à son tour.

Il était hors d'haleine. Bien plus qu'après l'une de ses courses de plusieurs heures. Emeline l'avait anéanti, et c'était merveilleux.

Il s'effondra sur elle, veillant à ce que son poids ne la fasse pas suffoquer, mais également attentif à la garder entièrement sous lui. Ses seins contre sa poitrine, son ventre sous ses hanches, ses jambes nouées aux siennes. Quelque part dans le tréfonds de son cerveau, une petite voix lui disait qu'il agissait en dominateur vis-à-vis de cette femme, *sa* femme, et qu'il n'y avait pas lieu d'en tirer fierté, loin s'en fallait. Mais il fit taire la petite voix, trop fatigué pour raisonner. Et puis, il était si bien. Cette position était idéale.

Pas pour Emeline, apparemment.

— Enlève-toi, grommela-t-elle entre ses dents.

Jamais il n'aurait imaginé entendre la si parfaite lady Emeline grommeler entre ses dents.

— Est-ce que je t'écrase ?

Elle ne répondit pas et, pendant un moment, garda le silence. Il la soupçonnait de s'être endormie lorsqu'elle reprit :

— Tu ne m'écrases pas, mais enlève-toi quand même.

— Pourquoi ? s'enquit-il en se redressant un peu, une main appuyée sur l'oreiller derrière la tête de la jeune femme.

Ce face-à-face en forme de défi le réjouissait. Elle plissa le nez sans ouvrir les yeux.

— Parce que la politesse l'exige.

— Ah. L'ennui, c'est que je suis très bien comme cela, et que la politesse ne m'intéresse guère en cet instant.

Les yeux s'ouvrirent si vivement qu'il eut l'impression d'avoir entendu un déclic. Elle le fixa d'un air menaçant qu'il trouva absolument adorable. Il s'abstint de l'en informer, mais sa colère l'excitait.

— Mon confort est-il dénué d'importance, monsieur Hartley ?

Son élocution avait retrouvé sa netteté et ses intonations affectées.

— Oui, totalement, ma dame.

— Tu es vraiment sûr de toi.

— C'est parce que je suis toujours en toi, lui soufflat-il à l'oreille après avoir effleuré sa joue d'un baiser.

— Pff… Dors, homme vaniteux.

Elle ne voyait plus son visage, donc il s'autorisa à sourire et tira la couverture sur eux. Puis, toujours en elle, il suivit les ordres de son aimée et s'endormit.

Le lendemain matin, Emeline se réveilla en sursaut et comprit tout de suite qu'elle avait passé la nuit dans la chambre de Sam. Il était toujours allongé à côté d'elle. Non. *Sur* elle, et *en* elle. Ce qui rendait toute fuite difficile.

Elle le contempla. Son bassin était plaqué contre le sien, mais son torse avait basculé. Ne demeurait en travers de son buste qu'un bras possessif. Les rides autour de sa bouche s'étaient effacées. Il semblait avoir rajeuni, d'autant que ses cheveux étaient ébouriffés comme ceux d'un gamin. Avait-il cette apparence, avant la guerre ?

Il ouvrit les yeux, mais garda le silence. Et il détailla ses traits. Elle se sentait fort peu à son avantage, à cette heure matinale. Que voyait-il sur ce visage chiffonné ? C'était la première fois de sa vie d'adulte qu'elle se laissait examiner de la sorte, alors qu'elle n'était pas apprêtée. Mais elle n'allait pas laisser sa vulnérabilité gâcher ce moment rare. Celui d'une intimité émouvante.

Il leva la main, la posa sur sa nuque et attira son visage vers le sien. Lentement. Puis il l'embrassa, sans hâte, avec tendresse. Il n'insinua pas la langue dans sa bouche mais bougea les lèvres sur les siennes, manège érotique qui la troubla jusqu'au fond de l'âme. En elle, il était excité. L'érection du matin. Pourtant, il prenait tout son temps.

Il se redressa, en appui sur les coudes. Sans cesser de l'embrasser, les mains en conque autour de son visage, des mains viriles, fortes, protectrices. Jamais elle ne s'était sentie autant chérie, désirée. Il s'était ancré profondément en elle. La toison de son buste frôlait ses seins. Il avait plongé les yeux dans les siens. Elle frissonna, gênée. Elle était à la merci de Sam, livrée à ses fantasmes, obligée de plier sous sa volonté, et elle avait peur de se dévoiler totalement, de révéler des secrets qu'elle aurait souhaité garder celés. Mais elle était subjuguée, incapable de se rebeller.

La main de Sam glissa de son visage à sa gorge, puis vers la naissance de l'épaule et de là descendit le long du flanc, jusqu'à la hanche où elle s'arrêta, comme si, distrait par le baiser qu'ils échangeaient, il ne parvenait pas à se concentrer sur les caresses à prodiguer ensuite. Elle resta quelques instants immobile, bougea enfin de nouveau et gagna la cuisse, le genou qu'elle enserra, remonta vers ses reins, affermit sa pression. Cela fait, il oscilla doucement.

Emeline ne put réprimer un frisson de plaisir lorsque le ventre de Sam se frotta langoureusement contre le sien. Mais elle était prisonnière de ce corps d'homme, aussi impuissante qu'un papillon qu'on aurait maintenu par les ailes. Elle n'était pas du tout certaine d'aimer cela. Et puis ce calme la troublait, cette façon de faire l'amour au ralenti la déstabilisait. La tendresse, la délicatesse de Sam, même s'il n'en était pas conscient, mettaient son âme à découvert. Elle songeait à le repousser quand il s'anima et, en une fraction de seconde, la passion la posséda tout entière.

Sans cesser d'aller et venir en elle, il rompit le baiser, releva la tête et contempla son corps nu. Elle lui en voulut. Elle était piégée sous lui, sa peau luisait de transpiration, ses seins étaient gonflés et elle était sûre qu'il voyait son ventre palpiter. Il examinait sa chair possédée par la luxure, sans se rendre compte que cela ne se faisait pas, que c'était indécent. Il observait les conséquences du plaisir physique sur son corps de femme. Car il ne s'agissait que de plaisir physique, rien d'autre !

Rien d'autre ?

Elle accorda le mouvement de ses reins au sien et soudain perçut autre chose derrière le bonheur des sens. Il y avait bien davantage entre eux. Découverte qui la terrifia. Aussitôt, elle essaya de détourner la tête, de dégager ses bras, mais il lui attrapa prestement les poignets et les bloqua sur l'oreiller.

Elle ne put retenir un sanglot, impuissante, en colère. D'autant plus en colère qu'elle dévoilait ce qu'il y avait dans son cœur.

— Arrête, Sam !

Il n'arrêta pas, bien au contraire. Il accentua la pression de son sexe en elle et obtint ce qu'il voulait : elle crut défaillir de plaisir. Mais lorsque la vague de sensations s'apaisa, elle le regarda droit dans les yeux et dit :

— Non.

Peine perdue. Il se mit à lécher les gouttes de sueur sur son front. Une main tenant toujours ses poignets, il souleva de l'autre ses fesses et redoubla d'ardeur. Devinant qu'elle perdait pied, il lâcha ses poignets et sa main s'aventura sur son mont de Vénus, puis plus bas, là où se nichait la minuscule perle secrète, source d'incommensurable plaisir. Il la massa doucement tout en imprimant des rotations à son pénis.

Emportée par une succession de bourrasques de jouissance, Emeline s'abandonna. Tout ce qu'elle protégeait si farouchement depuis toujours lui échappait et se révélait à Sam.

Bien que sa vision fût brouillée par les émotions qui bouleversaient son corps et son âme, elle vit à son expression, au moment où il déversait sa semence en elle, que le même miracle s'exerçait sur lui.

Un peu plus tard, Emeline se rendit compte que la tasse de thé qu'elle portait à ses lèvres tremblait. Elle fronça les sourcils. Cette manifestation de son trouble intérieur lui déplut. Elle raffermit l'emprise de ses doigts et la tasse cessa de trembler. Par chance, personne autour d'elle dans la salle à manger du matin ne semblait avoir remarqué le phénomène. Sauf peut-être Melisande, assise en face d'elle à la petite table ronde qu'elles partageaient : elle lui lança un regard aigu.

Emeline se détourna de sa meilleure amie et essaya de se concentrer sur autre chose que les effarantes relations sexuelles qu'elle avait eues ce matin, la veille au soir, et le matin précédent. Elle baissa les yeux sur sa tasse. Qui ne tremblotait plus. Et se demanda si l'excès de sexe ne lui abîmait pas le cerveau. Cela aurait expliqué qu'elle fût incapable de penser à autre chose. Ce ne pouvait être sain de songer sans relâche, une vraie obsession, à un homme et ses longues jambes, sa large poitrine, et son membre magnifique !

Mon Dieu…

Elle toussota, consciente d'être rouge d'embarras, puis ramena les yeux sur Melisande, laquelle annonça :

— J'ai traduit le titre du premier conte de ce recueil que tu m'as confié. C'est *Cœur de Fer*.

— Ah, oui !

Emeline se souvenait de ce conte. *Cœur de Fer*. L'histoire d'un homme brave, fort et sincère. Et silencieux.

Un homme de la même espèce que Sam. Comme c'était étrange...

— Lord Vale te cherchait, hier soir.

Emeline faillit renverser sa tasse. En hâte, elle la posa sur la table. Manifestement, ses nerfs la trahissaient.

— Que lui as-tu dit, Melisande ?

— Rien. De toute façon, il me remarque à peine.

— Ne sois pas sotte. Bien sûr qu'il te remarque.

Emeline jeta un coup d'œil à son fiancé assis au milieu de tout un groupe de jeunes filles. Il pérorait en faisant de grands gestes, à l'évidence en pleine narration d'une passionnante histoire, et sa main droite manqua de peu la capeline de la demoiselle la plus proche de lui.

Elle aurait voulu répéter à Melisande que si, Jasper la remarquait, mais son amie avait raison : il n'accordait son attention qu'aux plus belles femmes. Mais qu'y avait-il d'étonnant à cela ? Les hommes accordaient plus d'intérêt aux atouts physiques des femmes qu'à leur intelligence. Enfin, la plupart.

Sam était assis dans l'angle opposé, flanqué de sa sœur et de Mme Ives, une matrone qui n'était plus de première jeunesse. La tête penchée vers la dame, il lui disait quelque chose, mais c'était sur Emeline qu'étaient posés ses yeux.

Elle s'empressa de regarder ailleurs. Maudit homme. Ce n'était donc pas suffisant qu'il ait joué avec son corps jusqu'à ce qu'il soit délicieusement moulu ? Il fallait aussi qu'il envahisse ses pensées ?

— ... et j'espère que tu as pris des précautions.

Quoi ? Que venait de dire Melisande ?

— Pardon ? s'enquit Emeline trop sèchement.

Melisande soupira.

— J'ai dit : j'espère que tu as pris des précautions hier soir.

— Mais de quoi parles-tu ?

— Quelque chose pour ne pas avoir de bébé.

Emeline sursauta.

— Vas-tu bien ? s'étonna Melisande comme si elle ne venait pas de lancer un coup de canon en plein milieu de la conversation.

Emeline reprit sa tasse pour se donner une contenance, tout en réfléchissant : allait-elle nier avoir passé la nuit avec Sam ? Dénégation superflue, semblait-il.

— Eh bien... mais oui, je vais bien, assura-t-elle.

Melisande la regarda sévèrement.

— Je n'arrive pas à croire que tu te sois engagée dans une liaison sans prendre les mesures appropriées. Des éponges, qu'il faut introduire dans le corps de la femme et...

— Mon Dieu, Melisande, comment se fait-il que tu saches cela ?

Melisande inclina la tête.

— Il y a des livres...

— Des livres ? Sur ce... sujet ?

— Oui.

— Seigneur...

— J'insiste donc, Emeline : as-tu pris ces précautions, ou non ?

— Eh bien, je crois qu'il est un peu tard pour y songer, avoua piteusement Emeline.

Sa main se porta instinctivement à son ventre. Comment avait-elle pu ne pas penser à quelque chose d'aussi fondamental ? Même emportée par la passion, elle aurait dû réfléchir ! La possibilité d'attendre un bébé était un souci dont elle ne voulait pas. Jasper avait beau être très délicat, jamais il n'accepterait que son héritier soit l'enfant d'un autre. Si elle était enceinte, elle serait obligée d'épouser Sam. Grands dieux... Il n'y aurait pas d'autre solution. Or vivre avec un homme tel que Sam serait un enfer. Elle ne pourrait rien lui cacher. Il découvrirait en un clin d'œil ses travers, ses faiblesses. Il la voyait telle qu'elle était, comme nul homme avant lui, et elle n'aimait pas cela. Il exigerait trop d'elle, déclencherait des émotions refoulées qu'il l'obligerait à mettre au jour. Elle n'aurait pas la possibilité de se dissimuler derrière une façade.

Son épouvante devait apparaître sur son visage, car Melisande se pencha vers elle et posa la main sur la sienne.

— Pas de panique. Il est trop tôt pour savoir. Et tu t'alarmes peut-être inutilement. Sauf… sauf si cette affaire dure depuis plus longtemps que je ne le suppose.

— Non, oh non… Elle a seulement commencé…

Elle n'acheva pas. Qu'allait penser d'elle Melisande ? Qu'elle avait forniqué avec un inconnu lors d'une réception où elle était venue avec son fiancé !

Melisande lui tapota la main.

— Il n'y a aucune raison de t'inquiéter. Profite de ton temps ici et ne va le retrouver que bien protégée.

— Je ne veux même plus le revoir ! Je vais l'éviter comme la peste. Cet écart ne se renouvellera pas.

— Mmm.

Melisande était sceptique, et Emeline songea qu'elle ne pouvait lui en vouloir : sa voix sonnait faux à ses propres oreilles. Comme mû par une volonté propre, son regard se coula en direction du coin de la salle où était installé Sam. Il la fixait, yeux étrécis. N'importe qui eût jugé son expression neutre, mais pas elle. Elle le connaissait trop bien, désormais. Le désir le dévorait. Il avait un air de propriétaire, l'air de ne pas douter une seconde de sa puissance. Cet homme ne renoncerait pas à elle sans lutter.

Seigneur, dans quel guêpier s'était-elle fourrée ?

14

Cœur de Fer reprit conscience le lendemain à l'aube, quand une femme cria. C'était la veille du jour où il serait libéré de son vœu de silence. La nourrice en larmes se tenait sur le seuil de la nursery et gémissait à fendre l'âme car le mobilier était brisé, les murs constellés de taches écarlates et, pire, bien pire, le bébé avait disparu.

En quelques minutes, la nursery fut pleine de gens : gardes, serviteurs, cuisiniers et bonnes. Tous regardaient Cœur de Fer, couvert de sang, qui se tenait dans la pièce où avait dormi son fils jusqu'à aujourd'hui. Son cœur se brisa lorsque la princesse Solace fendit la foule et se dressa devant lui, les yeux lourds de chagrin.

Sam se rendit compte qu'Emeline l'évitait. Ils se livraient à un étrange manège. Dès qu'il entrait dans une pièce, elle en sortait, ou lui tournait le dos. Ou alors, il s'approchait d'elle en catimini, mais elle n'était pas longue à percevoir sa présence, énonçait alors quelque futile excuse et s'esquivait. Ils jouaient à ce jeu depuis des heures et il se sentait de plus en plus frustré. Et furieux. Il ne se souciait plus que les invités remarquent son attitude insistante. Son seul souci, c'était de réussir à coincer Emeline. Plus elle se dérobait, plus il s'acharnait.

Ils se trouvaient maintenant dans la bibliothèque : la pluie obligeait tous les hôtes à rester confinés dans la maison. Il attendait donc son moment, s'abstenant d'avancer vers elle tant qu'il ne serait pas sûr du résultat. Elle était assise avec son amie, Mlle Fleming. Comparée à la radieuse beauté d'Emeline, celle de Mlle Fleming était fade, mais elle avait un regard d'aigle auquel aucun des mouvements de Sam n'échappait. Soit Emeline lui avait tout révélé, soit elle avait deviné. Aucune importance. Mlle Fleming était peut-être un courageux chien de garde, il ne la laisserait pas s'interposer entre sa proie et lui.

Il songea que jamais il n'avait éprouvé envers une femme d'émotions aussi primitives et aussi profondes. Il était conscient de perdre peu à peu son sang-froid, et pourtant ne parvenait pas à se ressaisir. Il voulait cette femme ! Qu'elle le rejette lui faisait l'effet d'un bloc de glace appliqué sur sa peau nue. Cela brûlait. Une insupportable torture. Elle avait souhaité qu'il lui fasse l'amour. Il ne l'avait contrainte en rien. Donc il n'était pas question qu'elle le repousse maintenant.

Sous-jacents, il y avait d'autres éléments qui entraient en ligne de compte et entraînaient des souffrances qui le désorientaient. Emeline le blessait dans son orgueil, dans son être le plus profond. Il en concevait de la honte, s'accusait de mal placer sa fierté, mais c'était plus fort que lui : le tourment était intolérable. Il avait besoin qu'il cesse.

Il avait besoin de cette femme.

— Ne veux-tu pas venir jouer aux cartes, Sam ? demanda Rebecca.

Il ne l'avait même pas entendue approcher.

— Non, répondit-il distraitement.

— Bien. Mais arrête de fixer lady Emeline comme un chien fixe une saucisse.

— Est-ce ce que je fais ?

— Oh, oui ! Je m'attends à te voir baver d'un instant à l'autre ! C'est très vilain, Sam.

Il sourit.

— Vraiment si vilain que cela ?

— Peut-être que les autres ne le remarquent pas, mais je suis ta sœur, et il y a des choses qui ne m'échappent pas.

— Manifestement, accorda Sam en observant la jeune fille.

Le jaune de sa robe illuminait son teint. Parmi toutes les demoiselles présentes, Rebecca était certainement la plus jolie.

— Prends-tu du plaisir à cette réception? Je ne te l'ai pas encore demandé.

— Eh bien, c'est… intéressant, dit-elle en baissant les yeux. Au début, j'ai eu peur que personne ne me parle, mais cela n'a pas été le cas. Les autres dames se sont montrées aimables. Enfin, la plupart.

— Qui ne l'a pas été?

Elle agita impatiemment la main.

— Personne. Cela n'a aucune importance. Inutile d'en faire toute une histoire.

— Je suis ton frère, donc à ce titre censé faire une histoire de tout ce qui te concerne, répliqua Sam sur le ton de la plaisanterie.

Plaisanterie qui tomba dans le vide: Rebecca ne sourit même pas. Mais elle l'examina d'un œil interrogateur. Il prit une longue inspiration, puis fit une nouvelle tentative.

— J'ai noté que tu passais beaucoup de temps avec M. Green.

— Mmm. Oui, admit prudemment la jeune fille tout en regardant ledit M. Green à la dérobée: il jouait aux cartes dans un coin.

Sam se sentit stupide. Rebecca lui avait proposé de jouer aux cartes. Sans doute cherchait-elle un prétexte pour s'approcher de M. Green.

Il sourit et lui offrit son bras.

— Allons nous joindre à la partie.

Elle secoua la tête comme s'il avait énoncé une énorme sottise.

— Je croyais que tu ne voulais pas jouer!

— Apparemment, j'ai changé d'avis.

— Sam, tu n'as pas envie de jouer aux cartes!

— Non, mais je pensais que toi, oui.

Il avait l'impression de tâtonner dans le noir.

— J'en avais envie, mais pas pour la raison que tu imagines. As-tu entendu rire M. Green?

— Oui.

— Alors tu vois, dit-elle comme si cela expliquait tout.

Puis elle noua les bras autour de son buste et enchaîna :

— J'ai appris que M. Craddock, que tu voulais interroger, était mort.

— Effectivement.

— Je suis désolée. Je suppose que sa veuve ne savait rien ?

— Non. Nous devrons attendre d'être rentrés à Londres pour continuer l'enquête.

Et là, il mettrait la pression sur Thornton.

Par-dessus l'épaule de Rebecca, il vit Emeline quitter la pièce. Bon sang !

— Excuse-moi, Becca.

— Elle est de nouveau partie, je présume, commenta la jeune fille sans même se retourner.

Sam se pencha, l'embrassa sur la tempe, là où ses cheveux sombres étaient tirés en arrière.

— Tu es une sœur beaucoup trop intuitive.

— Je t'aime aussi, chuchota-t-elle.

Il la regarda, étonné. Elle était une femme, sa petite sœur. Il ne la comprenait pas toujours, mais il l'aimait de tout son cœur. Il lui sourit.

Puis il se mit en chasse à grandes enjambées.

Là résidait toute la difficulté de s'engager dans une liaison avec un colon au style fruste : quand celle-ci s'achevait, il ne comprenait manifestement pas.

Tout en longeant à pas pressés un couloir de service, Emeline jeta un coup d'œil derrière elle. Elle ne vit pas Sam, mais sentit sa présence à proximité. N'importe quel gentilhomme eût déjà accepté l'évidence : elle lui avait signifié son congé. Elle s'était évertuée à ne pas le regarder, à ne pas lui dire un seul mot depuis ce matin. Il aurait dû renoncer à la harceler. Mais non. Sam n'était pas fait de ce bois-là. Il n'abandonnait pas. Le pire, c'était que sa détermination la touchait. Pour la poursuivre de la sorte, fallait-il qu'il la désirât! C'était finalement très flatteur.

Quoique exaspérant.

Elle bifurquait dans un autre couloir, complètement perdue à présent, quand elle poussa un cri : une grande main, comme surgie de nulle part, se ferma sur son épaule. Une fraction de seconde plus tard, elle était attirée derrière le rideau poussiéreux où s'était dissimulé Sam. Ce rideau masquait une petite alcôve qui servait de rangement : des barriques étaient empilées le long du mur. L'espace était minuscule et elle n'avait d'autre possibilité que rester plaquée contre la poitrine de Sam, lequel raffermit son étreinte. Elle gémit.

— Chut… souffla-t-il dans ses cheveux. Tu fais trop de bruit.

— Tu… Vous avez failli me faire avoir une crise d'apoplexie !

Elle essaya de le repousser, sans résultat. Elle renonça donc à se fatiguer inutilement et le regarda.

— Qu'envisagez-vous de faire ?

— Te parler.

Elle entendait comme une fêlure dans sa voix et, en dépit des épaisseurs d'étoffe de leurs vêtements respectifs, elle constata qu'il était très excité. Il était sur les nerfs, c'était évident, et aussi frustré – ce qui, et elle aurait dû en avoir honte, la réjouissait.

— Cela n'a pas été facile d'arriver enfin à te parler, Emeline.

— C'est parce que je ne voulais pas vous parler !

— Tu es une petite chose pleine d'épines, ma chère.

— Je ne veux plus vous voir, monsieur Hartley. Ni vous adresser la parole. Lâchez-moi !

La colère l'avait gagnée. Elle lui martela la poitrine à petits coups de poing, ce qui le laissa de glace.

— Lâchez-moi ! répéta-t-elle.

— Non.

— Nous ne pouvons continuer ainsi, voyons. Nous avons passé de plaisants moments, mais c'est terminé.

— Je ne le crois pas.

226

— Oh, allons, ce n'était qu'un petit intermède à l'occasion d'une partie de campagne. Nous n'allons pas tarder à rentrer en ville et tout redeviendra comme avant. Comme s'il ne s'était rien passé.

— Cela marche-t-il souvent ? demanda Sam d'un ton amusé.

Elle ne s'était pas attendue à cette réaction.

— Quoi donc ? s'enquit-elle sèchement.

— Donner des ordres à un homme. Je pense que oui, et que tu es obéie à chaque fois au doigt et à l'œil. Ils doivent tous filer la queue entre les jambes pour aller panser les blessures causées par tes petites dents pointues, seuls dans un coin sombre.

— Vous êtes infernal !

— Et toi, tu es devenue capricieuse à force de toujours obtenir ce que tu désires. Tu es une enfant gâtée.

— C'est faux ! Vous ne me connaissez absolument pas !

Elle le sentit se figer contre elle. Tout à coup, le silence envahit l'alcôve. Lorsque Sam parla de nouveau, ce fut du ton troublant de la confidence. Une intimité dérangeante régnait dans la pénombre.

— Je sais que tu as la langue acérée et que tu nourris des pensées souvent peu avouables. Je sais aussi que tu caches soigneusement cela, afin de ressembler aux autres dames. Une jolie petite chose semblable à une meringue : beaucoup de sucre et d'air.

— Une dame se doit d'être douce.

Elle avait émis cette protestation dans un murmure. C'était troublant qu'il en sût autant sur elle. Elle s'était fabriqué une façade, qu'elle espérait sans fissure. Une dame se devait d'être douce, oui, ne pas avoir la langue acérée ni de vilaines pensées. Sam l'avait percée à jour : en réalité, elle était trop forte, trop indépendante, trop… masculine. Il ne pouvait que la trouver détestable.

— Y a-t-il des règles disant comment doit être une dame ? questionna-t-il, la bouche contre sa tempe. Il y a tant d'obligations à respecter, dans ce pays… Je me demande comment tu supportes cela.

— Je...

Il glissa la langue dans son oreille et elle tressaillit.

— J'aime les vraies femmes, pas les meringues. J'aime le goût acide, comme celui des pommes vertes.

— Les pommes vertes donnent mal au ventre.

Elle n'essayait plus de se dégager de l'étreinte de Sam. Elle était nichée contre sa poitrine et sentait sa gorge contractée par des larmes qui menaçaient. Cet homme avait détruit ses défenses, il avait abattu en quelques jours les murs dont elle s'était entourée.

— Les pommes vertes ne me donnent jamais mal au ventre, et ce sont celles qui font les meilleures tartes. Leur saveur me réjouit la langue.

Tout en parlant, Sam lui avait soulevé les jupes et sa main s'activait pour atteindre la peau nue. Il captura la bouche d'Emeline et une nouvelle fois, elle se découvrit subjuguée. Peut-être lui trouvait-il une saveur acide qu'il aimait, mais pour elle, il évoquait un café fort, riche, sucré à en faire tourner la tête – bref, un breuvage viril. Elle goûta avidement son baiser, songeant que ce serait la dernière fois, car elle devait mettre immédiatement un terme à cette folie. Résolution qu'elle balaya aussitôt pour s'abandonner à la délectation de l'instant.

Jusqu'à ce qu'un bruit de pas résonne dans le couloir.

Emeline rompit l'étreinte et eût poussé une exclamation si Sam ne l'avait pas bâillonnée de la main.

— Elle a perdu l'esprit, non ? lança une voix.

Quelqu'un se trouvait exactement de l'autre côté du rideau !

— Essayer de jouer à la paume dans le vestibule, Seigneur !

Emeline baissa les yeux et vit une paire de chaussures à boucle au ras de l'ourlet. Elle releva la tête et fixa Sam, horrifiée. Et s'aperçut qu'il riait en silence. Ce maudit homme s'amusait ! Si elle avait pu le frapper, elle l'aurait fait.

— Peut-être parce qu'ils ont pas grand-chose pour se distraire ? dit un autre homme.

Deux serviteurs, déduisit Emeline à leur mauvaise syntaxe et leur accent de la campagne.

— Oui, mais quand même, la paume! Dans la maison! Pourquoi ils se contentent pas de jouer aux cartes ou aux dés?

— Aux dés? T'es cinglé! Les aristos jouent pas aux dés!

— Ah bon? Et pourquoi pas? Qu'est-ce qui va pas avec les dés?

Emeline sentait Sam tressauter de rire contre elle. Qu'il trouve la situation hilarante la consternait. Elle était pétrifiée de peur à l'idée d'être découverte! Furieuse, elle leva le pied et abattit son talon sur un mocassin. Au temps pour son espoir de lui écraser douloureusement les orteils! Il rit de plus belle. Ses yeux brillaient, il était heureux.

Il retira la main qui la bâillonnait et la remplaça par sa bouche. Il l'embrassa profondément, passionnément, mais en silence.

Un lourd soupir monta de derrière le rideau.

— T'aurais pas un peu de bon tabac?

— Oui, tiens.

— Ah, merci.

Mon Dieu! Les deux valets s'apprêtaient à fumer la pipe! Cet intermède pouvait s'éterniser et… Le frisson d'effroi qui courait le long de son échine se mua en frisson de plaisir: la langue de Sam redoublait d'ardeur dans sa bouche et il recommençait à fouiller sous ses jupes. Mais les étoffes crissèrent légèrement et elle se figea.

De l'autre côté du rideau, l'un des hommes éclata de rire. L'odeur de fumée passait à travers la lourde toile. Ils devaient fumer tous les deux.

— Pourquoi la paume, à ton avis? demanda celui qui avait la voix la plus grave.

Les doigts de Samuel caressaient son mont de Vénus et Emeline, soudain instable sur ses jambes, dut s'accrocher à ses épaules.

— Je sais pas, répondit l'autre. Peut-être que c'est plus drôle que le croquet? En tout cas, sûr qu'à l'intérieur, ça l'est.

Sam recula la tête, un sourire démoniaque aux lèvres, pour regarder Emeline, puis il glissa les doigts dans son sexe. Elle serra les mâchoires à en avoir mal pour s'empêcher de gémir de plaisir.

— Et les fenêtres ?

— Quelles fenêtres ?

— Les fenêtres du grand vestibule.

— Ouais, eh bien ?

Sam se mordit la lèvre pour bloquer son rire. Quant à Emeline, elle subissait à la fois les assauts de la peur d'être surprise et de son excitation qui allait grandissante. Les doigts experts de Sam la plongeaient dans un émoi indescriptible. Enfoncés dans son sexe, ils montaient, descendaient, tournaient, engendrant des sensations inouïes.

— Les balles de paume vont les casser, non ?

Mais de quoi diable parlaient ces deux hommes ? Aucune importance. Ils appartenaient à un autre univers. Celui dans lequel elle gravitait était irréel, édénique.

Elle sursauta lorsque Sam retira ses doigts, puis il les glissa de nouveau en elle. Elle n'allait pas parvenir à se contenir longtemps. Des gémissements d'extase mouraient sur ses lèvres. Alors elle fit la seule chose possible pour s'empêcher de geindre : elle embrassa Sam à pleine bouche. Une initiative qui lui permit de se rendre compte que même dans ces conditions particulières, elle avait faim de lui à en hurler. Pourquoi cet homme avait-il tant de pouvoir sur elle ? D'où tenait-il ce sortilège qui la réduisait à l'état de femme lubrique ? Elle n'avait qu'une envie : chevaucher son corps, le lécher jusqu'à ce qu'il crie grâce, le mettre à genoux comme il l'avait mise à genoux, elle. Que n'eût-elle donné pour comprendre d'où lui venait ce pouvoir qu'il exerçait sur elle !

En quelques jours, il était devenu le pivot de sa vie. Tout tournait autour de lui. Plus rien ni personne ne l'intéressait. Pour preuve, ces indécentes caresses auxquelles il la soumettait en ce moment, alors que deux personnes se trouvaient à moins d'un mètre d'eux. La crainte d'être surprise en si compromettante position ne suffisait pas à lui enjoindre d'arrêter. Le plaisir balayait tout.

— On ferait mieux de retourner travailler, dit l'homme à la voix grave. On n'a pas encore regardé dans la cave.

— Sois pas bête. Pourquoi voudrais-tu que ces trucs de paume soient dans la cave?

— Alors puisque t'es si malin, dis-moi où ils sont.

Les deux hommes s'en allaient. Le son de leur pas décroissait au fur et à mesure qu'ils s'éloignaient dans le couloir.

Et Sam, pendant tout ce temps, n'avait pas cessé de bouger ses doigts et de l'embrasser! songea Emeline que les spasmes de la jouissance électrisaient. Accrochée à ses épaules, elle oscillait, tremblait, mais sans bruit. Se mordre cruellement la lèvre était le seul moyen efficace qu'elle eût trouvé pour garder le silence.

Il retira soudain sa main, saisit la jeune femme par la taille, remonta ses jupes, la souleva et l'appuya à la pile de barriques. Instinctivement, elle noua les jambes autour de ses hanches. Elle le sentit agiter les doigts sous ses fesses. Elle comprit qu'il ouvrait sa culotte. Le temps d'un battement de cœur, son membre tendu à craquer fut là, pressé contre le sien, moite et brûlant.

— Mon Dieu, chuchota Sam. Mon Dieu…

Elle noua les bras derrière son cou et suspendit son souffle, impatiente, vibrante. Il la pénétra sans autre forme de procès et se livra à des va-et-vient saccadés, presque brutaux, mais la position précaire qu'ils avaient adoptée n'autorisait guère la délicatesse. Et Emeline se surprit à savourer cette ardeur sauvage, cette transgression des interdits, cette clandestinité, au point d'avoir presque immédiatement un orgasme qui lui fit voir des étoiles. Elle dut mordre l'étoffe de la redingote de Sam pour ne pas crier, car un autre orgasme la traversa de la tête aux pieds, la faisant trembler si fort qu'elle crut s'évanouir. Sam l'embrassait avec tant de ferveur qu'on eût dit que sa vie dépendait de ce baiser. Une ultime poussée, un dernier ahan, et Emeline sentit la chaleur de son sperme se répandre en elle.

Il fallait que ce soit la dernière fois, se dit-elle dans un accès de lucidité avant qu'une nouvelle vague de jouissance la submerge. Il fallait que ce soit la dernière fois…

— Pourrais-je te parler, Jasper? demanda Emeline à son fiancé cet après-midi-là.

Elle l'avait trouvé dans un couloir, à l'étage.

— Bien sûr, répondit-il en souriant largement.

Elle le connaissait trop bien pour ne pas se rendre compte qu'il lui accordait à peine son attention.

— Jasper!

Elle le tira par la manche. Il se tourna vers elle, les sourcils froncés.

— Qu'y a-t-il?

— C'est important.

Il la regarda enfin en face. Il avait la plupart du temps les yeux dans le vague. Un camouflage. Il était difficile de cerner l'homme qu'il était réellement, dans la mesure où il portait constamment un masque, celui d'un être futile et joyeux. Mais en cet instant, il la regardait vraiment. Sérieusement.

— Vas-tu bien, Emmie?

Elle prit une profonde inspiration et s'étonna elle-même de répliquer spontanément:

— Non.

Il cilla, puis leva la tête pour scruter le couloir. Ils étaient à l'arrière de la maison mais il y avait encore des serviteurs, des invités qui se rassemblaient dans la salle voisine pour un déjeuner tardif. Il prit la main d'Emeline et l'entraîna vers un autre corridor sur lequel s'ouvraient plusieurs portes. Il en poussa une au hasard et passa la tête par l'entrebâillement.

— Cela devrait aller, dit-il en faisant entrer Emeline dans un petit salon ou un bureau manifestement délaissé, car l'âtre était vide et les meubles sous des housses.

Il croisa les bras.

— Dis-moi, Emmie.

Mon Dieu, comme elle aurait voulu tout lui dire! Le besoin de lui révéler son secret était presque insoutenable. Quel soulagement c'eût été de tout lui raconter! Il lui aurait gentiment tapoté l'épaule en assurant que ce n'était rien, que tout irait bien…

Mais elle n'allait pas faire cet aveu. Jasper était peut-être aussi proche d'elle qu'un frère, c'était un libertin scandaleux et un homme très libéral à propos des affaires de sexe, mais au fond de lui, il était un authentique vicomte. Duquel on attendait qu'il eût un héritier pour que la lignée de son ancienne et respectable famille perdure. Apprendre que sa fiancée avait eu une liaison avec un autre ne lui ferait vraiment pas plaisir. Il dissimulerait peut-être son dépit, mais en réalité, il serait mortifié.

Elle dessina donc un sourire sur ses lèvres et mentit.

— J'en ai assez d'être ici. Je sais bien que je devrais faire montre de patience et supporter lady Hasselthorpe et sa conversation inepte, ainsi que cette assommante partie de campagne, mais j'en suis incapable. Penses-tu que tu pourrais me ramener à Londres, Jasper?

Elle s'étonna qu'en l'écoutant, il affichât une expression insondable. C'était étrange que cet homme au visage d'ordinaire si animé et gai fût, lorsqu'il le désirait, impossible à décrypter. Et elle s'étonna encore plus, quand elle eut achevé, qu'il garde le silence.

Ce mutisme sembla à Emeline durer une éternité. Puis soudain, comme un jouet dont on aurait tourné la clé, les traits de Jasper reprirent vie.

— Mais naturellement, ma chère Emmie! Je vais demander que l'on fasse mes bagages tout de suite. Notre évasion peut-elle attendre jusqu'à demain matin, ou…?

— Aujourd'hui, si tu n'y vois pas d'inconvénient. Maintenant. Je t'en prie.

Il se pencha et l'embrassa sur la joue.

— Je vais prévenir Pynch.

Et il quitta la pièce.

Emeline ne le suivit pas. Elle voulait se ressaisir. C'était vraiment affreux, cette perte de contrôle sur ses émotions qu'elle subissait depuis peu. Elle s'était toujours considérée comme une femme de tête, dotée de sang-froid, le genre de femmes sur lesquelles s'appuyaient les autres. À la mort de son père, elle avait à peine pleuré. Elle avait été trop occupée à tout organiser pour tante Cristelle, à régler les problèmes de la succession pour le prochain comte et installer la famille à Londres. Les gens avaient été admiratifs, épatés par son bon sens et son stoïcisme. Et voilà que maintenant, elle était comme une enfant qu'un rien bouleversait.

Elle regagna sa chambre, toujours vigilante, à la façon d'un animal sauvage qui flaire le chasseur. Sam était un chasseur, et un bon. Ce matin, il l'avait traquée, acculée, et il avait obtenu d'elle ce qu'il voulait. Mmm... non, pas exactement. Sam l'avait effectivement traquée, prise au piège, mais ensuite elle avait obtenu de lui ce qu'elle voulait, et toute l'ambiguïté du problème était là. Même si elle était plus que consentante, capable de prendre des initiatives, elle était sans défense vis-à-vis de cet homme. Jamais elle ne s'était considérée comme une esclave du sexe, mais le fait était là : maintenant, elle fuyait un amant dont elle était incapable de repousser les avances. À l'évidence, au cours des années passées, elle avait été une femme à la sensualité refoulée, une sensualité qui ne demandait qu'à se libérer... et elle l'ignorait. Ou alors Sam s'était révélé un catalyseur, le seul, l'unique homme susceptible d'amener sa nature profonde au grand jour.

Elle entra dans sa chambre. Harris faisait ses bagages avec l'aide de deux bonnes de la maison.

— Tout sera prêt dans une demi-heure, madame.

— Merci, Harris.

Emeline ressortit de la chambre. Elle aurait pu y rester, en sécurité, pendant les trente minutes à venir, mais sa présence aurait encombré Harris. Et puis, elle ne voulait pas partir sans avoir parlé à Melisande.

La chambre de son amie se trouvait au même étage, à quelques portes de la sienne. Melisande aurait déjà dû être au rez-de-chaussée avec les autres invités, mais elle avait l'habitude d'arriver en retard à n'importe quelle réunion. Emeline la soupçonnait d'agir ainsi par ruse, pour éviter d'avoir à engager la conversation avec qui que ce soit. Elle se cachait sous une carapace faite de sarcasme et de réserve.

Elle gratta le battant, entendit un bruissement à l'intérieur, et Melisande ouvrit, l'air surpris. Puis elle s'effaça pour laisser entrer Emeline, qui lui dit vivement en s'engouffrant dans la chambre :

— Referme ! Vite !

— Oh ? Jouerions-nous à cache-cache ?

— Oui.

Emeline s'approcha de la cheminée et tendit les mains devant le feu.

— Je crois qu'il s'agit d'un dialecte allemand, déclara son amie.

— Pardon ?

Melisande était allée s'asseoir dans un fauteuil à oreillettes.

— Ton recueil de contes. Je crois qu'il est écrit dans un dialecte parlé dans quelque région reculée, peut-être même seulement dans un ou deux villages. Je peux essayer de le traduire quand même.

Emeline regarda le petit livre. Il n'avait plus du tout la même importance qu'auparavant.

— Cela m'est égal.

— Vraiment, Emeline ? fit Melisande en feuilletant le recueil. J'ai déjà compris qu'il s'agit de quatre soldats revenant de la guerre.

— Ah. J'imaginais que c'étaient des contes de fées.

— Et tu avais raison. Ces quatre soldats ont tous d'étranges noms, comme celui dont je t'ai parlé, Cœur de Fer, et…

— Cela m'indiffère, désormais.

L'expression de désappointement de son amie l'émut.

— Melisande, je suis désolée ! Je suis une vilaine bêtasse. Continue, je t'en prie.

— Non. Je crois que ce que tu as à me dire est infiniment plus important. Je t'écoute.

Melisande avait refermé le livre.

— Je pars, annonça Emeline en s'asseyant en face d'elle. Aujourd'hui.

Melisande ferma à demi les yeux.

— Mmm. T'a-t-il fait du mal ?

— Sam ? Non !

— Alors pourquoi tant de hâte ?

Emeline leva les mains, puis les laissa retomber.

— Je suis incapable de lui résister ! gémit-elle.

— Vraiment incapable ?

— Totalement !

— Voilà qui est intéressant. Tu as un tel contrôle sur toi-même, d'ordinaire. Ce doit être un très…

— Oui, c'en est un, coupa Emeline. Mais toi, que sais-tu de ce sujet si spécial ? Tu es censée être vierge !

— Exact. Mais c'est de toi que nous parlons, chérie. As-tu pensé à ce que tu feras si tu tombes enceinte ?

Emeline sentit son cœur manquer plusieurs battements.

— Je ne le suis pas.

— En es-tu sûre ?

— Non.

— Donc, si tu l'es…

— … je serai obligée de l'épouser.

Elle avait prononcé ces mots d'un ton sinistre, mais dans sa poitrine, quelque chose avait tressauté sous l'effet d'une joie interdite. Si elle était enceinte, elle n'aurait pas le choix, n'est-ce pas ? En dépit de ses doutes et craintes, elle serait obligée de régler le problème.

— Et si tu ne l'es pas ?

Emeline fit taire ses émotions traîtresses. Elle ne pouvait épouser ce colon mal dégrossi sans une bonne raison !

— Alors je ferai ce que j'avais prévu.

— Mmm. Révéleras-tu à lord Vale ce qui s'est passé au cours de cette partie de campagne ?

— Non.

Melisande détourna le regard, l'expression indéchiffrable.

— C'est probablement le plus sage, si tu envisages de faire ta vie avec lui. Les hommes supportent mal la vérité.

— Me trouves-tu épouvantable?

— Non, mais non, ma chérie, assura Melisande en ramenant des yeux étonnés sur elle. Pourquoi penses-tu que je te juge?

— Eh bien… tant de gens auraient cette réaction… Moi-même, je crois que si j'entendais une histoire pareille sans connaître les personnes impliquées, je le ferais.

— Alors je suis moins puritaine que toi, énonça Melisande d'un ton empreint de pragmatisme. Néanmoins, j'ai une question: en quoi le fait de partir d'ici réglera-t-il ton problème avec M. Hartley?

— La distance. Si je ne suis plus ici, dans cette maison, j'imagine que je serai moins susceptible de… de… Enfin, tu vois ce que je veux dire.

Melisande ne paraissait pas du tout convaincue.

— Et lorsqu'il rentrera lui aussi à Londres?

— Cette affaire sera terminée. Je suis sûre que le temps et l'éloignement feront une grande différence.

Emeline avait mis beaucoup de conviction dans ses paroles, pourtant au fond d'elle-même, elle doutait. Un doute qu'avait dû percevoir Melisande, sans toutefois l'exprimer. Mais sa mine la trahissait. Elle se leva et serra Emeline dans ses bras, une rare marque d'affection de sa part.

— Alors bonne chance, ma chérie. J'espère de tout mon cœur que ton plan marchera.

Emeline posa la tête sur l'épaule de son amie et se mit à prier pour que, oui, son plan marche. Car dans le cas contraire, elle n'en avait pas de rechange et n'avait nulle part ailleurs où aller.

15

— *Au meurtre ! crièrent les gardes.*
— *Au meurtre ! crièrent les courtisans.*
— *Au meurtre ! crièrent les habitants de la Ville brillante.*
Et tout ce que pouvait faire Cœur de Fer, c'était de prendre sa tête ensanglantée entre ses mains. La princesse pleurait, suppliait. Tout d'abord, elle enjoignit son mari de rompre son silence et de lui raconter pourquoi il avait commis ce crime. Puis elle supplia son père, en vain : il demeura inflexible. Le roi n'avait d'autre choix que de condamner Cœur de Fer à périr par le feu. L'exécution aurait lieu le lendemain à l'aube.

— C'était une charmante partie de campagne, n'est-ce pas ?

Rebecca tentait de briser un silence qui durait depuis une heure. Sam détourna le regard du paysage brumeux qui défilait et s'efforça de le focaliser sur sa sœur. Elle était assise face à lui dans leur voiture de location. Elle paraissait triste. Par sa faute, il le savait.

Emeline avait brusquement quitté la maison des Hasselthorpe trois jours plus tôt. Il ne s'en était aperçu que longtemps après le déjeuner, le jour où ils avaient fait l'amour dans l'alcôve. Le temps qu'il s'en rende compte, elle était déjà loin.

Il se serait lancé à sa poursuite si Rebecca n'avait pas fait appel à son bon sens. Elle l'avait supplié de rester, lui avait fait valoir quel scandale il créerait s'il suivait lady Emeline. En ce qui le concernait, il se moquait de ce que pensaient les gens. Mais il y avait Rebecca. Elle avait passé du temps avec plusieurs jeunes dames d'excellentes familles anglaises. Un scandale aurait ruiné ces amitiés naissantes.

Il avait donc bridé ses élans, et était resté avec sa sœur. Pourtant, l'envie de pourchasser lady Emeline, de la rattraper et de l'enlacer jusqu'à ce que ses sens fassent valoir leurs droits, l'avait ravagé. Il avait néanmoins réussi à garder son calme, à faire la conversation à d'insipides jeunes filles et d'ennuyeuses matrones. Il avait endossé ses plus beaux vêtements, joué à des jeux idiots et mangé de la nourriture trop riche. Et la nuit, il avait rêvé des baisers de feu d'Emeline, de ses seins doux et chauds. Trois jours durant, il s'était contenu, jusqu'au moment où, enfin, des invités avaient commencé à quitter les lieux. Partir maintenant n'allait pas gâcher les chances de Rebecca. Il avait alors donné le signal du départ. Après trois journées infernales, mais il ne pouvait rien reprocher à sa sœur. Et à présent, il se révélait le plus désagréable des compagnons de voyage.

Il essaya de se ressaisir.

— As-tu aimé ce séjour ? s'enquit-il gentiment.

— Oui, dit-elle en souriant, soulagée qu'il ouvrît la bouche. Vers la fin, beaucoup de demoiselles me parlaient, et les sœurs Hopedale m'ont invitée à prendre le thé chez elles, à Londres.

— Elles auraient dû te parler dès le début.

— Mais il fallait d'abord qu'elles me connaissent ! Elles ne sont pas très différentes des gens de chez nous, tu sais.

— Te plais-tu en Angleterre ?

La jeune fille hésita, puis haussa les épaules.

— Je crois. Et toi ? Aimes-tu assez l'Angleterre pour y rester avec lady Emeline ?

Il ne s'était pas attendu à cette question. Pourtant, il savait que Rebecca était très perspicace. Au départ, il avait projeté de ne rester à Londres que le temps de conclure un marché avec M. Wedgwood et d'enquêter sur le massacre de Spinner's Falls. Le marché était conclu, il allait s'entretenir avec Thornton et sans doute résoudre rapidement l'énigme de Spinner's Falls.

— Je ne sais pas, Becca.

— Pourquoi ?

— Eh bien, en premier lieu, lady Emeline n'a pas passé assez de temps chez les Hasselthorpe pour que j'aie le loisir de parler avec elle.

Une nouvelle hésitation, puis Rebecca demanda :

— L'aimes-tu ?

— Oui.

La réponse avait fusé sans qu'il y réfléchisse, mais il se rendit compte qu'elle exprimait la vérité. Dieu seul savait comment, sans même s'en apercevoir, il était tombé amoureux de la piquante Emeline. Une pensée étrange et en même temps qui coulait de source, comme s'il avait su depuis le début qu'elle était la femme de sa vie. Elle avait surgi dans son existence telle une tornade. Une tornade de bonheur.

— Tu devrais le lui dire, Sam.

— Merci pour tes conseils en amour, rétorqua-t-il rudement. Je le lui dirai dès que j'aurai réussi à mettre la main sur elle.

— Et ensuite, que feras-tu ?

Sam songea à Emeline qui appartenait à un milieu si éloigné du sien. À sa peur profonde, qu'elle cachait si bien aux autres mais qu'elle n'avait pu lui dissimuler. À son air étonné quand elle fondait dans ses bras, comme si elle ne parvenait pas à croire qu'elle ne contrôlait plus tout ce qui l'entourait, et pas davantage son propre corps. À la tristesse qu'il lisait parfois dans ses yeux. Il aspirait à chasser ces peurs, cette tristesse, la bercer contre lui jusqu'à ce qu'elle n'éprouve plus que de la joie. Il voulait sentir ses mains sur lui comme le soir où elle l'avait soigné, avait apaisé ses douleurs physiques ainsi que celles de son âme, l'avait réchauffé, soulagé.

Il savait ce qu'il devait faire.

— Je l'épouserai, bien sûr, déclara-t-il en souriant.

— Pourquoi M. Hartley n'est-il pas encore rentré ? s'enquit Daniel.

Emeline leva les yeux sur son fils, à temps pour le voir tendre une feuille de papier vers les flammes qui s'élevaient dans la cheminée de sa chambre. Le papier s'enflamma et le petit garçon le lâcha à l'instant où le feu allait toucher ses doigts. Le feuillet voleta puis tomba, par chance, dans le foyer et non sur le tapis.

Elle interrompit la rédaction des instructions de dernière minute pour la réception du soir.

— Mon chéri, cela t'ennuierait-il de ne pas essayer d'incendier la chambre de ta maman ? Je ne crois pas que Harris serait très contente.

— Mmm.

— Et puis, je préférerais que tu ne te brûles pas les doigts. Ils te sont utiles, tu sais. Tu auras besoin d'eux plus tard, dans la vie.

Une boutade qui fit sourire Daniel. Il s'approcha d'Emeline et se jucha sur un siège. Elle fit la grimace en voyant ses chaussures sur le coussin de satin, mais s'abstint de tout reproche. C'était si bon d'avoir l'enfant auprès d'elle après son absence.

Il se pencha sur le bureau et cala son menton sur ses bras croisés.

— Il va revenir bientôt, n'est-ce pas ?

Emeline ramena son regard sur ses notes et s'efforça de garder une expression sereine. Inutile de demander à Daniel de qui il parlait. C'était un enfant tenace et, manifestement, il n'abandonnerait pas le sujet – à savoir le voisin et accessoirement amant de sa mère – facilement.

— Je ne sais pas, mon chéri. Je ne suis pas au courant des projets de M. Hartley.

Du bout de l'ongle, Daniel gratta le buvard et fronça le nez en constatant qu'il l'avait éraflé.

— Mais il va revenir, maman ?

— Je le suppose, dit Emeline dans un soupir. Daniel, je crois que la cuisinière a fait des tartes aux poires. Peut-être devrais-tu aller demander si elles sont cuites.

Habituellement, la seule mention de « tartes » distrayait Daniel de toute autre pensée.

Mais pas aujourd'hui.

— J'espère qu'il va revenir. Je l'aime beaucoup.

Emeline sentit son cœur se serrer. Depuis peu de temps, quelques mots simples suffisaient à l'amener au bord des larmes. Elle posa lentement sa plume sur le bureau.

— Moi aussi, je l'aime beaucoup, Daniel. Mais il a sa propre vie. Il ne peut pas être constamment ici pour te divertir, pour *nous* divertir.

Daniel continuait à fixer son ongle, faisant la moue. Emeline reprit, d'un ton qu'elle espérait enjoué :

— Il y a toujours lord Vale. Tu l'aimes bien aussi, n'est-ce pas ? Je vais lui demander s'il peut nous accompagner à Hyde Park...

La moue de Daniel s'accentua.

— ... ou à la foire, ou bien à la pêche.

Le petit garçon releva la tête et la considéra d'un air sceptique.

— À la pêche ?

Emeline essaya d'imaginer Jasper une canne à la main, au bord d'un torrent. Non, décidément, cela ne marchait pas : Jasper glissait tout de suite, battait des bras et tombait dans l'eau.

— Peut-être pas à la pêche, non.

Daniel recommença à creuser des croissants du bout de l'ongle dans le buvard.

— Lord Vale est bien, mais il n'a pas un grand fusil.

— Je suis navrée, chéri.

Elle regarda les feuillets éparpillés sur son bureau, puis les instructions qu'elle avait notées et sa vision s'embua. Elle avait l'impression que son cœur se fissurait. Maudit soit Sam pour être entré dans leur existence ! Pour l'avoir poursuivie de ses assiduités dans le salon de Mme Conrad, le premier jour, pour avoir parlé si gentiment à son fils, et l'avoir rendue si vivante !

C'était là que résidait le problème. Il lui avait fait retrouver toute sa sensibilité, avait brisé la coquille dont elle avait entouré ses émotions, et l'avait laissée sans défense, infiniment vulnérable. Elle était désormais à vif. Combien de temps se sentirait-elle ainsi? Quand réussirait-elle à se fabriquer une nouvelle coquille? Elle observa Daniel, son beau petit garçon. Il grandissait si vite. Elle avait l'impression qu'hier encore, il n'était qu'un bébé. Et voilà qu'aujourd'hui, elle se désolait qu'il abîme son mobilier avec ses chaussures.

Impulsivement, elle se pencha en avant jusqu'à ce que sa tête touche presque celle de Daniel.

— Cela ira, mon chéri. Vraiment. Nous allons faire en sorte que tout aille bien.

— Mais est-ce que cela ira avec M. Hartley?

Emeline se redressa et se retourna de façon que son fils ne voie pas la tristesse dans ses yeux.

— Non, mon chéri. Je ne crois pas que ce soit possible.

— Mais...

Ils sursautèrent: la porte venait de s'ouvrir. Tante Cristelle entra et son regard trop aigu passa de l'un à l'autre.

— Daniel, il faut que je parle à tante Cristelle, dit Emeline. Pourquoi n'irais-tu pas aux renseignements concernant ces tartes aux poires? Peut-être la cuisinière te les fera-t-elle goûter.

— Bien, maman.

Daniel ne semblait pas satisfait d'être renvoyé, mais il allait obéir: il avait toujours été un enfant adorable. Il salua tante Cristelle d'une courbette et s'en fut.

— Tu lui as beaucoup manqué pendant ton absence, mon petit, dit la vieille dame.

Elle plissa les lèvres, marquant sa désapprobation, et ajouta:

— Je ne pense pas que ce soit une bonne chose qu'il soit si proche de toi.

Cette conversation était récurrente, songea Emeline. Normalement, elle aurait discuté pied à pied, mais aujourd'hui elle n'avait pas le cœur à cela. Elle reprit ses feuillets, mais sa tante clopina en s'aidant de sa canne jusqu'à son fauteuil et lui posa la main sur l'épaule.

— Tu fais ce qu'il convient, ce soir, ma chérie.

La main frêle pressa doucement son épaule, une manifestation d'affection exacerbée compte tenu de la réserve coutumière de tante Cristelle, puis le staccato de la canne sur le tapis persan décrut et la porte fut refermée.

Emeline resta devant son bureau, les yeux une nouvelle fois pleins de larmes.

Lorsque la voiture de Sam s'immobilisa devant son hôtel particulier, il faisait nuit depuis des heures. Un départ tardif, l'attente de chevaux frais lors d'un arrêt dans une auberge avaient éternisé le voyage de retour à Londres. Pour ne rien arranger, au moment où la voiture s'engageait dans la rue, elle était tombée dans un embouteillage. Quelqu'un devait donner un bal, en conclut Sam, avant de se rendre compte que les lumières brillaient dans la maison voisine de la sienne, celle d'Emeline.

— Lady Emeline donne-t-elle une soirée ? s'enquit Rebecca en gravissant les marches du perron. Je n'en savais rien. Et toi ?

— Manifestement, nous ne sommes pas invités.

— Peut-être l'avait-elle projeté avant de nous connaître ? Ou... ou pensait-elle que nous ne serions pas de retour si tôt...

— Oui, ce doit être cela.

La petite garce de lady... songea Sam. Elle se moquait de lui, lui montrait qu'il n'avait pas sa place dans sa vie sociale londonienne. Il savait qu'il ne fallait pas qu'il relève le défi, mais il serrait déjà les poings, déterminé à débouler dans la maison pour l'affronter.

Il se ravisa. Le moment était mal choisi.

— Voyons si la cuisinière peut nous préparer un souper.

— Parfait, Sam.

Il entra chez lui, non sans avoir remarqué les invités élégants qui se bousculaient sur le perron de lady

Emeline. Puis il s'installa avec Rebecca dans la salle à manger et réussit à entretenir une conversation plaisante pendant le repas. Mais son esprit était ailleurs. Il imaginait Emeline en robe de soirée, ses seins jaillissant du décolleté, d'un blanc d'albâtre que faisait luire la lumière de milliers de chandelles.

Le repas achevé, Rebecca s'excusa et se retira en bâillant. Sam se rendit dans la bibliothèque où il se servit un verre de cognac. Il leva le verre vers la flamme d'une bougie. Le liquide était ambré et translucide. Lorsqu'il était adolescent, son père buvait des alcools distillés chez des voisins. Il allait les acheter dans des maisons en pleine forêt. Un jour, Sam avait avalé une gorgée. Le liquide était clair et brûlant, et lui avait fait mal à la gorge. Son père avait-il jamais eu l'occasion de goûter un vrai cognac français ? Peut-être une fois, lors d'une visite à l'oncle Thomas à Boston. Une expérience inoubliable, sans doute, parce que exceptionnelle.

Il se laissa aller dans un fauteuil à la structure en bois doré. Il n'était pas chez lui, ici. Les différences étaient trop grandes entre sa vie outre-Atlantique et celle qu'il menait en Angleterre. Jamais il ne s'adapterait à la société anglaise et, de toute façon, il n'en avait nulle envie. Cette existence que menait Emeline ne le séduisait pas. Bals, cognac, somptueux hôtels particuliers… L'océan qui les séparait, au propre comme au figuré, était trop large. Il savait tout cela, y avait réfléchi maintes et maintes fois.

Et pourtant, cela ne comptait pas.

Il vida son verre puis se mit debout. Il fallait qu'il voie Emeline. Même si leurs mondes étaient différents, elle était une femme, il était un homme. Un élément basique, incontournable.

Il sortit de chez lui. Les lumières brillaient toujours dans la maison d'à côté. Les cochers attendaient, perchés sur leurs sièges, des valets patientaient par petits groupes en se passant des bouteilles. Il marcha jusqu'à l'entrée de l'hôtel particulier, et un portier solidement bâti lui barra le chemin. Sam le toisa durement.

— Je suis le voisin de lady Emeline.

Il n'avait pas de carton d'invitation à montrer, mais son autorité fit office de laissez-passer. L'homme s'écarta.

— Oui, monsieur, dit-il en tenant la porte ouverte.

Sam traversa le vestibule et prit immédiatement la mesure du péril : le grand escalier était noir de monde. Il entreprit de se frayer un chemin, louvoyant entre des gens agglutinés qui bavardaient bruyamment. La salle de bal était au premier étage. Lorsqu'il s'en approcha, le brouhaha s'amplifia, ainsi que la chaleur. Il sentit son cou se mouiller de sueur. Il ne s'était pas trouvé au milieu d'une telle foule depuis le bal des Westerton, et ce soir-là, il avait été victime de ses démons. Mon Dieu, pourvu que cela ne recommence pas, pria-t-il.

Mais le temps qu'il entre dans la salle, sa respiration était devenue saccadée, comme s'il venait de courir des miles et des miles. Il envisagea de faire demi-tour. Emeline avait fait allumer des centaines de chandelles dans la salle de bal. L'endroit étincelait de tous leurs feux. C'était féerique. Des panneaux de soie écarlate étaient accrochés aux murs et au plafond, des bouquets de fleurs orange et rouge pris dans les nœuds. La pièce était belle, élégante, mais Sam s'en moquait. Ce qui l'intéressait, c'était sa femme, qui se trouvait quelque part dans cette cohue. Il voulait la serrer contre lui.

Il prit une longue inspiration par la bouche, puis se coula dans la masse humaine. Il entendait des violons jouer, noyés dans la cacophonie de voix et de rires. Un gentilhomme en velours pourpre pivota brusquement sur ses talons et heurta sa poitrine. *Sang et cris, yeux écarquillés dans des faces livides sous les crânes sanguinolents...* Il ferma les yeux et repoussa l'homme. Devant lui, un passage était possible entre deux groupes de danseurs. Il longea le bord de la piste de danse, cherchant désespérément de l'air. Une dame en soie jaune le regarda, puis murmura derrière son éventail à l'intention de son compagnon. Qu'ils aillent

tous au diable, ces aristocrates anglais trop apprêtés !
Avaient-ils jamais senti la peur, été éclaboussés du
sang d'un camarade, vu l'étonnement se peindre sur
le visage d'un jeune soldat à l'instant où la moitié de
sa tête est arrachée ?

Les danseurs firent une pause. Ils affichaient des
mines ennuyées. Ils étaient pâles, comme s'ils avaient
du mal à tenir debout. La foule, telle une houle, déferla
sur Sam et il dut de nouveau fermer les paupières.
Pour ne pas perdre pied, il s'obligea à penser aux yeux
d'Emeline. Il les vit étrécis sous l'effet de la colère et en
sourit presque.

Il rouvrit les siens et découvrit lord Vale au milieu
de la piste de danse, maintenant à moitié vide.

— Mes amis ! Mes amis ! Voulez-vous avoir la gentillesse de m'écouter ?

Le niveau sonore des conversations baissa de plusieurs crans.

— Mes amis, j'ai quelque chose à vous dire !

Un groupe de jeunes hommes se déplaça devant
Sam, empiétant sur son champ de vision. Ils semblaient à peine en âge de se raser.

— Mes amis ! cria de nouveau Vale.

Sam entrevit un éclair écarlate. Son pouls s'emballa.
D'une main sur l'épaule, il poussa l'un des jeunes gens,
qui se retourna. Sam inhala une odeur de transpiration, un remugle âcre. Le même que celui de la peur.
*Le prisonnier McDonald tapi sous un chariot alors que
la bataille faisait rage autour de lui. McDonald qui, de
sa cachette, croisait le regard de Sam. McDonald qui
souriait et lui adressait un clin d'œil.*

— J'ai une annonce à vous faire, qui me comble de
plaisir !

Sam s'avança, méprisant la puanteur, méprisant ses
démons, méprisant l'évidence qu'il était déjà trop tard.

— Lady Emeline Gordon a accepté de devenir ma
femme !

La foule applaudit. Sam la fendit, franchit le mur
d'hommes, morts et vivants, qui le séparait d'Emeline.
Il surgit sur la piste de danse. Emeline se tenait der-

rière Vale, un sourire de circonstances sur les lèvres. Vale levait les bras, triomphant. Emeline tourna la tête, vit Sam, et son sourire s'évapora.

Il fondit sur le couple, animé par une pulsion meurtrière.

Vale l'aperçut. Ses yeux se plissèrent. Il fit un signe de tête à l'intention de quelqu'un qui se trouvait derrière Sam, lequel sentit des bras se fermer autour de son buste et l'obliger à reculer.

En un éclair, traîné par deux solides valets, un troisième ouvrant le chemin, il fut expulsé de la salle de bal. Tout s'était passé si vite qu'il n'avait même pas eu le temps d'appeler Emeline. Mais il se ressaisit dès la porte franchie et se débattit avec violence, prenant les valets par surprise. Il se dégagea de leur emprise et s'apprêta à frapper. Trop tard. On le poussa dans le dos et il alla choir sur le palier. Il se releva, pivota sur lui-même.

Et le poing de Vale lui écrasa la mâchoire.

Il recula en chancelant, puis tomba sur les fesses. Vale se tenait au-dessus de lui, les poings serrés.

— Ça, c'était pour Emmie, fils de pute !

Puis, aux valets derrière lui :

— Flanquez-moi cette ordure dehors et…

Vale n'acheva pas. Sam s'était à moitié redressé. Il chargea, s'abattit sur les genoux du vicomte. Vale s'effondra dans un fracas de tonnerre, Sam au-dessus de lui. Des femmes crièrent, la foule s'écarta. Sam tenta de maintenir Vale cloué au sol mais celui-ci réussit, en se contorsionnant, à se dégager. Sam le rattrapa et ensemble ils roulèrent vers l'escalier. Une dame hurla et dévala les marches, bousculant sans ménagement d'autres dames, agglutinées un peu plus bas.

Sam agrippa la rampe pour bloquer sa chute, la tête et les épaules dans le vide. Vale en profita pour le frapper à l'estomac. Sam ne put que lâcher la rampe et commença à glisser, tête en bas, mais il happa le bras du vicomte au passage, l'entraînant dans sa chute. Ils roulèrent pêle-mêle le long de l'escalier, le dos de Sam heurtant violemment chaque marche. Il ne se souciait plus de savoir s'il sortirait vivant de cette bagarre. Tout ce qu'il voulait, c'était que son ennemi soit aussi mal en point que lui. À mi-chemin, ils se projetèrent contre la rampe, ce qui ralentit leur descente. Sam s'accrocha à un pilastre et cogna brutalement Vale au flanc. Celui-ci encaissa le coup, jura, se contorsionna et écrasa sous son avant-bras le cou de Sam, qui perdit la respiration. Vale pencha son visage vers le sien, le touchant presque et, blême, lui souffla d'une voix rauque :

— Stupide colon ! Comment as-tu osé poser tes sales pattes sur...

Sam lâcha le pilastre et cogna à deux mains les oreilles de Vale, qui recula, libérant la gorge de Sam, lequel aspira une longue goulée d'air. Mais il avait perdu son point d'ancrage, et la gravité fit son œuvre : ils recommencèrent à glisser, de plus en plus vite. Vale en profita pour le rouer de coups, avec les poings, les pieds. Sam tressautait à chaque impact mais, curieusement, il ne ressentait aucune douleur. La rage et l'adrénaline anesthésiaient ses sensations. Dans la nuée de horions qu'il donnait, il se rendit compte que le nez de son adversaire venait d'émettre un inquiétant craquement. Il le lui avait cassé. Une fraction de seconde plus tard, tous deux atterrirent sur le sol du vestibule. Vale sur lui. Il avait pris l'avantage. Sam n'y songea que le temps d'un effréné battement de cœur. Il avait tout perdu, et maintenant il réglait ses comptes avec l'homme responsable de la situation. Vale avait peut-être droit à la colère, mais Sam avait la fureur chevillée au corps. Il n'était pas question de renoncer maintenant.

Les poings du vicomte martelaient sa face. Il n'en avait cure. Tuer... Il allait tuer ce salaud. L'énergie du désespoir lui permit de faire basculer Vale. Il le chevaucha instantanément et entreprit de cogner sans répit, en pleine figure. Il entendit craquer des os, vit le sang jaillir. Cela ne l'arrêta pas.

Rien ne pourrait l'arrêter.

Sauf ce qu'il capta du coin de l'œil : Emeline. Inclinée vers lui.

Il resta le poing en l'air.

— Non, Sam. Je vous en prie.

Il regarda la femme à laquelle il avait fait l'amour avec passion, la femme qu'il aimait. Elle avait les yeux pleins de larmes.

— Non, répéta-t-elle.

Elle tendit sa délicate main blanche et enserra le poignet de Sam. En dessous de lui, Vale avait la respiration sifflante.

— Non, Sam, dit-elle encore une fois.

Les larmes roulaient sur ses joues alors qu'elle fixait son fiancé.

Sam abaissa lentement le bras et en un éclair la douleur surgit, dans son corps meurtri et son cœur brisé.

— Soyez maudite, grommela-t-il en se relevant.

Il traversa le vestibule d'une démarche d'ivrogne et sortit sur le perron, avide d'air frais.

16

Cette nuit-là, Cœur de Fer gisait, enchaîné, dans un cachot glacial du donjon. Il savait avoir tout perdu. Son fils avait disparu, sa princesse était au désespoir, le royaume était sans défense et avant l'aube, il serait mis à mort. Un seul mot sorti de ses lèvres aurait pu l'innocenter. Mais ce mot, prononcé avant l'expiration du délai de son serment, l'aurait renvoyé au balayage de rues et aurait causé la mort de la princesse Solace. Mourir lui était égal, mais il ne pouvait envisager que la princesse mourût aussi. Car quelque chose de merveilleux était intervenu au cours de ces six années: il était tombé amoureux de sa femme.

Le lendemain matin, lorsque Rebecca descendit le grand escalier, elle fit sursauter deux bonnes qui se tenaient là, chuchotant. Elles s'écartèrent l'une de l'autre et la regardèrent.

— Bonjour, lança la jeune fille en relevant fièrement le menton.

— Bonjour, mademoiselle, dit la plus âgée, qui s'était ressaisie la première.

Puis elle s'éloigna précipitamment avec sa compagne. Rebecca soupira. Les événements de la nuit précédente faisaient jaser les serviteurs, ce qui était normal. À son retour, Sam avait réveillé toute la maisonnée : il avait frappé comme un dément à la porte, et tout le monde avait pu voir son visage ensanglanté

251

et sa démarche chancelante. Il n'avait pas voulu de médecin, mais Rebecca, pour la première fois, avait désobéi à son frère : l'apparence de Sam l'avait terrifiée. Elle n'avait pas vu lord Vale, mais d'après ce que lui avait rapporté le personnel, le vicomte était encore en plus piteux état.

Si seulement elle avait pu se glisser discrètement dans la maison d'à côté et parler à lady Emeline... Celle-ci semblait savoir en toutes circonstances ce qu'il convenait de faire, être à même de trouver une solution à tous les problèmes. Hélas, Rebecca avait peur que la jeune femme ne lui adresse plus jamais la parole. Comment approcher une dame dont le fiancé avait presque été battu à mort par un frère enragé ?

Elle entra dans la salle à manger, sourcils froncés, et se mit à aller et venir sans but. Sam n'avait quasiment rien raconté de ce qui s'était passé, et elle savait par les serviteurs qu'il était encore dans sa chambre. Elle n'avait personne avec qui partager ses soucis. Et elle se sentait seule comme jamais depuis son arrivée en Angleterre. Elle aurait tellement aimé avoir quelqu'un auprès de qui s'épancher.

Elle s'approcha finalement d'une chaise, et vit une main la tirer pour elle. Elle leva les yeux et découvrit O'Hare, le valet.

— Oh... Je ne vous avais pas vu.

— Oui, mademoiselle.

Il avait répondu d'un ton aussi formel que s'il ne lui avait jamais adressé la parole. Bien sûr, un autre valet était là, qui les observait. Rebecca s'assit, puis baissa les yeux sur la nappe, luttant contre les larmes qui menaçaient. Mon Dieu, qu'elle était puérile ! Prête à pleurer comme une gamine simplement parce qu'un valet ne lui témoignait aucune amitié !

La grande main d'O'Hare s'inscrivit dans son champ de vision. Il lui servait le thé.

— Je me demandais si...

Elle n'acheva pas. O'Hare la relança d'une voix douce et plaisante :

— Oui, mademoiselle ?

Il avait vraiment de beaux yeux verts, constata-t-elle en relevant la tête.

— La confiture préférée de mon frère entre toutes est celle de pommes vertes. Il n'en a pas mangé depuis une éternité. Pensez-vous qu'il soit possible d'en acheter ?

O'Hare battit des paupières et Rebecca songea qu'il avait des cils noirs fabuleux, aussi longs que ceux d'une fille.

— J'ignore s'il y a de la confiture de pommes vertes à l'épicerie, mademoiselle, mais si vous voulez, je peux aller demander et…

— Non, non, pas vous, coupa Rebecca.

Elle se tourna vers le deuxième valet :

— *Vous*, monsieur, allez-y.

L'homme eut l'air désorienté mais, en bon serviteur bien formé, il hocha la tête et quitta la salle à manger. Rebecca était seule avec O'Hare. Elle but une gorgée de thé sans attendre qu'il ait un peu refroidi, fit la grimace parce que le breuvage lui brûla la langue et reposa la tasse sur la soucoupe.

— Je ne vous avais pas vu depuis un moment, O'Hare.

— Non, mademoiselle.

— Je ne sais même pas votre nom.

— O'Hare, mademoiselle.

— Non, cela, je le sais. Votre prénom.

— Gil, mademoiselle. Gil O'Hare, pour vous servir.

— Merci, Gil O'Hare.

Elle croisa les mains sur son giron. En valet bien stylé, il se tenait derrière elle, prêt à répondre à toutes ses attentes. Le problème, c'était que ce qu'elle souhaitait ne se trouvait ni sur la table ni sur la desserte.

— Avez-vous vu mon… mon frère, hier soir ?

— Oui, mademoiselle.

Elle regarda le panier garni de beignets. Non, décidément, elle n'avait pas faim du tout.

— Je suppose que tout le monde parle de cela, à l'office.

Il s'éclaircit la gorge, mais demeura muet, ce que Rebecca interpréta comme un acquiescement. Elle soupira.

— C'était assez spectaculaire, son entrée en chancelant, et puis quand il est tombé dans le vestibule. Je ne crois pas avoir vu autant de sang de ma vie. Je suis sûre que sa chemise est perdue.

La main réapparut, saisit la corbeille de beignets et la rapprocha de Rebecca.

— En voulez-vous un, mademoiselle? La cuisinière les a faits ce matin.

D'autorité, il en posa un sur son assiette.

— Merci, Gil O'Hare.

— Je vous en prie, mademoiselle.

— Cela m'ennuie de n'avoir personne avec qui parler de ce qui s'est passé. Que mon frère se soit battu comme un chiffonnier avec lord Vale... me déconcerte énormément.

Gil marcha jusqu'à la desserte, puis revint avec le plat d'œufs cocotte.

— Vous vous êtes fait des amis charmants pendant cette partie de campagne, n'est-ce pas, mademoiselle?

Il la servit sans attendre son approbation.

— Comment savez-vous cela, Gil?

Il haussa les épaules. Tout à coup, il avait le rouge aux joues.

— J'ai entendu des commentaires dans les cuisines.

Il lui tendit une fourchette.

— Je pense que l'on faisait référence aux sœurs Hopedale, expliqua-t-elle. Qui ne voudront jamais plus me revoir après les événements de cette nuit.

— En êtes-vous sûre?

Rebecca prit une bouchée d'œufs cocotte, mâcha et déglutit avec peine, puis répondit:

— Je doute que quiconque, dans la bonne société, veuille nous recevoir désormais.

— Ils auraient tort de se priver du plaisir de vous avoir lors d'une de leurs soirées, mademoiselle...

Un temps, celui de croiser le regard étonné de Rebecca, puis:

— Si je ne vous fais pas offense en disant cela, mademoiselle.

— Non, pas du tout, assura-t-elle en souriant. Je trouve votre réflexion très gentille.

— Merci, mademoiselle.

Elle revint à son thé, qui avait refroidi.

— Le problème, O'Hare, c'est que même si les demoiselles Hopedale me reçoivent, je ne sais pas si j'oserai leur parler de ce qui s'est passé. Lorsque nous bavardons, c'est de la pluie et du beau temps, des chapeaux à la mode – dont je n'ai pas la moindre idée, mais qui semblent les passionner. De temps à autre, nous nous attachons à comparer la crème anglaise et le pudding, afin de déterminer ce qui est le plus savoureux. Je vois mal comment passer des entremets à la tentative de meurtre de mon frère sur un pair du royaume.

— Oui, mademoiselle.

Il se dirigea derechef vers la desserte.

— Nous avons du délicieux jambon et des harengs.

— Peut-être sont-ce là les seuls sujets de conversation des demoiselles londoniennes ? continua Rebecca, l'air songeur. Je l'ignore. Je viens des colonies et nous vivons différemment, là-bas.

— Vraiment ? fit O'Hare en posant un hareng dans l'assiette de Rebecca.

— Oh, oui ! Chez nous, la naissance d'un homme n'est pas très importante.

— Non ?

— Attention, je ne veux pas dire que les gens ne portent pas de jugements les uns sur les autres. Cela est la norme partout. Mais dans les colonies, on regarde surtout ce qu'un homme a accompli dans sa vie et s'il a de l'argent. Or n'importe qui peut gagner de l'argent en travaillant beaucoup ! Ce hareng est excellent.

— Je rapporterai votre compliment à la cuisinière. N'importe qui, mademoiselle ?

— Pardon ?

— Vous venez de dire que n'importe qui peut réussir, dans les colonies.

Rebecca posa sa fourchette et regarda le valet. Son expression était intense, comme si la réponse qu'elle allait lui donner était vitale.

— Oui, je le pense. Après tout, mon frère a grandi dans un tout petit chalet d'une seule pièce, le saviez-vous ?

Il secoua la tête.

— C'est la vérité. Et maintenant, il est très respecté à Boston. Toutes les dames veulent l'inviter à leurs réceptions, et nombre de messieurs prennent conseil auprès de lui pour leurs affaires. Il faut néanmoins préciser qu'il a commencé avec oncle Thomas, qui avait une grosse société de négoce. Mais à sa mort, lorsque Sam en a hérité, elle s'était réduite comme peau de chagrin. Mon frère en a fait la plus importante société de Boston. En travaillant très dur. Je connais d'autres messieurs qui ont démarré humblement et ont eu de spectaculaires réussites.

— Je vois.

— Je n'ai pas l'habitude de gens comme les aristocrates d'ici. Je les trouve arc-boutés sur leur nom, leur passé, et je cerne mal leurs aspirations. Ainsi, je ne comprends pas pourquoi lady Emeline a décidé d'épouser lord Vale.

— Précisément parce que ce sont un lord et une lady, mademoiselle. Une excellente raison pour s'unir.

— Oui, mais s'ils tombent amoureux de quelqu'un qui n'est ni un lord ni une lady ? L'amour ne peut être contrôlé ! Et c'est cela qui le rend merveilleux. On peut tomber amoureux de la personne la plus inattendue. Voyez *Roméo et Juliette,* par exemple.

— Qui, mademoiselle ?

— Vous savez bien. Shakespeare.

— J'ai bien peur de n'avoir jamais entendu parler de ce monsieur.

— Oh, quel dommage, Gil... Évidemment, il y a la fin qui... Mais il s'agit d'une très belle pièce : Roméo tombe amoureux de Juliette, qui est la fille de son ennemi, ou plutôt, de l'ennemi de sa famille.

— Cela ne me semble pas très malin de la part de ce Roméo.

— Eh bien, voilà où je voulais en venir : il n'a pas choisi qui aimer. Malin ou pas, l'amour l'a possédé.

O'Hare ne semblait pas très convaincu par le pouvoir suprême de l'amour sur la raison.

— Et alors ? Qu'est-il arrivé ?

— Il y a plusieurs duels, un mariage secret, et puis ils meurent.

Les sourcils du valet firent un bond sur son front.

— Ils meurent?

— Je vous ai dit que la fin n'était pas idéale. Quoi qu'il en soit, tout cela est très romantique.

— D'après moi, il vaut mieux être vivant que mort et romantique.

— Peut-être avez-vous raison, Gil: l'amour ne semble pas avoir rendu mon frère très heureux.

— Est-ce pour cela qu'il a attaqué lord Vale?

— À mon avis, oui. Sam aime lady Emeline. Mais je vous en prie, ne le répétez à personne!

— Je ne dirai rien, mademoiselle.

Elle lui sourit, et il lui rendit son sourire, ses yeux verts se plissant joliment. Rebecca songea qu'elle se sentait bien avec lui. Depuis son arrivée à Londres, elle prenait constamment garde aux paroles qu'elle prononçait, aux gestes qu'elle faisait, s'inquiétait de ce que les gens pensaient d'elle. Mais avec Gil, elle pouvait s'exprimer naturellement et spontanément.

Rassérénée, elle revint à son assiette: Gil allait rester derrière elle et c'était très réconfortant.

Emeline se trouvait dans le petit salon de son hôtel particulier. Elle prenait le thé en écoutant tante Cristelle. Si seulement elle avait pu être ailleurs, n'importe où ailleurs…

— Tu as de la chance, proclama la vieille dame. Beaucoup de chance. Je ne sais pas comment cet homme a réussi à dissimuler aussi bien ses tendances criminelles!

Tante Cristelle avait décidé, avec sa logique bien à elle, que le terrible combat dans l'escalier la veille était la conséquence de la violence naturelle de Sam, qu'il n'avait su dominer.

— Les fous sont très rusés, paraît-il. Et je dois ajouter qu'il porte de fort étranges souliers.

— Je ne pense pas que ses souliers aient un rapport avec tout cela.

— Mais bien sûr que si ! Les souliers de quelqu'un sont révélateurs de sa personnalité ! L'ivrogne en porte de ruinés et sales, la dame de mauvaise vie, d'exagérément ornementés, et le meurtrier en puissance porte des bizarreries, comme ces mocassins de sauvages.

Emeline cacha ses pieds sous ses jupes : les escarpins qu'elle arborait aujourd'hui étaient richement brodés de fils d'or.

Prudemment, elle se hâta de changer de sujet.

— Je ne sais pas comment nous allons faire face aux ragots. La moitié des invités étaient regroupés sur le palier du premier étage, hier soir : la meilleure place pour voir M. Hartley jeter Jasper dans l'escalier.

— Oui, et cela aussi est étrange.

— Quoi donc, tante Cristelle ? Que tout le monde regarde ?

— Mais non ! Que lord Vale se laisse aussi facilement écharper !

— Je ne crois pas que…

— M. Hartley n'est ni aussi grand ni aussi solidement bâti que lord Vale, et pourtant le colon a eu le dessus. C'est à se demander où il a puisé sa force.

— Peut-être était-ce la force de la folie, remarqua Emeline dans un accès d'humour noir.

Elle ne voulait pas penser au combat, ne voulait pas revoir en esprit ces deux hommes qu'elle aimait cherchant à s'entretuer, et encore moins se rappeler le regard de Sam, à la fin de l'affrontement.

— La cérémonie et la réception du mariage seront un désastre, lâcha-t-elle dans un soupir. Nous aurons de la chance si nous avons plus de deux invités.

Immédiatement, la vieille dame adopta un point de vue opposé.

— Ce n'est pas vraiment dommageable, que les gens parlent. Ce qui est arrivé crée une excitation générale. Contrairement à ce que tu dis, je suis persuadée que les invités se presseront à ton mariage.

Emeline haussa les épaules, puis baissa les yeux sur sa tasse de thé. La perspective de recevoir une foule d'invités à son mariage lui donnait la nausée. Ils seraient tous là dans l'espoir que Sam déboulerait au beau milieu de la réception, voire plus tôt, pour interrompre la cérémonie. Une éventualité extrêmement déplaisante. Mais qui se révélerait certainement sans objet : Sam devait désormais l'avoir exclue de sa vie.

Son regard empreint de désillusion, voire d'écœurement la nuit dernière, l'avait frappée comme une gifle. Jamais il ne chercherait à la revoir. Ce qui était parfait, bien entendu. Mieux valait une coupure nette et définitive. L'ennui, c'est qu'elle ne parvenait pas à se résigner à cette idée.

Pourtant, elle n'avait pas le choix. Son avenir avait été écrit lors de sa naissance. Elle était une aristocrate, fille et sœur de comte. À ce titre, tout ce que l'on attendait d'elle, c'était qu'elle contracte un beau mariage, ait des enfants et se conforme aux règles en vigueur dans sa classe sociale. Une tâche que jusque-là elle n'avait jamais remise en question. Elle avait été bonne épouse et bonne mère : n'avait-elle pas réussi à maintenir sa famille soudée contre vents et marées ? N'avait-elle pas trouvé un futur deuxième mari aussi estimable que le premier ? Et si la fidélité n'était pas de mise dans cette union, si l'amour était fraternel et non passionné, il n'y avait là rien de choquant. Seul un fou pouvait prétendre le contraire.

Oui, seul un fou.

Dont elle se languissait. Cet homme qui n'était pas de son monde hantait son esprit. Il était le premier à avoir réalisé ce prodige, et serait probablement le dernier. Encore plus extraordinaire, il refusait de reculer d'un pouce. Pourtant, il avait été témoin de son caractère impérieux, de son intransigeance si peu féminine. Et il avait aimé ces particularités ! Rien d'étonnant, donc, à ce qu'elle pleure sa perte. Il l'avait acceptée telle qu'elle était, sans fard, et cela était grisant.

Ce qui n'empêchait pas qu'il soit un fou.

Les gens regardaient Sam alors qu'il marchait dans les rues de Londres, cet après-midi-là. Du coin de l'œil, puis se détournaient en hâte, d'autant plus vite quand ils avaient croisé son regard. Il s'était vu dans un miroir, ce matin. Il savait ce qui attirait l'attention : un œil au beurre noir, une lèvre entaillée et enflée, des hématomes sur la joue et la mâchoire. Il n'était donc pas anormal qu'il attirât la curiosité, mais il détestait cela. Toutefois, même sans ces stigmates, il n'aurait pas été anonyme parmi la foule à cause de ses mocassins. Mais aujourd'hui, il y avait quelque chose de différent dans les regards qu'on lui lançait. Les gens semblaient penser qu'il était fou.

Cela l'irritait. Également, et c'était plus surprenant, autre chose l'irritait : que Vale ne marche pas auprès de lui. Stupide, vraiment. Mais il s'était habitué à avoir le vicomte à son côté dans son enquête, à l'écouter babiller, émettre des réflexions sardoniques. Il exécrait cet homme, et pourtant il lui manquait. Et puis, cela n'aurait pas été superflu d'avoir quelqu'un pour protéger ses arrières.

Il se retourna pour vérifier si on le suivait. Il se réfugia dans une ruelle. Il fallait qu'il se repose quelques instants, s'appuie à un mur. Il avait certainement des côtes cassées. Si Rebecca avait su qu'il était sorti, elle aurait été furieuse. Hier, son insistance à appeler un médecin l'avait étonné. Las d'argumenter, il avait fini par céder.

Les élancements un peu calmés, il reprit sa marche. Il devait absolument mener sa mission à bien, et ensuite il quitterait ce fichu pays et rentrerait chez lui.

Cette partie de Londres était paisible et assez propre, les odeurs qui planaient dans l'air ne le dérangeaient pas vraiment. Il s'engagea dans Starling Lane. Les bâtiments qui bordaient la rue étaient de facture récente. Probablement reconstruits après le grand incendie, ils abritaient de petites boutiques en rez-de-chaussée. Les appartements au-dessus étaient sans doute ceux des commerçants.

Il poussa la porte d'une échoppe de tailleur. L'intérieur était sombre, bas de plafond, et sentait la poussière. Il n'y avait personne. Sam referma la porte derrière lui et tourna la clé.

— Un moment, s'il vous plaît, monsieur! lança une voix d'homme depuis l'arrière-boutique.

Vu les dimensions réduites de l'endroit, Sam déduisit que la plupart de l'espace était réservé à l'atelier, au-delà de la cloison. Des piles de vêtements étaient rangées sur des étagères. Un unique gilet était placé sur un portant. Le gilet était bien cousu, un bon ouvrage, mais le tissu n'était pas de grande qualité. Sam en déduisit que le tailleur avait pour clients des marchands, des médecins, des hommes de loi plutôt que de riches gentilshommes. Il y avait un grand comptoir et, derrière, une ouverture. Sam contourna le comptoir. Comme il le soupçonnait, l'atelier était assez vaste. Une longue table de travail couverte de pièces d'étoffe, de craies, de bobines de fil et de patrons de papier. Deux jeunes hommes étaient assis en tailleur sur la table et cousaient pendant qu'un troisième, plus âgé et pansu, était penché sur un rouleau d'étoffe dont il coupait un morceau avec des ciseaux. Il regarda Sam sans cesser de tailler.

— Un instant, monsieur.

— Je peux parler pendant que vous travaillez.

L'homme parut déconcerté, mais sa main continua à bouger comme si elle était animée d'une vie propre.

— J'aimerais vous poser quelques questions, expliqua Sam. Au sujet de l'un de vos anciens voisins.

Le tailleur marqua une hésitation et leva les yeux sur Sam, qui serra les dents: son visage ravagé n'allait pas l'aider.

— Autrefois, il y avait un bottier, à côté.

— Oui, monsieur, acquiesça le tailleur en jouant de nouveau des ciseaux.

— Connaissiez-vous le propriétaire, Dick Thornton?

— Ça se pourrait, répondit le tailleur en baissant la tête comme s'il voulait dissimuler son expression.

— Le père de Thornton tenait ce commerce avant lui, si je ne m'abuse.

— Oui, monsieur. Le vieux Georges Thornton.

Le tailleur étala sur la table la pièce de tissu qu'il avait taillée.

— Un brave homme. Il y avait à peine un an qu'il avait ouvert sa boutique quand il est mort. Tout le monde l'a regretté, dans la rue.

Une soudaine tension s'empara de Sam.

— Le vieux Thornton venait d'ouvrir ? Il n'était pas ici auparavant ?

— Non, monsieur. Il arrivait d'un autre endroit.

— Dogleg Lane, jeta l'un des jeunes tailleurs.

Son patron lui adressa un coup d'œil acéré et l'employé baissa précipitamment la tête sur son travail. Sam s'appuya à un angle de la table et croisa les bras.

— Dick était-il rentré de la guerre dans les colonies, lorsque son père est mort ?

Le tailleur répliqua aussitôt :

— Non, monsieur. Le vieux Thornton est mort à peu près un an avant le retour de Dick. La femme de Dick a tenu la boutique jusqu'au retour de son mari. C'était une femme bien, mais pas très avisée. Elle gérait mal son affaire. Heureusement, Dick a tout remis d'aplomb. En quelques années, il a pu s'acheter un commerce plus grand ailleurs.

— Connaissiez-vous Dick avant qu'il revienne de la guerre ?

— Non, monsieur. Mais... ne pas connaître Dick Thornton n'était pas une grande perte.

— On dirait que vous ne l'aimiez pas beaucoup.

— Ils ne sont pas nombreux, dans le coin, ceux qui l'aimaient, chuchota le jeune employé.

Le tailleur haussa les épaules.

— Il faisait toujours bonne figure, il était souriant, mais je ne lui faisais pas confiance. Et sa femme avait peur de lui.

— Vraiment ? dit Sam, qui songeait que si ses soupçons s'avéraient fondés, Mme Thornton avait dû carrément être terrifiée. Arrivait-il à sa femme de se comporter bizarrement ?

— Non, mais de toute façon, on ne l'a pas vue longtemps après le retour de Dick.

— Que voulez-vous dire ?

— Elle est morte. Elle est tombée dans l'escalier et s'est rompu le cou. Enfin, c'est ce qu'a raconté son mari.

Les deux jeunes secouèrent la tête à l'unisson, montrant ainsi ce qu'ils pensaient. Sam ressentit un frisson de triomphe. Voilà, ça y était, il ne se trompait pas : Dick Thornton n'était pas celui qu'il prétendait être. *Le prisonnier McDonald tapi sous un chariot pendant que la bataille faisait rage tout autour de lui. McDonald, de sa cachette, lançant un regard à Sam. McDonald souriant et clignant de l'œil.* C'était ce que Sam s'était rappelé la veille, lors de la réception d'Emeline. La façon dont McDonald avait cligné de l'œil, son sourire mauvais… Exactement les mêmes mimiques que celles de Thornton. Par quelque habile subterfuge, le prisonnier McDonald avait usurpé l'identité de Thornton.

Et maintenant, il vivait la vie de Thornton.

Dix minutes plus tard, Sam déverrouillait la porte de l'atelier du tailleur et sortait. L'épilogue n'était pas loin. Il lui suffisait de confondre le soi-disant Thornton et ensuite de rentrer à Boston. L'année passée à chercher des réponses serait arrivée à son terme. Les morts de Spinner's Falls reposeraient enfin en paix.

Mais lui, non, comprit-il en regagnant son hôtel particulier. Il ne connaîtrait plus jamais la paix. Son cœur resterait à Londres.

Il atteignit les écuries derrière l'hôtel particulier. Il hésita, puis passa devant la grille de sa maison et marcha jusqu'à celle qui s'ouvrait sur le jardin d'Emeline. Elle était fermée à clé, bien sûr. Il escalada donc le mur, avec lenteur et prudence à cause de ses côtes cassées, et retomba dans le jardin désert. Des asters en fleur bordaient l'allée, les arbres ornementaux commençaient à changer de couleur. Il voyait l'arrière de la maison et les fenêtres du premier étage. L'une d'elles était celle de la chambre d'Emeline, qui peut-être en cet instant regardait dehors.

Il était conscient d'agir comme un irresponsable : quelle folie que de s'introduire dans le jardin de la femme qui l'avait rejeté ! Il se sentait mal à l'aise, et en colère. Très bientôt, il lui faudrait rentrer chez lui et se préparer pour dîner avec Rebecca. Il resta un moment sur la pelouse, à fixer les fenêtres d'Emeline, le cœur battant sur un tempo qui martelait : *si seulement… si seulement… si seulement…*

Il ferma les yeux et, après un temps, prit une décision. Il ne pouvait partir sur cet échec. Il lui fallait parler à la jeune femme. Mais pas maintenant. Attendre la tombée de la nuit s'imposait.

Il tourna les talons et quitta le jardin. Il saurait patienter.

Jusqu'au crépuscule.

17

Juste après minuit, Cœur de Fer fut extrait de sa geôle dans le donjon. Des gardes le traînèrent dans les escaliers du château, puis de là dans la rue vers la place centrale de la Ville brillante. Il y avait foule dans les rues. Les gens tenaient des torches pour éclairer la voie. Ils étaient silencieux, à l'exception du sorcier, qui fit tout le chemin jusqu'à la place en dansant, enchanté que Cœur de Fer fût condamné à mort. Sur le poignet du sorcier était perchée une colombe, attachée par une chaîne d'or.

Il était tard et Emeline était fatiguée, mais cela ne l'empêcha pas de percevoir la présence de Sam bien avant de le voir. Son cœur bondit dans sa poitrine, joyeusement, et elle se découvrit incapable de dominer cette allégresse. Il était là ! Sam était là ! Elle fit pivoter le tabouret sur lequel elle était assise devant sa coiffeuse, où elle brossait ses cheveux pour la nuit.

Il se tenait sur le seuil de la porte de communication entre sa chambre et le petit vestiaire, maintenant le rideau soulevé. Son visage était meurtri, son œil gauche tuméfié, et il plaquait une main sur son flanc comme pour contenir une douleur.

Elle se mit à le fixer sans ciller, sans respirer, de peur qu'il ne soit une illusion qui allait disparaître, n'osant croire qu'il fût vraiment là.

— Tes cheveux sont magnifiques, souffla-t-il.

C'était la dernière chose qu'elle s'était attendue à l'entendre dire. L'incongruité de la remarque lui permit de se ressaisir mais, étrangement, elle se sentit très intimidée. Jamais il ne l'avait vue les cheveux défaits. Ni dans une situation banale comme celle-ci.

— Merci, murmura-t-elle.

Elle posa la brosse sur la coiffeuse. Ses mains tremblaient.

— Je suis venu te dire au revoir.

— Tu pars donc déjà ?

À cette annonce non plus, elle ne s'était pas attendue. Elle avait pensé que ce serait elle qui partirait la première, après son mariage avec Jasper. Une idée stupide : il était évident que Sam devait regagner les colonies à un moment ou à un autre.

Il hocha lentement la tête.

— Dès que j'aurai réglé toutes mes affaires, Rebecca et moi prendrons la mer.

— Oh...

Elle avait mille questions à lui poser, des milliers d'aveux à lui faire, mais elle ne parvenait pas à s'exprimer à haute voix. Elle était engluée dans une conversation maladroite et formelle. Elle s'éclaircit la gorge.

— Ces affaires, sont-ce celles en rapport avec le commerce, ou ta recherche de celui qui a trahi ton régiment ?

— Les deux.

Il traversa la pièce, attrapa au passage une assiette en porcelaine sur une table et la retourna pour regarder la marque de fabrique au verso.

— Mais cela te prendra sûrement des semaines, peut-être des mois, pour retrouver qui...

— Thornton est le traître, coupa Sam en remettant l'assiette en place.

— Comment le sais-tu ?

Il haussa les épaules. Le sujet ne semblait pas l'intéresser particulièrement.

— Il n'est pas Thornton, mais un imposteur. Un soldat du nom de McDonald. Il était aux arrêts quand nous avons été attaqués. À l'issue du massacre dont il est sorti indemne, il s'est débrouillé pour se faire passer pour Thornton.

Emeline fronça les sourcils en tiraillant sur les pans de son peignoir. Elle ne portait qu'une camisole sous le peignoir de soie. Ses pieds étaient nus. Sam se trouvait dans ses appartements privés. Elle se sentait vulnérable. Mais n'avait pas peur. Elle n'était pas non plus surprise. Elle avait toujours su au fond d'elle-même qu'un jour, Sam s'introduirait chez elle. Maintenant qu'il était là, elle n'aspirait qu'à une chose : qu'il reste.

Elle baissa les yeux sur ses mains tremblantes serrées sur ses genoux puis, afin de retarder l'inéluctable, posa une autre question.

— Comment se fait-il que les amis ou les membres de la famille de Thornton n'aient pas démasqué l'imposteur ?

— La plupart des amis de Thornton sont morts à Spinner's Falls. Tous, peut-être. Quant aux membres de sa famille, ils avaient tous déjà quitté ce monde, à l'exception de sa femme, qui est morte peu après le retour à Londres de Thornton – McDonald, plutôt. Je pense qu'il l'a tuée.

— Pourquoi fais-tu cela, Sam ?

— Quoi donc ?

— Pourquoi t'acharnes-tu à suivre cette piste ?

Elle se pencha en avant, désireuse de lever ses défenses comme il avait levé les siennes. Il leur restait si peu de temps.

— Pourquoi consacrer tant d'efforts et d'argent à poursuivre cet homme ? Pourquoi, après toutes ces années ?

— Parce que je puis le faire, ce qui n'est pas le cas des autres.

— Que veux-tu dire ?

Il se tourna carrément vers elle. Sur son visage, nul masque destiné à cacher sa tristesse.

— Parce qu'ils sont morts. Ils sont tous morts.

— Jasper…

— Même ceux qui ont survécu sont morts, ne t'en rends-tu pas compte ? s'enquit-il dans un rire amer. Vale peut plaisanter, boire, faire l'idiot, mais c'est un cadavre que tu vas épouser, sache-le bien.

Emeline se leva.

— J'en doute. Jasper a peut-être ses démons personnels, mais il est *vivant* ! Tu l'as sauvé, Sam.

— Non. Je n'étais pas là.

— Tu es parti en courant chercher de l'aide.

— Je suis parti en courant, oui. Au plus fort de la bataille, quand j'ai compris que nous allions la perdre, quand j'ai vu que les Indiens prenaient le dessus et scalperaient vivants les vaincus. Je me suis dit que continuer à combattre était vain, qu'il ne restait plus d'espoir. Je me suis donc caché. Lorsqu'ils ont capturé Vale, Munroe, ton frère et les autres, j'ai fui en courant.

Emeline vint à lui et agrippa les pans de sa redingote. Elle se dressa sur la pointe des pieds et approcha son visage du sien à le toucher.

— Tu t'es caché parce que tu avais compris que mourir ne servirait à rien. Puis tu as couru pour sauver la vie des hommes capturés.

— Vraiment ? En es-tu sûre ? C'est ce que je me suis répété, que je courais pour sauver les autres, mais peut-être me suis-je menti. Peut-être n'ai-je couru que pour sauver ma peau.

— Non, Sam, non ! Je te connais. *Je te connais !* Tu as couru pour les sauver ! Et je t'admire d'avoir fait cela.

— Ton frère est mort avant mon retour avec la rançon, Emeline. J'ai failli à tous mes devoirs. Envers lui, envers toi.

— Cesse de penser cela, Sam, dit-elle avant d'attirer sa tête vers la sienne.

Elle l'embrassa, essayant d'instiller en lui toutes les émotions qu'elle ressentait, tous les espoirs qui l'animaient. Bouche contre bouche, lèvres bougeant à l'unisson. Un baiser était tellement simple, si facile à donner. Mais elle tenait à mettre dans celui-là une infinité de choses. En premier lieu, que Sam sache que jamais elle ne le considérerait comme un lâche.

Et qu'il sache qu'elle l'aimait.

Oui, elle l'aimait. Peu importait qu'elle en épouse un autre, peu importait qu'elle ne le revoie jamais, elle l'aimerait toujours. Cet amour qui la possédait se révélait incontrôlable. Même s'il était le dernier homme qui lui convînt comme époux, elle ne pouvait s'empêcher de l'aimer.

Elle l'embrassa intensément mais avec douceur, insistance, le pressant de la langue à répondre à son baiser. Ainsi, elle put goûter les saveurs de sa bouche, et faire provision de souvenirs pour plus tard, quand il ne serait plus là. Sa vie durant, elle garderait ces moments dans le cœur, dans le corps. Il ne lui resterait que cela.

Tout à coup, il lui attrapa les avant-bras, et elle se demanda s'il allait l'attirer ou la repousser contre lui. Elle eut peur de cette seconde éventualité. Tout en elle regimba : il ne pouvait pas s'en aller avant qu'elle lui ait montré combien elle l'aimait !

— S'il te plaît, murmura-t-elle contre ses lèvres.

Les doigts de Sam affermirent leur pression sur ses avant-bras. Emeline recula légèrement, de façon à le regarder dans les yeux.

— S'il te plaît, laisse-moi faire.

Il fronça les sourcils et elle lut l'indécision dans ses belles prunelles couleur café. Elle appuya ses paumes contre sa poitrine et pesa sur lui. Il se déroba. Elle recommença son manège. Il se déroba de nouveau, mais le lit l'arrêta, ses mollets heurtant le matelas. Il se retourna, jeta un coup d'œil au lit.

— Emeline...

Elle lui barra les lèvres de son index.

— Chuuut...

Il demeura un instant immobile, manifestement en plein désarroi, puis céda à son insistance. Il hocha la tête. Emeline lui sourit, un sourire incertain, à peine esquissé. Cette nuit, elle allait oublier toutes ses angoisses concernant l'avenir, toutes ses craintes concernant les conséquences de ses actes. Elle allait tout oublier pendant quelques précieuses heures. Faire le vide des pensées, de la réalité.

Lentement, elle lui ôta sa redingote, prenant garde à ne pas lui faire mal : elle le savait blessé ailleurs qu'au visage. Puis elle entreprit de déboutonner le gilet marron. Elle était consciente de respirer à petits coups bruyants. Sam, lui, exhalait un souffle court mais profond. Il l'observait tandis qu'elle le déshabillait, ne bougeait pas, ne l'aidait pas. Il restait les bras ballants le long de ses flancs.

La gorge nouée d'émotion, elle songea que dévêtir un homme était l'un des actes les plus intimes.

Elle le débarrassa du gilet et passa à la chemise. Il leva les mains pour les poser sur sa taille et elle perçut leur chaleur à travers la soie du peignoir. La sensation était tellement grisante qu'elle eut du mal à maîtriser ses doigts qui soudain tremblaient. Détacher les boutons de la chemise relevait tout à coup de la prouesse. Sam lui embrassa le dessus de la tête. Elle huma le parfum de son corps, un cocktail de laine, de cuir et de persil. Puis elle écarta les pans de la chemise, dénudant le torse.

Elle recula un peu pour l'admirer. Sa peau était si belle… Elle caressa les pectoraux, immobilisa quelques instants la main à hauteur du cœur. Sam était là, avec elle, à elle. Comment allait-elle supporter qu'il parte ? Comment survivrait-elle lorsqu'un océan les séparerait ?

Elle chassa cette sinistre pensée pour se consacrer à l'instant présent. Elle le poussa et il tomba sur le lit. Assis, il la fixa, attendant la suite, attendant qu'elle prenne l'initiative.

Elle s'agenouilla pour délacer les mocassins. Les lacets étaient de cuir. Elle eut du mal à comprendre comment ils étaient attachés. Tête penchée et appuyée contre les jambes de Sam, elle songea qu'elle avait adopté une position de suppliante. Une position d'humilité, mais empreinte d'érotisme.

Elle lui déchaussa un pied. Elle s'occupait de l'autre quand il se mit à lui caresser les cheveux. Elle ne dit mot, s'interrogeant : dans quel état d'esprit était-il ? La veille, il était tellement en colère… Elle le regarda avec un peu de crainte et ne lut dans ses yeux que du désir.

Il se pencha, lui prit le menton entre deux doigts et l'embrassa. La magie de sa langue qui fouillait sa bouche l'étourdit. Elle ne savait plus où elle était, ni ce qu'elle faisait une seconde auparavant. Chavirée, elle puisait la vie dans ce baiser enflammé, l'énergie, le bonheur. Mon Dieu, comme elle voulait cet homme. Pour une heure, une nuit, pour toujours. Elle laissa glisser les mains le long de ses cuisses, remontant vers les hanches, franchit la limite entre la jambière de cuir et la culotte d'étoffe. Sous le tissu, elle sentait la peau brûlante. Elle s'enhardit, chercha le sexe qui formait une exaltante protubérance.

Il lui bloqua la main.

Elle détacha sa bouche de la sienne.

— S'il te plaît, Sam.

Il affichait une expression d'avidité torride, mais, en même temps, de détermination. Il n'entendait pas faire la moindre concession, comprit-elle.

— S'il te plaît, dit-elle encore une fois.

Le temps sembla suspendu. Elle suivit sur les traits de Sam la lente modification de son humeur. Elle laissa échapper un soupir de soulagement quand il écarta les mains en un geste de démission. Elle lui pressa douce-ment le sexe, puis ouvrit la culotte pour l'en extraire. Elle le garda quelques instants dans sa paume, frémis-sant, et le regarda. Ce sexe d'homme était sien. Cet homme était à elle.

— Déshabille-toi, ordonna-t-elle plus sèchement qu'elle ne l'aurait voulu.

Il eut un petit sourire ironique, mais obtempéra. Elle voulait le voir nu pour imprimer l'image de son corps dans son esprit. Il se leva et en un tournemain se défit de ses vêtements, sans cesser de la fixer d'un air de défi. Satisfaite, Emeline le renversa sur le lit avant d'ôter son peignoir. Elle garda sa camisole. Allongé sur le dos, Sam lui ouvrit les bras, mais elle lui échappa, glissa le long de son flanc et s'immobilisa à hauteur de son bas-ventre.

— Emeline...

— Chuuut...

Ce sexe dressé la fascinait. Du bout de l'index, elle en dessina les contours, suivit la veine palpitante. Elle savait que nombre de femmes trouvaient le sexe masculin laid et choquant. Pas elle. Jamais elle n'avait éprouvé de répulsion, loin s'en fallait. Si Daniel avait vécu plus longtemps, si elle avait eu plus d'expérience à l'époque, elle aurait exploré son intimité. Elle n'en avait pas eu le temps. Aujourd'hui, l'opportunité se présentait et elle n'allait pas la laisser passer.

Elle le dévorait des yeux, n'omettant aucun détail de son anatomie, lorsqu'elle s'aperçut qu'il ne la quittait pas du regard. Une pensée lui traversa alors l'esprit. Une idée qu'elle n'aurait jamais osé exprimer à voix haute. Ils ne disposaient pas d'années devant eux pour surmonter la timidité, les inhibitions et les convenances. Seulement de l'instant présent. Ils n'avaient que ce soir, et il n'était pas question de perdre une seule précieuse minute.

Elle décida donc de faire montre d'audace. Elle inclina la tête, tout en enserrant la base du sexe de Sam, et posa ses lèvres dessus. Elle l'entendit exhaler un lourd soupir, puis murmurer :

— Continue.

Elle ne fut pas longue à comprendre ce qui plaisait à Sam dans ce jeu érotique : ses lèvres devaient aller et venir en même temps que sa main. La peau satinée coulissait sur le membre d'airain. Elle sentait un goût salé sur sa langue, qu'elle trouvait exquis. Le goût de Sam. Pas davantage que l'image de son corps nu, elle n'oublierait ce goût. Ni le mouvement de ses hanches qui se soulevaient, s'arquaient, et les doux râles qu'il émettait. Elle se rendait compte qu'elle lui donnait un plaisir vertigineux et en vibrait d'excitation.

Tout à coup, il poussa un long feulement, prononça son prénom, puis cria, un cri rauque, primitif, et des spasmes agitèrent ses jambes.

— Emeline... Emeline...

Elle ferma les yeux pour écraser sous ses paupières les larmes qui perlaient. Sans succès. Plusieurs roulèrent sur sa joue et allèrent s'écraser sur la jambe de Sam. Elle comprenait mal pourquoi elle pleurait. Sam lui souleva la tête et la regarda, inquiet et interrogateur, mais elle ne parvint pas à lui expliquer ce qui la bouleversait. C'était bien étrange, les émotions. Sans doute la perspective de le perdre dans quelques heures était-elle à l'origine de ses larmes. Le regret, aussi, que Sam ne fût pas en mesure de rester en Angleterre.

Elle se redressa et s'installa sur lui. Sam la stabilisa en plaquant les deux mains sur les globes de ses fesses.

— Vas-tu bien, Emeline ? demanda-t-il anxieusement.

— Bien sûr, assura-t-elle entre deux sanglots étouffés.

Mieux valait mentir. Et fermer les yeux pour ne plus voir l'expression navrée de Sam. Elle fit passer la camisole par-dessus sa tête et, à présent aussi nue que lui, se prit à songer que Dieu les avait ainsi faits. Un homme, une femme, sans vêtements. Adam et Ève, les premiers humains dont la descendance peuplait la Terre.

Elle posa la main à hauteur du cœur de Sam.

— Tu es mien.

— Comme tu es mienne.

Elle attendit qu'il poursuive, qu'il se livre, mais il garda le silence. L'espoir ténu qu'elle nourrissait encore mourut. Il avait abandonné l'idée de bâtir un avenir avec elle. Qu'ils ne puissent continuer le chemin ensemble était depuis le début une évidence. Que Sam s'y résigne sans combattre lui dévastait l'âme.

Elle ne montra rien de sa déception, se pencha pour embrasser l'endroit où elle avait posé la main, puis lécha à petits coups de langue son buste mouillé par ses larmes. Il soupira, enfouit les doigts dans ses cheveux, et cette caresse si intime acheva de la bouleverser alors qu'elle se gorgeait des saveurs de sa peau, à laquelle les larmes et la transpiration donnaient un goût salé semblable à celui de son sexe. Lequel n'était pas en érection totale, momentanément fatigué par les caresses qu'elle lui avait prodiguées, supposa-t-elle. Il reposait sur le bas-ventre de Sam. Allait-il retrouver sa splendeur ? Seigneur, oui... Elle voulait tant une dernière fois vivre cette communion sensuelle et mentale qui faisait d'eux un seul être... Elle avait tellement envie qu'il vienne en elle...

Elle se coula sur le membre et l'enveloppa de son sexe moite, brûlant. Et le miracle se reproduisit. Sam lui souleva les hanches à deux mains et l'empala sur son pénis triomphant. Puis il lui prit les pointes des seins entre deux doigts et les pinça, les fit rouler. Emeline geignit, avant de se pencher sur lui pour chercher sa bouche. Mais ce mouvement libéra le pénis qu'elle avait espéré emprisonné, et elle gémit de frustration. De la main, elle le remit en place, à *sa* place.

Ils se figèrent, se regardant dans les yeux. Emeline secoua la tête pour chasser d'autres larmes. Elle aurait aimé qu'ils restent ainsi soudés l'un à l'autre pour l'éternité. Sam bougea enfin. Il embrassa les seins qui oscillaient doucement au-dessus de son buste, puis chercha sa bouche et lui donna un baiser qui la transporta. Elle contracta son sexe autour du sien et une vague de plaisir la fit frissonner. Penchée sur lui, ses longs cheveux balayant sa poitrine qui se soulevait à un rythme effréné, les sensations qui électrisaient son corps étaient ensorcelantes.

Il lui murmura quelques mots qu'elle ne comprit pas avant de soulever les hanches, signal de départ du voyage vers le paradis. Elle accorda ses mouvements aux siens et, comme s'ils volaient sur un tapis magique, ils gagnèrent à la même seconde la porte de l'Éden. L'orgasme d'Emeline fut si violent qu'elle tomba en avant, seins pressés sur le torse de Sam, cheveux étalés tel un voile de mariée, bouche contre l'oreille de l'homme aimé.

Il lui parla de nouveau, et cette fois elle entendit.

— Je t'aime.

Le feu dans la cheminée était mort depuis longtemps, probablement au milieu de la nuit, alors qu'elle dormait dans les bras de Sam.

Il songea à aller le ranimer. La chambre était glaciale, en ces petites heures du matin. Mais d'épaisses couvertures protégeaient Emeline du froid. Quant à lui, assis sur une chaise pour enfiler ses jambières, il n'allait pas rester assez longtemps pour qu'une flambée le réchauffe. D'ailleurs, rien ne saurait le réchauffer. Il renonça donc à rajouter du charbon, mais resta assis, maintenant habillé de pied en cap. Il devait s'en aller. Les serviteurs ne tarderaient plus à entrer et Emeline serait très embarrassée s'ils le découvraient dans sa chambre. Pourtant, il s'attardait.

Il la regardait, gravant dans sa mémoire l'image de ces deux doigts qui serraient le drap sous son menton. Elle était allongée sur le flanc, face à lui, visage serein dans le sommeil, lèvres entrouvertes, yeux clos. Elle paraissait extrêmement jeune et douce.

Il sourit. Elle n'apprécierait pas cette remarque s'il la faisait à haute voix. Ils n'avaient jamais eu le temps d'en discuter, mais il la percevait très susceptible à propos de son âge. Il aurait aimé s'offrir une petite querelle à ce sujet, l'amener à admettre qu'une femme de trente ans était à son avis infiniment plus belle qu'une gamine de vingt ans. Elle aurait alors continué à argumenter, car elle était entêtée. Il aurait fini par clore la discussion en l'embrassant et en lui faisant l'amour.

Mais tout cela appartenait désormais au passé. Il n'y aurait plus de délicieuses chamailleries, de baisers, d'amour. Ils ne pourraient plus régler dans les rires et les caresses leurs petites dissensions.

Le compte à rebours était parvenu à son terme.

Il la vit soupirer et tirer le drap sur sa bouche. Il engrangea aussi ce geste dans sa mémoire. Se mettre debout, marcher vers la porte... Il fallait qu'il le fasse. Qu'il trouve le courage de partir. De traverser la maison silencieuse, de sortir dans l'aube naissante et regagner son hôtel particulier, qui n'était pas son foyer. Dans deux jours, il embarquerait sur un navire et passerait un mois à regarder les vagues au cours de la traversée de l'océan. Un beau matin, il arriverait chez lui.

Et une fois là-bas ? Eh bien, il reprendrait sa vie au point où il l'avait laissée.

Aux yeux d'autrui, son existence ne serait en rien différente de celle qu'il menait avant ce voyage en Angleterre, mais en réalité, pour lui, rien ne serait jamais pareil. Il vivrait avec ses souvenirs, son chagrin, sa sensation de manque. Dût-il rester sur cette terre encore quarante années, il n'oublierait pas sa merveilleuse et bouillante lady. Assis en cet instant à côté du feu éteint, il savait qu'Emeline serait dans son esprit et son cœur chaque jour que Dieu lui accorderait, jusqu'au dernier. Il marcherait dans les rues de Boston, gérerait ses affaires, discuterait avec ses clients, ses amis, mais un fantôme l'accompagnerait partout, tout le temps. Il serait près de lui quand il prendrait ses repas, dormirait. Lorsqu'il rendrait le dernier soupir, son ultime pensée s'envolerait vers Emeline.

Le parfum de la citronnelle le hanterait jusqu'à sa mort.

Il s'octroya encore quelques instants, immobile près de l'âtre sombre, contemplant la femme qui dormait. Des semaines, des mois, des années de solitude l'attendaient.

18

Les gardes attachèrent Cœur de Fer à un grand pieu, puis empilèrent des branchages autour de ses pieds et de ses jambes. Il regarda autour de lui et vit sa tendre épouse debout à côté de son père. Elle pleurait. Cœur de Fer ferma les yeux. On mit le feu aux branchages, qui s'embrasèrent comme des torches. De hautes flammes s'élevèrent vers le ciel. Des étincelles jaillirent et se confondirent avec les étoiles. Le méchant sorcier glapit sa joie.

Mais un étrange phénomène survint. Alors que les vêtements de Cœur de Fer brûlaient, commençaient à se réduire en cendres, son corps demeurait intact. On voyait par transparence son cœur de fer battre sous la peau de sa puissante poitrine nue. Un cœur de fer chauffé à blanc.

Le lendemain matin, lorsque Emeline se réveilla, Sam était parti. Une bonne s'activait devant la cheminée pour rallumer le feu. Emeline ferma les yeux pendant un moment, incapable d'affronter la lumière de cette nouvelle journée. D'affronter la vie sans Sam. Elle soupirait quand elle sentit une moiteur chaude entre ses jambes. La semence de Sam qui s'échappait d'elle ? Elle souleva le drap et regarda. Non. Hélas, il ne s'agissait que du phénomène naturel qui l'affectait chaque mois.

Au lieu d'être soulagée que plus rien ne s'oppose à son mariage avec Jasper, elle ressentit une immense déception. Et s'accusa de stupidité, d'inconscience :

vouloir porter l'enfant de Sam, quelle folie! Désirer n'avoir pas d'autre choix que de l'épouser, quelle absurdité! Cette union eût été désastreuse, voyons! Le problème, c'était que son cœur était convaincu du contraire.

— Avez-vous besoin de quoi que ce soit, madame? demanda la bonne qui s'était redressée, tisonnier à la main, et fixait sa maîtresse d'un air inquisiteur.

Emeline comprit qu'elle avait dû laisser échapper une plainte.

— Non, rien, merci.

La jeune fille revint à son feu.

— Je suis désolée que ça prenne tant de temps aujourd'hui, madame. Je ne comprends pas pourquoi ça met si longtemps à prendre.

Emeline récupéra son peignoir au pied du lit et l'enfila.

— C'est sans doute à cause du courant d'air, dit-elle. Laissez-moi essayer.

Mais les efforts d'Emeline se révélèrent aussi vains que ceux de la bonne.

— Bon, tant pis. Je vais prendre un bain chaud dans mon petit salon. Faites apporter le tub. Il y a du feu dans cette pièce, n'est-ce pas?

— Oui, madame.

— Ensuite, je m'habillerai là-bas.

Une heure plus tard, l'eau du bain d'Emeline était froide. Qu'elle en ait envie ou pas, elle devait sortir du tub et affronter l'avenir et les choix qu'elle avait faits.

— Serviette, s'il vous plaît.

Elle se mit debout et la bonne lui présenta une immense serviette. Ils n'avaient certainement pas d'aussi grandes serviettes, dans les colonies. Avoir repoussé Sam était une chance: elle ne serait pas condamnée à s'essuyer avec de minuscules bouts d'étoffe.

Morne, elle laissa ses caméristes l'habiller, sans accorder le moindre intérêt à sa nouvelle robe de soie bordeaux commandée quelques semaines auparavant, quand elle aidait Rebecca à élaborer sa garde-robe. Aujourd'hui, elle aurait tout aussi bien pu se vêtir de toile grossière et se couvrir la tête de cendres. Son inertie se dissipa lorsque Harris voulut la coiffer. Soudain rétive, elle repoussa la main qui tenait la brosse.

— Cela ira bien ainsi. Je ne recevrai pas de visiteurs. Je vais seulement marcher dans le jardin.

Harris jeta un coup d'œil par la fenêtre.

— Il pleut, madame.

— Vraiment ?

Le coup de grâce, songea Emeline, au bord du désespoir. Même les éléments conspiraient contre elle. Elle alla à la fenêtre pour s'en assurer. Son petit salon donnait sur la rue.

Et Sam achevait de descendre les marches de son perron pour se diriger vers un cheval sellé.

Elle retint son souffle. Cette vision inattendue la frappa aussi douloureusement qu'un coup de couteau. Ses mains plaquées contre la vitre tremblaient. Pourquoi ne levait-il pas la tête en direction de ses fenêtres ? Il aurait dû songer qu'elle le regarderait. Mais non. Il se mit en selle et s'en fut.

Ses mains retombèrent.

Derrière elle, Harris continuait à parler comme si de rien n'était.

— Je vais donc mettre la nouvelle robe de côté, madame. Avez-vous encore besoin de moi ?

— Non. Mais... Un instant, Harris, dit Emeline en se détournant de la fenêtre. Attendez.

— Oui, madame ?

— Donnez-moi ma cape, je vous prie. J'aimerais aller rendre visite à Mlle Hartley.

Ce serait l'unique occasion qu'elle aurait de dire au revoir à la jeune fille. Il ne lui semblait pas correct de la laisser regagner les Amériques sans lui avoir souhaité bon voyage.

Elle jeta la cape sur ses épaules et dévala l'escalier. Elle ignorait combien de temps Sam serait absent, et ne voulait pas prendre le risque de se trouver face à lui.

Le ciel était gris et bas, et il pleuvait, effectivement. Elle courut jusqu'à la porte de l'hôtel particulier voisin et frappa. Le majordome afficha une mine étonnée après avoir ouvert. L'heure n'était pas convenable pour une visite, mais lady Emeline était fille de comte, n'est-ce pas ? Il s'inclina donc puis s'effaça sur le seuil. Emeline entra dans le vestibule, puis passa dans le salon. Le majordome alla prévenir Rebecca. En l'attendant, Emeline ne cessa de regarder avec anxiété par la fenêtre.

— Madame ? s'écria la jeune fille en pénétrant dans la pièce.

Manifestement, elle aussi était étonnée. Emeline lui tendit les mains.

— Je n'avais pas le cœur de vous voir partir sans vous avoir dit adieu.

Rebecca éclata en sanglots. Éperdue, Emeline se demanda que faire. Jamais elle n'avait su quel comportement adopter face aux larmes d'autrui. En fait, elle estimait que les dames ne pleuraient en public que pour attirer l'attention. Elle-même pleurait rarement, et jamais devant quelqu'un. Enfin, cela avait été le cas jusqu'à la veille, devant Sam. Une réflexion qui la mit mal à l'aise.

Elle s'avança vers Rebecca, la prit dans ses bras et la serra contre elle.

— Allons, allons, murmura-t-elle en lui tapotant maladroitement le dos.

— Je suis désolée, madame, hoqueta Rebecca.

— Il ne faut pas, répondit Emeline en lui glissant un mouchoir dans la main.

Que dire ? Elle était presque sûre que la jeune fille était en larmes à cause d'elle.

— Voulez-vous que je sonne pour demander du thé ?

Rebecca hocha la tête. Emeline l'amena vers un fauteuil et la fit asseoir, puis appela la bonne.

— J'aimerais tellement que les choses soient différentes, geignit Rebecca quand la servante se fut retirée.

Elle tordait convulsivement le mouchoir.

— Moi aussi, avoua Emeline qui s'était posée sur le canapé et arrangeait ses jupes avec un excès de soin, songeant que peut-être, si elle ne regardait pas la jeune fille, celle-ci se ressaisirait. Avez-vous décidé d'une date pour votre départ ?

— Demain.

Emeline releva la tête.

— Si tôt ?

— Sam a trouvé un navire en partance. Nos bagages suivront sur un autre bateau.

Manifestement, songea Emeline, Sam était pressé de quitter l'Angleterre, et de la quitter, elle.

— Est-ce parce que vous ne l'aimez pas ? s'enquit Rebecca à brûle-pourpoint.

La question tétanisa Emeline, qui répliqua sans réfléchir :

— Non. Il y a tellement de problèmes…

— Dites-moi.

Emeline se leva et se mit à faire les cent pas devant la cheminée.

— D'abord, il y a le rang, le niveau social, bien sûr.

— Mais ce n'est pas tout.

— Non, ce n'est pas tout. Vous venez d'un pays différent, tellement lointain… Je ne crois pas que Sam voudrait s'établir en Angleterre. Et puis, il y a ma famille. Elle se résume à Daniel et tante Cristelle désormais, toutefois ils dépendent de moi.

— Et vous pensez que votre fils et votre tante refuseraient d'aller en Amérique ?

Oui, la vieille dame n'accepterait pas de quitter l'Angleterre. Quant à Daniel, il serait probablement enchanté et très excité de découvrir le Nouveau Monde.

— Eh bien, Rebecca… je ne sais pas. Ils m'ont tous abandonnée, comprenez-vous. Reynaud, mon mari, mon père… Je ne me sens pas capable de revivre cela. C'est-à-dire de confier à quelqu'un la charge de veiller sur moi.

— Je ne comprends pas. Sam ne permettrait pas à quiconque de vous faire du mal.

Emeline eut un rire amer.

— C'est ce que j'ai pensé aussi. Que les hommes de ma famille me chériraient et ne me laisseraient jamais seule face aux épreuves. Que je n'aurais jamais peur car ils me protégeraient. Qu'ils s'occuperaient de mes affaires et que je n'aurais comme charge que l'obligation d'être de bonne compagnie et de m'occuper de la maison. Mais cela ne s'est pas passé ainsi. D'abord, Reynaud est mort lors de la guerre dans les colonies, puis Daniel alors que nous étions encore très jeunes, et ensuite mon père...

Elle prit une profonde inspiration pour se donner du courage : jamais elle n'avait parlé de cela à personne.

— Père parti, j'étais seule. Et j'ai tout perdu. Le titre, les domaines : tout est allé à un cousin.

— Ils vous ont laissée sans argent ?

— Non. J'ai une fortune assez considérable. Mais je n'ai pas auprès de moi un seul être sur lequel me reposer.

Emeline s'interrompit, secoua la tête, consciente de la difficulté à se faire comprendre.

— Je ne parviens pas à me détendre. Je ne puis... qu'*être*.

Comme c'était bizarre de se dévoiler devant Rebecca alors qu'elle avait été incapable de se confier à Sam.

— Je crois que je comprends, dit Rebecca. Vous ne pouvez jamais vous laisser porter car nul n'est en mesure de prendre, même momentanément, votre place.

— Oui, c'est cela, accorda Emeline, soulagée.

— Mais, et c'est là où je me sens égarée, vous allez épouser lord Vale.

— Cela sera sans incidence. J'aime Jasper comme un frère et ce mariage ne changera rien à la situation que je viens de vous décrire. C'est-à-dire que je continuerai à mener ma vie de la même façon. Si Jasper me quitte ou meurt comme les autres, tout sera exactement pareil.

Rebecca la fixait en silence. On entendait des voix dans le vestibule.

— Vous avez peur que Sam meure, dit-elle finalement. Vous l'aimez et vous avez peur de vous engager, par crainte de le perdre.

Emeline cilla. Ainsi, d'après Rebecca, elle rejetait Sam parce qu'elle était une femme infantile et couarde. Non, il fallait qu'elle s'explique mieux.

Mais la porte du salon s'ouvrit sur une bonne portant le plateau du thé, suivie de M. Thornton. Seigneur, que faisait cet homme ici ? Il s'avança dans la pièce, souriant. Elle se rappela que chaque fois qu'elle l'avait vu, il souriait. Excepté qu'aujourd'hui son sourire semblait contraint, factice. Il l'affichait comme un masque destiné à cacher de noires pensées. À mieux y réfléchir, cela avait toujours été le cas. Étrange qu'elle ne l'ait pas remarqué auparavant.

— J'espère que ma visite impromptue ne vous dérange pas, mademoiselle ? Je suis venu voir M. Hartley.

— Mon frère est absent, monsieur. Le plus curieux, c'est que je crois qu'il s'est rendu à votre boutique de Starling Lane, monsieur Thornton. Euh, non… C'est là qu'il est allé hier. Aujourd'hui, il est allé à Dover Street.

Emeline scruta l'expression de la jeune fille. Détendue, ouverte. Soit Rebecca était une excellente actrice, soit Sam lui avait tu ses soupçons à propos de M. Thornton. Lequel s'était pétrifié.

— Starling Lane, avez-vous dit, mademoiselle ? Voilà qui est fort intéressant. Je me demande pourquoi M. Hartley est allé là-bas hier. Je ne possède plus cette boutique depuis mon retour de la guerre, il y a six ans.

— Vraiment ? Peut-être Sam pensait-il que vous aviez deux boutiques.

— Peut-être, oui. Quoi qu'il en soit, je suis désolé de l'avoir manqué.

— Nous le sommes également que vous vous soyez dérangé pour rien. Mais si vous vous dépêchez, probablement le trouverez-vous dans votre établissement.

— Oui, mais nous pourrions également nous croiser. Cela serait fort dommage.

— Dans ce cas, restez donc avec nous pour le thé et attendez ici que mon frère revienne.

— Parfait. Absolument parfait. Vous êtes charmante, mademoiselle Hartley.

— Je vous en prie. Je ne fais que vous offrir du thé.

— Oui, mais peu de personnes se montreraient aussi charmantes envers un humble commerçant, insista Thornton en jetant un coup d'œil entendu à Emeline. Je ne suis qu'un simple bottier.

— Mais vous êtes propriétaire de votre affaire.

— Oui, oui, bien sûr. J'ai un grand atelier. Ce commerce, je l'ai bâti à la sueur de mon front. Celui de mon père était minuscule.

— Ah bon ? Je l'ignorais.

L'intérêt de Rebecca était de pure forme. Thornton secoua vivement la tête, comme pour chasser le souvenir du petit commerce de son père.

— J'ai repris l'affaire à mon retour de la guerre il y a six ans. Six longues années de dur labeur et de soucis, pour enfin atteindre le niveau où je suis maintenant. Je tuerais quiconque essaierait de ruiner mes efforts, de me voler mon affaire !

Rebecca regarda Thornton avec curiosité : il avait employé un vocabulaire trop fort dans le cadre d'une banale conversation. Quant à Emeline, elle retenait son souffle tout en observant l'homme, et elle le vit faire quelque chose d'étrange : il pencha la tête vers elle, sourit largement et cligna de l'œil.

Elle frissonna, horrifiée.

Sam parcourait les rues de Londres en colère et frustré. Thornton n'était ni à sa boutique ni chez lui. Les quelques renseignements glanés l'inquiétaient : il soupçonnait l'oiseau de s'être envolé. Ou sur le point de le faire. Son instinct lui dictait donc de le trouver au plus vite. De longues années de pratique de la chasse lui faisaient pressentir que sa proie était sur le point de lui échapper. S'il ne trouvait pas Thornton aujourd'hui, il serait contraint d'annuler sa place et celle de Rebecca sur le *Hopper* qui larguait les amarres demain.

Mais prolonger son séjour à Londres signifierait passer plus de temps près d'Emeline, et il craignait de n'être pas capable de rester dans les parages sans aller la voir. L'envie de courir vers elle le dévorerait. Elle serait plus forte que sa volonté.

Un gosse des rues débaula devant les naseaux de son cheval, qui fit un brusque écart. Il dut tenir les rênes serrées pendant un moment après ce petit épisode. Le gosse, lui, s'était éclipsé aussi vite qu'il était apparu. Il avait dû, au cours de sa courte vie, frôler l'accident mille fois. Les rues de Londres n'avaient rien d'un fleuve tranquille. Les colporteurs vantaient leur marchandise à tue-tête à chaque coin de rue, et parfois même en plein milieu. Des files de voitures avançaient comme des troupeaux d'éléphants, bloquant tout passage. Des porteurs de chaises louvoyaient entre les obstacles, au milieu d'une foule grouillante d'hommes, de femmes, d'enfants. Cela allait des nourrissons aux vieillards appuyés sur leur canne. Tous semblaient affairés, pressés. Il paraissait impossible qu'il restât de l'air à respirer, tant des milliers de poumons l'aspiraient.

Sam sentait les siens oppressés. Il avait l'impression que l'atmosphère le polluait jusqu'au fond de l'âme. Il se concentra sur le pas de son cheval et ce qui se trouvait immédiatement devant lui, s'obligeant à fermer son esprit et ses sensations à l'humanité qui l'entourait. Ainsi, il pouvait respirer. Il y avait bel et bien de l'oxygène, même s'il était mêlé d'odeurs d'égouts, de pourriture et de fumée. Ses poumons fonctionnaient normalement.

Il se répéta cela comme un mantra jusqu'au moment où hôtel particulier s'inscrivit dans son champ de vision. Rebecca devait être en train de faire les bagages, mais peut-être pourrait-il la persuader de faire une pause, le temps de déjeuner avec lui.

Il descendit de cheval à l'instant où une massive voiture s'arrêtait devant la maison voisine. Celle d'Emeline. La portière d'un noir luisant portait les armoiries de lord Vale. Sam se hâta de monter les marches de son perron. Hors de question de rencontrer de nouveau Vale. Tout ce qui pouvait être dit l'avait déjà été.

Une fois à l'intérieur, il confia son chapeau et sa cape au majordome et lui demanda où se trouvait sa sœur.

— Mlle Hartley vient juste de sortir, monsieur.

— Ah bon ? Il y a combien de temps exactement ?

Rebecca était-elle allée faire un dernier tour dans les boutiques ?

— Une demi-heure, monsieur.

— Toute seule ? Est-elle partie à pied ou a-t-elle pris la voiture ?

— Elle est partie dans une voiture, monsieur, avec lady Emeline et M. Thornton.

Le majordome alla accrocher à une patère chapeau et cape, sans se rendre compte de l'effet produit par ces mots sur Sam qui, tout à coup, était glacé. Sa sœur était montée dans une voiture avec un homme qui était peut-être un violeur et un assassin ! Contre sa volonté, c'était certain. Il n'avait rien dit à Rebecca des soupçons qu'il nourrissait à l'encontre de Thornton, mais il les avait évoqués auprès d'Emeline. Pourquoi cette dernière aurait-elle suivi cet homme alors qu'elle savait…

— Qu'avez-vous fait d'elle ? tonna une voix familière.

Sam se retourna et, dans la seconde, fut projeté contre le mur. Un tableau se décrocha et s'écrasa sur le sol. Vale approcha du sien son visage horriblement marqué.

— Emmie est venue ici il y a une heure, Hartley ! Où est-elle ?

Sam résista à l'envie d'envoyer son poing dans la figure du vicomte. L'important en cet instant, c'était Rebecca. Et Emeline. Or Vale s'inquiétait autant que lui pour cette dernière.

— Emeline et ma sœur sont parties avec Thornton.

— Foutaises ! Pourquoi Emeline serait-elle allée quelque part avec ce freluquet ? Vous l'avez cachée !

Il s'écarta de Sam, se planta au milieu du vestibule, jambes écartées, leva la tête et cria :

— Emmie ! Emmie ! Viens ici tout de suite !

Formidable. Son seul allié était un imbécile, se dit Sam, consterné, avant de se diriger vers la porte. Il n'avait pas le temps de faire entrer dans le crâne de Vale ce qui se passait réellement.

Mais une autre voix l'arrêta.

— C'est vrai, monsieur.

Sam pivota sur ses talons et découvrit O'Hare, le valet.

— Qui diable êtes-vous? demanda Vale au jeune homme.

O'Hare esquissa une insolente parodie de courbette.

— Mlle Hartley et lady Emeline sont parties ensemble dans la voiture de M. Thornton.

Le valet se tourna vers Sam.

— Je n'ai pas aimé la façon dont il restait si près de Mlle Hartley, monsieur. Je pense que quelque chose n'allait pas.

Sam ne prit pas la peine de demander à O'Hare pourquoi il n'était pas intervenu, n'avait pas arrêté Thornton. Dans ce pays, un serviteur pouvait être renvoyé sans références, voire pire, pour un tel acte.

— Avez-vous une idée de leur destination, O'Hare?

— Oui. J'ai entendu M. Thornton donner ses directives au cocher. Quai de la Princesse à Wapping.

— Wapping? répéta Vale. Un quai à Wapping? Pourquoi M. Thornton les aurait-il amenées là?

— Quai égale bateaux, énonça succinctement Sam.

— Oh? Il essaie donc de les enlever?

— Dieu seul le sait, mais nous n'avons pas le temps d'examiner cette question sous tous les angles. Venez. Prenons votre voiture, Vale.

— Attendez! Où est l'urgence? Je ne suis pas certain que vous ne cachiez pas Emmie et...

— Thornton est le traître! tonna Sam. Et il a dû comprendre que je l'avais démasqué!

Vale vacilla légèrement, désorienté.

— Mais comment...

— Je viens de vous dire que nous n'avions pas le temps d'en discuter! O'Hare, acceptez-vous de nous aider?

— Oui, monsieur, répondit le valet sans hésitation.

— Allons-y.

Sam n'attendit pas l'approbation de Vale. Il fonça vers la voiture armoriée. Si le vicomte tenait à décortiquer les tenants et aboutissants de cette affaire, il resterait sur le trottoir.

Apparemment, il se décida car il courut derrière Sam et lança au cocher :

— Au quai de la Princesse. Aussi vite que possible.

Les trois hommes s'engouffrèrent dans la voiture.

— Maintenant, racontez-moi tout, Hartley, dit Vale.

Sam regardait par la fenêtre. L'équipage de Thornton avait quitté l'hôtel particulier depuis longtemps, mais il ne pouvait s'empêcher d'essayer de l'apercevoir, ce qui était aberrant.

— McDonald a usurpé l'identité de Thornton pendant, ou après, la bataille de Spinner's Falls.

— En avez-vous la preuve ?

— Quelle preuve ? Qu'un soldat qui se trouvait en Amérique il y a six ans a pris la place d'un autre, qui est mort ? Non. Il les a probablement toutes détruites.

Sam continua en s'adressant à O'Hare :

— Il y avait deux soldats rouquins. L'un était McDonald, l'autre Thornton. McDonald a été mis aux fers et emmené pour passer en cour martiale.

— Qu'avait-il fait ?

Sam regarda Vale, qui se mordit la lèvre et opina.

— Il a violé et tué une femme.

Le valet blêmit.

— Je vois comment McDonald a pu échanger son identité avec celle de Thornton dans le chaos qui régnait après Spinner's Falls, dit Vale, mais une fois rentré en Angleterre ? Thornton devait avoir de la famille !

— Une épouse. Qui est morte peu après son retour.

— Ah.

— Mais que veut-il de Mlle Hartley et de lady Emeline, maintenant ? demanda O'Hare.

— Je l'ignore, marmonna Sam.

Thornton était-il fou ? Selon toute vraisemblance, il avait déjà tué deux femmes.

— Chantage ? fit Vale. Peut-être espère-t-il vous empêcher de parler, Hartley. Emmie et votre sœur sont ses otages.

— Thornton est trop malin pour avoir monté un plan aussi insensé.

— Même les hommes intelligents peuvent céder à la panique et commettre des actes insensés.

— Sommes-nous encore loin, Vale ?

— De Wapping ? Le quartier est après la Tour de Londres.

Sam soupira. Ils étaient encore dans le secteur élégant de la ville. Presque deux kilomètres les séparaient de la Tour de Londres, et la voiture avançait lentement.

— Je viens de me souvenir de quelque chose, déclara soudain Vale.

Sam s'aperçut que le vicomte avait pâli.

— Quand nous avons vu Thornton dans votre jardin, poursuivit le vicomte, il m'a parlé d'une importante livraison qu'il préparait pour l'armée anglaise.

— Quelle destination ?

— Les Indes.

Sam sentit son cœur manquer quelques battements. Si Thornton faisait embarquer Emeline et Rebecca sur un navire marchand en partance pour les Indes…

La voiture ralentit, puis s'arrêta. Un coup d'œil par la fenêtre apprit à Sam que la charrette d'un brasseur obstruait la rue, l'axe d'une de ses roues brisé. Il ouvrit la portière.

— Où allez-vous ? lui cria Vale.

— J'irai plus vite à pied ! Continuez avec la voiture, vous arriverez peut-être avant moi.

Il sauta à terre et fila comme une flèche.

19

À la vue du cœur chauffé à blanc de Cœur de Fer, la princesse Solace hurla de désespoir. L'agonie de son mari était plus qu'elle n'en pouvait supporter. Elle ramassa un baquet d'eau et courut le jeter sur lui pour apaiser ses souffrances. Mais, hélas, il est bien connu que si l'eau éteint les flammes, le métal brutalement refroidi réagit mal.

Le cœur de Cœur de Fer se brisa dans un grand craquement.

Le canon de l'arme était fermement pressé contre la poitrine de Rebecca, et ne bougea pas d'un millimètre quand la voiture cahota en passant dans des fondrières ou en prenant des virages. Emeline se mordit la lèvre. Deux brutes l'encadraient, les hommes de main de Thornton. Elle n'avait découvert leur présence qu'en grimpant dans la voiture, où ils attendaient. Thornton leur avait ordonné de monter et Emeline n'avait pas regimbé. Le risque de voir Rebecca tuée sous ses yeux était trop grand.

Maintenant qu'elle se trouvait prisonnière de Thornton et de ses sbires malodorants, elle craignait de n'avoir pas pris la bonne décision. Rien ne l'empêcherait de la tuer, ainsi que Rebecca, une fois qu'ils seraient arrivés au quai. Au cours des dernières minutes, elle avait envisagé d'essayer de s'échapper, et renoncé : il lui aurait fallu se défaire des deux brutes d'abord.

Sans compter le pistolet rivé sur Rebecca. Sans l'ombre d'un doute, Thornton actionnerait la détente. Cet homme était un fou dangereux. Comment il avait réussi à dissimuler sa folie jusqu'ici était un mystère. Subitement, il s'était montré sous son vrai jour. Il affichait tous les signes de la démence : grimaces, tics nerveux, clignements d'yeux...

— On y est presque, mesdames, annonça-t-il. Êtes-vous déjà allées aux Indes ? Non ? La plupart des gens non plus, j'imagine. Quelle extraordinaire aventure nous allons vivre !

L'homme à la droite d'Emeline bougea et un remugle de sueur s'échappa de sa redingote rouge. La voiture roulait dans l'East End, longeant des entrepôts au-dessus desquels le ciel s'assombrissait de plus en plus.

Emeline croisa les mains sur son giron et s'efforça de s'exprimer d'une voix calme.

— Vous pouvez nous laisser ici, monsieur Thornton. Il n'est vraiment pas nécessaire d'aller plus loin.

— Oh, mais je prends tant de plaisir à votre compagnie !

— Notre présence va inciter Jasper et Samuel à vous poursuivre. Libérez-nous et vous pourrez vous enfuir.

— Comme c'est gentil à vous de vous soucier de mon bien-être, madame... Mais je pense que votre fiancé et Samuel Hartley me pourchasseront, que je vous libère ou non. M. Hartley en particulier me semble bien obsédé. Je me suis méfié de lui dès que j'ai appris qu'il interrogeait tous les survivants de notre régiment.

Emeline et Rebecca se regardèrent. Depuis que Thornton les avait forcées à monter dans la voiture, la jeune fille n'avait pas dit un mot. Emeline lisait dans ses yeux la même anxiété que celle qui l'habitait. Que Thornton les ait enlevées n'avait aucun sens. La crainte de ce qui les attendait l'oppressait.

La bruine se mua soudain en pluie drue, comme un rideau qui serait tombé à la fin d'une pièce.

Réfléchir... Il fallait réfléchir et il ne restait guère de temps pour cela.

Thornton projetait de les tuer, cela ne faisait pas l'ombre d'un doute.

Le ciel se déchira et une pluie diluvienne s'abattit dans la rue. Sam ralentit lorsqu'il reçut le premier assaut des éléments en pleine face, puis reprit son rythme. En fait, cette pluie l'aidait : les gens allaient se mettre en hâte à l'abri, libérant le chemin. Mais il demeurait tout de même quelques véhicules sur la chaussée. La charrette du brasseur avec sa roue cassée, par exemple, qui bloquait certainement encore l'attelage de Vale. Sam contourna tous les obstacles, courant à perdre haleine.

Quand elle s'était retrouvée coincée, la voiture de Vale était quelque part dans Fleet Street. Sam était sorti de ce secteur et longeait maintenant la Tamise. Il sentait les muscles de ses jambes protester. Il n'avait pas couru aussi vite, aussi désespérément depuis Spinner's Falls. Et il était arrivé trop tard pour alerter les secours : Reynaud était mort.

Il évita une jeune fille qui portait un bébé, heurta un homme bedonnant en tablier de cuir. L'homme jura, essaya de l'attraper au passage, mais Sam esquiva et continua sa folle course. Il avait mal aux pieds, des élancements dans les tibias. Les blessures de ses pieds s'étaient-elles rouvertes ?

Il se posait la question sans pour autant ralentir, quand l'odeur l'agressa.

Peut-être émanait-elle de l'homme en tablier de cuir, ou bien n'était-elle que le produit de son imagination, mais il la sentait : de la sueur. De la sueur d'homme. Oh non, pas maintenant...

Il s'empêcha de plaquer la main sur son nez et continua à courir, mais le remugle des cadavres de Spinner's Falls le poursuivait. Des corps qui exhalaient un relent de sueur et de sang putride. Des mains invisibles s'agrippaient à lui, suppliant, l'implorant de s'arrêter et de les aider. Le contact de ces mains l'avait harcelé pendant toute la traversée des forêts jusqu'à Fort Edwards. Par instants, il avait revu les soldats scalpés aux yeux écarquillés d'horreur et de souffrance. Il avait couru, possédé par ces visions de cauchemar. Sans faire une halte, sans reprendre son souffle. Et les années passant, où qu'il aille, lorsqu'il était en état de détresse, il les avait revus, ces hommes torturés à l'agonie. Ils faisaient partie de lui. Il ne parvenait pas à les extirper de sa mémoire.

Il traversa une grande flaque d'eau, se mouilla jusqu'aux genoux, sans y prêter attention. De toute façon, ses vêtements étaient déjà trempés. Il approchait des quais et l'odeur du fleuve commençait à couvrir celle des cadavres. Des entrepôts bordaient la voie. Il ne savait pas combien de temps il avait couru, ni sur quelle distance. Une unique question passait en boucle dans son esprit : que ferait-il si Rebecca et Emeline étaient déjà à bord d'un navire ? Si Thornton les avait déjà tuées ? Emeline allongée par terre, nue et en sang, le visage livide et figé...

L'image parut si réelle qu'il perdit l'équilibre, tomba à genoux sur le pavé. Une voix rugit :

— Hé, attention, vous !

Des sabots de cheval s'agitaient à quelques centimètres de sa figure. À quatre pattes, il s'écarta. La voiture passa. Le cocher l'agonit d'injures.

Il avait mal au genou, mais il réussit à se relever. Ignorant la douleur dans ses poumons martyrisés par l'effort, il se remit à courir.

Emeline...

La voiture négocia un grand virage. Par la fenêtre, Emeline put voir les docks. Il pleuvait toujours à verse. Un voile grisâtre semblait être tombé sur les grands vaisseaux ancrés le long de la Tamise. De plus petits bâtiments étaient insérés entre eux, chargés de marchandises. De loin en loin, on apercevait des manutentionnaires qui charriaient la cargaison à bord. D'ordinaire, les quais grouillaient de dockers, prostituées, voleurs à l'affût des passagers descendant des navires. Mais le déluge les avait chassés.

La voiture s'immobilisa. Thornton pressa le canon de son arme dans le flanc de Rebecca.

— Il est temps de descendre, mademoiselle Hartley.

Rebecca ne bougea pas. Elle fit bravement face à son ravisseur.

— Qu'allez-vous faire de nous ?

Thornton lui décocha l'un de ses sourires grimaçants et un clin d'œil.

— Rien de terrible, je vous l'assure. Mon projet, c'est de vous faire découvrir le vaste monde. Venez.

Qu'il plaisante conforta Emeline dans ses pires craintes. Si elles montaient sur un navire avec Thornton, elles ne survivraient pas au voyage. Mais dans l'immédiat, elles n'avaient aucune alternative.

Thornton fit un signe de tête à l'intention des deux brutes.

— Bougez ! ordonna l'homme en redingote rouge à Emeline.

Il ferma des doigts gros comme des saucisses sur son avant-bras. Ils allaient laisser des marques noires, songea Emeline. Il était le plus petit des deux, et coiffé d'un tricorne effrangé. Thornton ne devait pas bien le payer, car ses bottes étaient pleines de trous et un gros orteil crasseux traversait le cuir.

Elle adressa un petit sourire à Rebecca, espérant ainsi lui donner du courage. Puis elle retroussa ses jupes et descendit de voiture. La pluie la flagella aussitôt. Les doigts de l'homme serrèrent plus fort. Son acolyte suivait. Celui-ci était grand, maigre, doté de longs bras épais comme des colonnes et d'une chevelure grise clairsemée. Thornton mit pied à terre derrière Rebecca.

— Maintenant, déclara-t-il avec ce sourire qui semblait figé sur ses lèvres, dépêchons-nous. Un canot devrait nous amener au *Sea Tiger*. Je suis sûr, mesdames, que vous avez hâte d'être à l'abri de la pluie. Si nous…

Il n'acheva pas. Rebecca se libéra brutalement de son emprise et se rua sur le grand homme de main, le déséquilibrant. Pendant une fraction de seconde, Thornton ne sut plus dans quelle direction pointer son pistolet. Puis son affreux sourire s'épanouit et il visa le ventre d'Emeline, qui s'immobilisa.

Il allait tirer, et la tuer.

Ce ne fut pas ce qu'il advint. Sam jaillit de nulle part et se précipita sur Thornton, faisant dévier le bras armé. Le coup partit et la balle se perdit sur le pavé, dont de menus éclats s'éparpillèrent. L'homme de main saisit Sam par-derrière, son acolyte l'imita, et les trois hommes s'abattirent sur le sol en un inextricable nœud de bras et de jambes. Rebecca cria et tira de toutes ses forces sur le manteau du grand malfrat pour essayer de le faire reculer. Il tenta, pour se retenir, d'agripper Emeline par le bras. D'un féroce coup de talon, elle lui écrasa un orteil. L'homme hurla et la lâcha, mais sa main partit à toute volée pour la frapper au visage. La vision soudain brouillée, elle tomba dans une flaque d'eau.

— Allez-vous bien ? entendit-elle Rebecca lui demander.

— Sam... murmura Emeline.

Il était maintenant sous les trois hommes et cognait désespérément, à l'aveuglette, mais certains horions portaient quand même. Toutefois, il en recevait aussi, appliqués avec une violence inouïe. Emeline comprit que le trio ne serait pas long à le battre à mort si elle n'intervenait pas.

Pas de caillou, pas de morceau de bois, se rendit-elle compte en regardant autour d'elle dès que sa vision se fut éclaircie. Alors elle se remit debout, avec peine, puis plongea sur les trois agresseurs qui formaient une masse compacte. Elle empoigna des cheveux et tira, mais l'adversaire la repoussa sans difficulté d'un coup d'épaule. Elle faillit tomber de nouveau, se récupéra à temps et revint à la charge, griffant, mordant, cognant des pieds et des poings. Rebecca se joignit à elle et entreprit de marteler de ses petits poings le dos de l'un des hommes. La pluie lavait les larmes de rage et de désespoir qui ruisselaient sur les joues d'Emeline, mais elle l'aveuglait aussi. Avec un acharnement de harpie, elle continua à se battre. Elle ne laisserait pas Sam se faire tuer. Ou alors, elle se ferait tuer aussi.

Elle décocha un coup de pied au postérieur de Thornton, qui se retourna brièvement, l'air étonné. Sam tira avantage de cet instant de distraction et cogna le marchand en pleine figure. La tête de Thornton partit en arrière, son corps pivota. Il roula sur le pavé, une main tendue pour amortir sa chute. Ravie, Emeline l'écrasa du talon.

Une détonation éclata.

— Mon Dieu, Emmie, j'ignorais que tu étais aussi assoiffée de sang ! lança une voix d'homme familière.

Emeline leva les yeux et vit Jasper descendre de sa voiture, suivi d'un valet qui tenait un pistolet dans chaque main, dont un fumant.

— Nom d'un chien, Jasper, ne sois pas idiot ! Viens tout de suite aider Sam !

Vale parut étonné.

— Moi ?

Il se tourna vers les valets.

— Vous deux, allez aider M. Hartley.

Les hommes de main de Thornton se consultèrent du regard. Puis, d'un même mouvement, ils se relevèrent et filèrent à toutes jambes. Sam était désormais seul sur le pavé trempé, inerte. Emeline se précipita vers lui, s'agenouilla.

— Sam ! gémit-elle en lui touchant la joue du bout des doigts.

Il ouvrit les yeux.

— Emeline…

Dieu merci ! Il vivait ! Emeline caressa sa bouche et il lui embrassa la paume. Elle se retint à grand-peine de crier de joie.

— Ont-ils eu Thornton ? demanda Sam lentement, handicapé par ses lèvres tuméfiées.

Il se redressa. Emeline le soutint jusqu'à ce qu'il soit assis.

— Oui. Jasper contrôle la situation.

Les valets avaient rattrapé et ramené les hommes de main. Ils étaient en train de les ligoter à la voiture de Thornton. Rebecca tenait les pistolets, et Vale s'occupait de Thornton.

— Qu'allons-nous faire de lui ? s'enquit Jasper, qui semblait aussi écœuré que s'il avait tenu un morceau de viande avariée.

— On le jette dans le fleuve, suggéra l'un des valets.

Rebecca approuva d'un sourire. Quant à Sam, il déclara :

— Ce n'est pas une mauvaise idée.

Jamais Emeline ne lui avait entendu une intonation aussi glaciale.

— Et pour quelle raison feriez-vous cela ? lança Thornton en ricanant.

— Pour avoir fait du mal à lady Emeline et Mlle Hartley, canaille ! répliqua Vale.

— Mais je ne leur ai fait aucun mal !

— Vous les avez menacées d'une arme !

— Foutaises ! Croyez-vous qu'un juge prendra cela en compte ?

Thornton semblait réjoui. Comme s'il ne se rendait pas compte du pétrin dans lequel il se trouvait.

— Vous avez tué une femme aux Amériques, dit Sam. On vous pendra pour cela.

— Je ne vois pas de quoi vous parlez, rétorqua l'autre sans s'émouvoir.

— Cessez de jouer les innocents ! lança Vale. Nous savons que vous êtes McDonald, que vous avez tué cette femme et nous avez trahis, donnés aux Indiens et aux Français !

— Ah bon ? Et comment le prouverez-vous ?

— Peut-être n'en aurons-nous pas besoin, énonça Sam. Peut-être vous jetterons-nous dans la Tamise sans autre forme de procès. Je doute que quelqu'un vous pleure.

— Sam... souffla Rebecca.

Il regarda sa sœur. Son expression dure ne se modifia pas, mais sa voix fut plus douce lorsqu'il reprit :

— Je ne pense pas que nous ayons du mal à convaincre la cour. Il existe probablement quelques survivants qui se souviennent de McDonald et de

Thornton. Et de toute façon, nous pouvons demander à votre beau-père.

Une pause, puis :

— Eh oui. C'est l'un des renseignements que j'ai obtenus aujourd'hui. Thornton a un beau-père âgé qui ne l'a pas revu depuis qu'il a épousé sa fille. Il habite en Cornouailles. Il est en mauvaise santé, mais il est rongé par les soupçons depuis que sa fille est soi-disant tombée dans l'escalier. Il a contacté plusieurs hommes de loi pour qu'ils enquêtent sur sa mort. J'ai discuté avec l'un d'eux. Si nous envoyons une voiture au vieil homme, il viendra à Londres témoigner que vous n'êtes pas celui qui a épousé sa fille.

De plus en plus réjoui, Thornton s'écria :

— Essayez donc ! Oui, essayez donc ! Le vieux est tellement décati qu'il ne survivra pas au voyage !

— Laissez-nous gérer ce problème-là, dit Vale en secouant Thornton. À votre place, je me ferais du souci pour mon propre sort.

Il se tourna vers Sam et continua :

— Verriez-vous un inconvénient à ce que j'emprunte votre valet pour escorter ces trois vauriens à Newgate ?

— Je vous en prie, faites. Je raccompagnerai les dames dans votre voiture.

— Hartley, attendez ! cria Thornton. Vous pouvez me faire coincer pour le meurtre de la femme en Amérique, mais pas pour la trahison à Spinner's Falls ! Je n'ai pas donné le régiment à l'ennemi ! Je ne suis pas le traître !

Sam regarda Thornton, impavide, et cette absence de réaction enflamma l'homme.

— Vous êtes un lâche, Hartley ! Vous avez détalé comme un lapin à Spinner's Falls ! Tout le monde le sait ! Oui, vous êtes un lâche.

Vale s'empourpra et Emeline entendit Rebecca pousser un petit cri d'horreur. Mais, curieusement, Sam sourit.

— Non, je n'en suis pas un, dit-il calmement.

20

La princesse Solace serra son mari agonisant dans ses bras, ses larmes salées inondant son pauvre visage. Alors qu'elle pleurait, penchée sur lui, l'aube se leva et les rayons dorés du soleil baignèrent la terre. Cœur de Fer souleva les paupières et, regardant sa femme droit dans les yeux, prononça ses premiers mots après sept longues années de mutisme.

— Il a besoin d'un médecin, dit Rebecca en aidant Emeline à faire monter Sam dans la voiture.

Emeline songea qu'elle avait raison. Sam était d'une pâleur inquiétante, une entaille sur l'arcade sourcilière saignait abondamment.

— Pas de médecin, marmonna-t-il.

Emeline regarda Rebecca qui secoua la tête. Bien. Un médecin, quoi qu'en dise Sam.

La lenteur avec laquelle progressait la voiture dans les rues encombrées rendit le trajet de retour cauchemardesque. Le temps qu'ils arrivent, Sam avait cessé de parler depuis une demi-heure et ses yeux étaient clos.

— S'est-il évanoui ? demanda anxieusement Emeline.

— Je crois qu'il s'est endormi, répondit Rebecca.

Transporter Sam à l'intérieur de l'hôtel particulier, puis jusqu'à sa chambre, exigea deux valets athlétiques. Une fois qu'il fut dans son lit, Emeline envoya l'un d'eux chercher le médecin.

Une heure plus tard, Rebecca entrait dans la bibliothèque où patientait Emeline, qui avait fini par somnoler.

— Le médecin dit qu'il est surtout épuisé. Et vous-même me semblez bien fatiguée, déclara la jeune fille.

Emeline commença à secouer la tête. Elle ne voulait pas quitter Sam, mais elle se sentait si faible qu'elle soupira.

— Rentrez chez vous et reposez-vous, lady Emeline. Sam dort.

— Vous êtes une adorable enfant, mais fort autoritaire, remarqua Emeline.

Rebecca sourit.

— J'ai été à bonne école.

Elle tendait la main pour aider Emeline à se lever, quand des pas résonnèrent dans le vestibule. Un instant plus tard, Vale déboulait dans la bibliothèque.

— Emmie, vas-tu bien ? Je suis allé chez toi et tu n'y étais pas...

Éberluée, Emeline songea que, vraiment, Jasper ne la connaissait pas le moins du monde.

— Je vais bien, mais ne fais pas de bruit, sinon tu réveilleras Sam.

Vale leva les yeux au plafond comme s'il pouvait voir à travers le plâtre et les poutres.

— C'est sûr qu'il a passé une sacrée journée, admit-il.

— Jasper, je...

— Me permettez-vous de vous laisser seuls ? fit brusquement Rebecca. Il faut que je... euh...

Manifestement, elle cherchait un prétexte pour se retirer.

— ... que je prenne des nouvelles d'O'Hare.

— Qui est O'Hare ? s'enquit Emeline.

— Mon valet.

Rebecca sortit de la pièce sous le regard interloqué d'Emeline. Pourquoi la jeune fille se souciait-elle du sort de son valet ?

Vale l'arracha à ses interrogations.

— Emmie ?

Elle se tourna vers lui, surprise par la gravité inhabituelle de son intonation. Sa mine sérieuse et résignée acheva de la déconcerter.

— Emmie, nous n'allons pas nous marier, n'est-ce pas ?

— Non, très cher, nous n'allons pas nous marier.

Il se laissa tomber dans un fauteuil.

— C'est aussi bien, je suppose. Tu n'aurais jamais pu t'accommoder de mes faiblesses. Aucune femme ne le pourrait, j'en ai peur.

— Ce n'est pas vrai, Jasper. Tu n'es peut-être pas très facile à vivre, mais je suis sûre que, quelque part, la femme qui te convient t'attend.

Il eut un sourire triste.

— J'ai trente-trois ans, Emmie. S'il existait une femme susceptible de m'aimer et, encore plus important, de me supporter, ne crois-tu pas que je l'aurais déjà rencontrée ?

— Cela aiderait peut-être que tu cesses de la chercher dans des maisons de passe, des cercles de jeu. Que tu fréquentes enfin des endroits respectables.

Des paroles un brin acerbes, mais qui perdirent de leur intensité lorsqu'elle bâilla à se décrocher la mâchoire. Vale se mit debout.

— Permets-moi de te raccompagner chez toi. Tu dois te reposer. Tu recommenceras à me réprimander demain.

Emeline constata avec tristesse qu'elle était incapable de protester. Elle laissa Jasper l'escorter jusqu'à sa porte. Là, il lui effleura la joue du bout des lèvres – le même baiser qu'il lui donnait depuis qu'elle avait quatre ans – puis il s'apprêta à s'en aller.

— Jasper ?

Il s'arrêta sur les marches du perron et la regarda par-dessus son épaule. Il avait de sublimes yeux turquoise, il était grand, bien découplé. Son visage arborait une mine tragique. Le cœur d'Emeline se serra. Cet homme avait été le meilleur ami de Reynaud, et elle le connaissait depuis toujours.

— Je t'aime beaucoup, Jasper.

— Je sais, Emmie, je sais, et c'est cela le plus terrible.

Emeline ne sut que répondre. Il semblait sincèrement bouleversé. Il lui fit au revoir de la main et s'en alla. Emeline entra chez elle, songeant qu'elle aurait donné n'importe quoi pour apaiser Jasper.

Tante Cristelle surgit immédiatement, suivie de Melisande.

— Que fais-tu ici ? s'étonna Emeline en voyant son amie.

— J'étais venue te rapporter ton recueil de contes de fées, mais quand je suis arrivée, le majordome de M. Hartley était là pour informer ta tante de ce que quelque chose n'allait pas. J'ai donc décidé de rester pour lui tenir compagnie en t'attendant. Mais personne ne nous a dit ce qui s'était exactement passé.

Emeline fut donc obligée, en buvant du thé et grignotant des biscuits, de tout raconter à tante Cristelle et Melisande, qui l'interrompirent sans cesse pour poser des questions. À la fin, Emeline était vraiment au bord de l'épuisement. Ce que Melisande dut remarquer, car elle déclara :

— Je crois qu'il faut que tu te mettes au lit.

Emeline hocha la tête, et nota que sa tante et son amie échangeaient un regard navré.

— Dans un petit moment, dit-elle, simplement pour garder l'illusion de contrôler la situation.

— Bon. Voilà ton livre.

Melisande posa le recueil sur la table basse. Emeline lui jeta un coup d'œil. Il n'avait plus guère d'importance, désormais, même s'il faisait partie des souvenirs rattachés à Reynaud.

— Pourquoi me l'as-tu rapporté, Melisande ?

— Je pensais que tu voulais que je le traduise.

— Oh. Je le considérais comme un lien entre Reynaud et moi, mais il me semble moins vital maintenant d'avoir une réminiscence tangible de mon frère. Mais… je ne l'oublierai jamais, n'est-ce pas ?

Melisande garda le silence. Elle dardait sur son amie des yeux tristes. Emeline prit le livre et le lui tendit.

— Garde-le pour moi, veux-tu ?

— Pardon ?

— Traduis-le intégralement. Peut-être trouveras-tu ce qui m'échappe.

— Si tu penses que c'est le mieux…

— Oui. Mon Dieu, il faut vraiment que je me couche.

Melisande l'accompagna jusqu'au pied de l'escalier, puis lui souhaita bonne nuit. Elle ouvrait la porte quand Emeline la rappela.

— Melisande ?

— Oui ?

— Te serait-il possible de veiller sur Jasper à ma place ? Je sais que c'est une étrange requête que je fais là, mais je m'inquiète pour lui. Alors accepterais-tu de parler avec lui ?

— Bien sûr, dit la jeune femme, surprise.

— Parfait.

Emeline gravit l'escalier, l'esprit allégé d'un souci. Elle pouvait à présent aller dormir.

— Crois-tu que M. Thornton était le traître ? demanda Rebecca à Sam cette nuit-là.

Elle était somnolente et, devant la cheminée, luttait pour garder les yeux ouverts. Sam était sorti de son lit pour prendre un dîner froid avec elle, après quoi ils s'étaient retirés dans le salon. Elle aurait dû être endormie depuis longtemps : les péripéties de la journée l'avaient vidée de toute énergie. En face d'elle, Sam tenait un verre de cognac et regardait le feu à travers le cristal. Son visage était tuméfié, de nouveaux hématomes s'étaient ajoutés à ceux qui commençaient à peine à guérir, mais qu'importait ? C'était son frère et elle l'aimait, quel que fût son aspect.

— Je pense que oui, répondit-il.

— Mais tu n'en es pas absolument sûr.

Il secoua la tête et vida son verre.

— Thornton est un menteur-né. Impossible de dire s'il a une responsabilité dans le massacre ou non. Il ne le sait peut-être pas lui-même. Les menteurs ont tendance à croire en leurs mensonges. J'ai peur que nous n'ayons jamais de certitude.

— Mais, Sam, tu as traversé la moitié du monde pour découvrir la vérité, pour que ce massacre ne te perturbe plus. Cela ne te dérange donc pas que Thornton ne soit peut-être pas le coupable ?

— Non. C'est fini.

— Je ne comprends pas.

Un sourire effleura les lèvres de Sam.

— J'en suis arrivé à la conclusion que, quoi que je fasse, jamais je ne pourrai effacer Spinner's Falls de ma mémoire. Cela m'est impossible.

— Mais c'est affreux ! Comment...

Il leva la main, et Rebecca se tut.

— J'ai appris que je pouvais vivre avec ce souvenir, Becca, car il fait partie de moi.

— Oh, Sam, quelle tristesse... Ce cauchemar va rester dans ta mémoire ta vie durant...

— Ce n'est pas si dur que tu l'imagines. J'ai déjà passé six années à me battre contre mes fantômes. Je crois que ce sera plus facile maintenant que je sais qu'ils font partie de l'homme que je suis, qu'ils m'ont fait tel que je suis.

— Je ne comprends pas, mais si tu es en paix, c'est tout ce qui compte, et j'en suis heureuse.

— Je suis en paix.

Un silence empreint de chaleur s'installa. Rebecca s'abandonna à une douce léthargie. Une bûche crépita soudain, et elle se rappela qu'il leur fallait discuter d'autre chose, quelque chose de très important.

— Elle t'aime, tu sais.

Sam ne répondant rien, elle ouvrit les yeux et le regarda. Il fixait le feu, les mains jointes sur les genoux.

— J'ai dit qu'elle t'aimait, Sam.

— J'ai entendu.

— Et alors ? Ne vas-tu rien faire à ce sujet ? Notre navire quitte le port demain.

Il se leva, s'étira et grimaça en se frottant le flanc.

— Je sais. Tu vas finir par t'endormir dans ce fauteuil et je serai obligé de te porter jusqu'à ton lit comme une petite fille. Viens.

Il lui tendit la main. Elle lui donna la sienne, mais répliqua en se levant :

— Je ne suis pas une petite fille.

— Je le sais aussi. Tu es ma petite sœur devenue une femme adorable et intéressante, déclara Sam en attirant Rebecca contre lui. Je te ramènerai bientôt en Angleterre si tu le souhaites, ma chérie. Ainsi, tu pourras revoir M. Green ou n'importe quel autre gentilhomme qui te plairait. Je n'ai pas l'intention de mettre un terme aux espérances que tu as conçues ici.

— Je n'en ai guère.

— Si tu te désoles à cause de notre absence de lignée, je...

— Non, ce n'est pas cela, Sam.

Elle baissa les yeux sur leurs mains nouées. Celle de Sam, malgré des semaines sous le climat anglais, était encore bronzée.

— Alors, qu'est-ce que c'est ?

— J'apprécie M. Green, et si tu souhaites que je continue à le voir, je...

— Pourquoi voudrais-je que tu continues ou non à voir M. Green, Becca ?

— Je pensais... Oh, comme c'est embarrassant... Je pensais que tu désirais que je l'encourage. Lui ou un gentilhomme de son rang. Que tu étais content qu'il fasse partie de la haute société anglaise, même s'il a un rire idiot. Cela m'est difficile de comprendre ce que tu désires, Sam.

— Que tu sois heureuse, évidemment ! J'émettrais certainement des objections si tu jetais ton dévolu sur un chasseur de rats ou un vieillard de quatre-vingts ans, mais sinon, ton choix sera le mien. Tu épouseras qui tu voudras.

Rebecca se mordilla la lèvre.

— Je veux ton approbation, Sam !

— Tu l'as déjà. Maintenant, à toi de décider *qui* je vais devoir approuver.

— Voilà qui complique les choses, marmonna Rebecca.

Elle soupira, mais sourit. Il cala sa main au creux de son bras.

— Non. Voilà qui est réglé. Et tu n'es pas obligée de prendre une décision à la hâte.

Ils se dirigèrent vers l'escalier.

— Mmm… Sam, j'ai une faveur à te demander.

— Oui ?

— Pourrais-tu donner du travail à O'Hare ?

Il la regarda, perplexe.

— En Amérique, je veux dire, Sam.

Dans l'attente de la réponse de son frère, elle retint son souffle.

— Eh bien… je suppose que je le peux, oui. Mais rien ne garantit qu'il acceptera.

— Oh, il acceptera. Merci, Sam.

— Je t'en prie.

Ils étaient arrivés devant la porte de la chambre de la jeune fille.

— Bonne nuit, ma chérie.

— Bonne nuit. Mais… Sam, tu vas parler à lady Emeline, n'est-ce pas ? demanda-t-elle tandis qu'il s'éloignait.

Il ne sembla pas avoir entendu.

Lorsque Emeline se réveilla le lendemain matin, le soleil entrait à flots par les fenêtres, qu'elle fixa un long moment avant de revenir à la réalité.

— Ô mon Dieu ! s'écria-t-elle en sautant à bas du lit pour aller sonner sa camériste.

Puis, craignant que celle-ci ne mît trop longtemps à venir, elle ouvrit la porte et hurla dans l'escalier comme une harengère. Cela fait, elle regagna sa chambre en trombe, trouva un sac de voyage et commença à le remplir à la va-vite de divers effets.

— Emeline ! s'exclama tante Cristelle depuis le seuil, l'air horrifié. Mais quel démon te possède donc ?

— Sam, répliqua laconiquement la jeune femme en regardant le sac : elle n'avait même pas le temps de faire ses bagages.

— Oui, eh bien ?

— Sam… Son navire largue les amarres ce matin. Il est peut-être déjà parti. Il faut que je l'en empêche !

— Mais, grands dieux, pourquoi ?

— Je dois lui dire que je l'aime !

Elle abandonna le sac, ouvrit son armoire et en sortit sa robe la plus simple. Harris apparut à cet instant.

— Vite ! Aidez-moi à m'habiller !

Tante Cristelle se laissa tomber sur le lit.

— Pourquoi tant de hâte ? Si cet homme ne sait pas déjà que tu as un penchant pour lui, c'est un fieffé imbécile.

Emeline émergeait des multiples plis de coton de sa robe.

— Oui, il le sait, mais je lui ai dit que je ne voulais pas l'épouser.

— Et alors ?

— Alors je *veux* l'épouser !

— Par exemple ! C'était donc fort stupide que tu te fiances à lord Vale.

— J'en suis bien consciente, tante Cristelle !

Mais pourquoi perdait-elle de précieuses minutes à discuter avec sa tante, alors que le navire de Sam descendait peut-être déjà la Tamise ?

— Où sont mes chaussures ?

— Les voilà, madame, répondit Harris, imperturbable. Mais vous n'avez pas enfilé vos bas.

— Peu importe !

Tante Cristelle leva les mains comme pour implorer Dieu de venir en aide à sa nièce qui avait perdu l'esprit. Emeline glissa ses pieds nus dans ses escarpins et se rua vers la porte, manquant heurter Daniel qui entrait.

— Où vas-tu, maman ? s'enquit-il en baissant les yeux sur les chevilles de sa mère. Sais-tu que tu ne portes pas de bas ?

— Oui, mon chéri, répondit Emeline en embrassant son fils sur le front. Mais nous partons aux Amériques, et là-bas, les dames n'en portent pas.

Emeline laissa derrière elle un Daniel qui poussait des hourras, et une tante Cristelle et une Harris qui tentaient de le calmer. Elle dévala l'escalier tout en appelant Crabs à tue-tête. L'impassible majordome surgit dans le vestibule, puis s'immobilisa, interloqué.

— Madame?

— Amenez la voiture. Vite!

— Mais…

— Et ma cape. J'ai besoin d'une cape. Quelle heure est-il?

Elle regardait fiévreusement autour d'elle en quête d'une pendule.

— Un peu plus de neuf heures, madame.

— Oh, non!

Emeline se plaqua les mains sur le visage. Le bateau devait être parti. Déjà en mer. Qu'allait-elle faire? Il n'y avait aucun moyen de rattraper Sam, rien qui…

— Emeline?

Cette voix grave, pleine d'assurance, si familière…

Lentement, elle abaissa ses mains, n'osant y croire.

Sam se tenait sur le seuil du salon, ses yeux couleur café plissés par un sourire destiné à elle seule. Elle se précipita vers lui. Il ferma les bras autour d'elle et elle agrippa les pans de sa redingote.

— Je pensais que tu étais parti… Je pensais qu'il était trop tard.

Il lui constella le visage de petits baisers, puis s'attarda sur sa bouche.

— Je suis là, souffla-t-il en l'entraînant dans le salon.

— Je croyais t'avoir perdu…

De nouveau il l'embrassa, cette fois avec passion.

— Je t'aime, Sam! dit-elle quand il mit, manifestement à regret, un terme au baiser.

— Je sais. Je m'apprêtais à rester dans ton salon jusqu'à ce que tu l'admettes.

— Vraiment?

— Mmm.

— Tu as fait preuve d'intelligence.

— Pas tant que cela.

Il recula la tête pour la contempler.

— C'était une question de survie, Emeline. Sans toi, je suis glacé. Tu es la flamme qui me garde chaud à l'intérieur. Si je te quittais, je me pétrifierais, je me muerais en bloc de glace.

— Alors mieux vaut que tu ne me quittes pas, dit tendrement Emeline en attirant son visage vers le sien.

Il redressa immédiatement le menton.

— Veux-tu m'épouser ?

Le souffle soudain court, la gorge nouée, elle répondit après avoir dégluti avec peine :

— Oh, oui !

— Viendras-tu avec moi en Amérique ? Je pourrais vivre en Angleterre, mais pour mon travail, ce serait plus facile si nous habitions dans les colonies.

— Et Daniel ?

— J'aimerais qu'il vienne aussi.

Emeline ferma les yeux pour contenir les larmes qui affluaient.

— Pardonne-moi, Sam. Il n'est pas dans mes habitudes de pleurer. Je ne pleure jamais !

— Bien sûr que non.

— Dans mon milieu, il n'est pas courant qu'une mère garde son fils auprès d'elle, tu sais. Mais je serais heureuse d'avoir Daniel avec moi.

— Voilà qui est réglé : Daniel nous accompagne. Et ta tante est la bienvenue, si d'aventure…

— Je reste ici !

Emeline se retourna. Tante Cristelle se tenait dans l'encadrement de la porte.

— Tu vas avoir besoin de quelqu'un sur place pour gérer tes domaines, mon petit, ton argent, bref, ce genre de choses.

— Eh bien, oui, mais…

— C'est décidé. Bien entendu, tu traverseras l'océan assez souvent pour que je puisse voir mon petit-neveu.

Sur ces mots, qu'elle ponctua d'un hochement de tête empreint de la satisfaction du devoir accompli, la vieille dame quitta royalement la pièce et referma la porte derrière elle.

Emeline s'aperçut alors que Sam l'observait.

— Es-tu sûre que cela ira ? Que tu supporteras de tout laisser ? De rencontrer des gens nouveaux ? De vivre dans un pays qui est loin d'être aussi sophistiqué que celui-ci ?

— L'endroit où je vivrai n'aura guère d'importance, dans la mesure où je serai avec toi. Et puis, j'ai des projets : je vais essayer d'instiller à la bonne société de Boston quelques éléments de sophistication anglaise. Après tout, personne, là-bas, n'a participé à l'un de mes bals.

Sam sourit de toutes ses dents. Avec son visage tout couturé, il avait l'air d'un pirate.

— Ils ne comprendront même pas ce qui leur arrive, n'est-ce pas ?

Emeline se renfrogna, mais cela ne dura que le temps d'un battement de cœur. Elle posa la main sur la nuque de Sam et l'obligea à incliner la tête vers elle pour l'embrasser. Avec douceur, tendresse et allégresse.

Et elle murmura contre ses lèvres :

— Je t'aime.

Épilogue

— Je t'aime.

Lorsque la déclaration sortit de la bouche de Cœur de Fer, le méchant sorcier poussa un grand cri.

— Non ! Non ! Ce n'est pas possible !

La vilaine figure du petit homme rougit, jusqu'à ce que de la vapeur commence à s'échapper de ses narines.

— J'ai attendu sept longues années pour voler votre cœur de fer et faire mienne votre force ! poursuivit-il. Si vous aviez parlé au cours de ces sept ans, je l'aurais obtenu et votre femme et vous auriez été damnés ! Ce n'est pas honnête !

Le sorcier se mit à tourner sur lui-même, fou de rage que son mauvais sort ait été déjoué. Il tourna de plus en plus vite, jusqu'à ce que des étincelles jaillissent de son corps, que de la fumée noire sorte de ses oreilles, que le sol se craquelle sous ses pieds. Dans un grand fracas, la terre s'ouvrit et il disparut, englouti.

La colombe attachée à son poignet s'envola, sa chaîne d'or brisée. L'oiseau redescendit du ciel, se posa et se transforma en bébé vagissant : le fils de Cœur de Fer.

La joie s'empara de la Ville brillante. Les gens applaudirent, fous de bonheur que leur prince leur eût été rendu.

Mais qu'advenait-il de Cœur de Fer et de son cœur brisé ? La princesse Solace regarda son mari immobile dans ses bras, effrayée qu'il ne fût mort, et s'aperçut qu'il était indemne et lui souriait. Elle fit alors la seule chose qu'une princesse pût faire dans ces circonstances : elle l'embrassa.

On dit encore de nos jours, dans la Ville brillante, que le cœur de Cœur de Fer guérit spontanément quand le sort du méchant sorcier fut rompu. Je n'en suis pas certaine. Ce que je crois, c'est que l'amour de la princesse Solace l'a ressuscité.

Car qu'est-ce qui peut réparer un cœur brisé, à part l'amour ?

Découvrez les prochaines nouveautés
de nos différentes collections J'ai lu pour elle

AVENTURES
& PASSIONS

Le 3 mars :
Ces demoiselles de Bath — Un instant de
pure magie ⟶ **Mary Balogh (n°9185)**

Fin XIXᵉ, Angleterre. Susanna Osbourne, humble institutrice, profite d'un été à la campagne, où elle fait la connaissance de Peter Edgeworth, un riche aristocrate. Bien qu'ils viennent de deux mondes différents, et même si tout les oppose, les deux jeunes gens vont nouer une idylle que va rompre la disparition soudaine de Susanna

Dans un décor évocateur des romans de Jane Austen, teinté de romantisme, Mary Balogh offre une suite à la série de « Ces demoiselles de Bath.»

La ronde des saisons 3 — Un diable en hiver ⟶
Lisa Kleypas (n°9186)

Un diable en hiver est le troisième tome de la série « La ronde des saisons ». Qui aurait cru qu'après ses amies, Annabelle et Lillian ce serait au tour de la timide Evangeline Jenner de trouver un mari ? Et quel mari ! Non content d'être un débauché notoire, un aristocrate plein de morgue, Sebastian, lord St. Vincent, vient de trahir son meilleur ami en tentant d'enlever sa riche fiancée…

Pour échapper aux griffes de sa famille, la douce Evie décide de signer un pacte avec le diable. En échange de sa protection, Sebastian aura sa fortune, mais rien de plus, ni son corps ni son cœur.

Les enquêtes de Lavinia et Tobias — L'intrigante de Londres ⟶
Amanda Quick (n°6293)

Affublée de gros bas de laine, de chaussures éculées et d'un vieux manteau, Lavinia est méconnaissable. Un seau d'eau, une serpillère et un balai compléteront son déguisement. À quelles extrémités peut conduire la profession de détective privé !

Quelques pièces ont suffi pour qu'on lui remette les clés de la galerie secrète. Voilà enfin l'occasion d'examiner de près le travail de Huggett, ce sculpteur si antipathique, et de savoir s'il est l'auteur de la macabre poupée vaudou qu'a reçue la cliente de Lavinia, ce qui expliquerait bien des choses…

---

2 rendez-vous mensuels
aux alentours du 1ᵉʳ et du 15 de chaque mois.

Le 17 mars :
Un amant de rêve ✍ **Virginia Henley** (n°4848)

Mariée à un homme qu'elle méprise, Esmeralda fuit sans cesse le domicile conjugal. Ce soir-là, dans Baker Street, un fiacre s'arrête à sa hauteur. La portière s'ouvre. Esmeralda, qui reconnaît l'homme, est stupéfaite.
Cinq ans sans la moindre nouvelle, cinq ans à rêver de lui chaque nuit... Pourtant, sans hésiter, elle s'engouffre à l'intérieur. Le comte de Kildare jubile. À présent, il tient sa vengeance !

Les Highlanders du nouveau monde — Sur le fil de l'épée ✍ **Pamela Clare** (n°9200)

INÉDIT

1755. Anglais et Français s'affrontent pour la conquête des Amériques. Exilé au Nouveau Monde, Ian MacKinnon hait le roi George et ses armées, mais il est enrôlé de force et contraint de prendre la tête d'une compagnie d'Indiens. Lui qui n'ambitionnait que d'être fermier devient soldat. Un jour, contrevenant aux ordres, il sauve une esclave blanche que des Abénaqui s'apprêtaient à scalper. Elle dit s'appeler Annie Burns et, bien qu'elle soit écossaise, elle prend Ian pour un barbare, car son clan a massacré ses proches. Pourtant, aux confins de cette terre sauvage, elle va peu à peu accepter sa protection et plus encore...

*P*assion *intense*
Quand l'amour vous plonge dans un monde de sensualité

Le 21 avril :
Les magiciennes des âmes perdues ✍ **Megan Hart** (n° 9230)

INÉDIT

Dans un monde fantaisiste, lors d'une soirée qui tourne au drame, trois amis, Cillian fils de roi, Edward et Alaric, tuent une prostituée. Des années plus tard, toujours rongés par la culpabilité, ils n'ont qu'un seul souhait: retrouver leur sérénité. L'ordre de Solace leur envoie des émissaires, des demoiselles de compagnie dont la mission est de les sauver de leurs démons et de les aider à retrouver la paix.

L'ami de madame ✍ **Evangeline Collins** (n° 9231)

INÉDIT

Mariée à contrecœur pour sauver l'honneur de sa famille, délaissée par son époux dans une maison du fin fond de l'Écosse, Bella vit une existence morne et ennuyeuse. Jusqu'au jour où une amie lui propose une idée fort originale: pourquoi n'accueillerait-elle pas, pour quelques semaines, un homme en guise de compagnon ?

**2 romans tous les 2 mois
aux alentours du 15 de chaque mois.**

9162

Composition
CHESTEROC LTD

Achevé d'imprimer en France
par CPI Brodard et Taupin
le 17 janvier 2010 -56148.

Dépôt légal janvier 2010.
EAN 9782290018675

ÉDITIONS J'AI LU
87, quai Panhard-et-Levassor, 75013 Paris

Diffusion France et étranger : Flammarion